オホーツク海
知床五湖（斜里町）
世界遺産・知床にある湖。
人気の観光スポットです。
釧路湿原（釧路市・釧路町・標茶町・鶴居村）
希少な動植物も多い、日本最大規模の湿原です。
神威岳
蘂取
散布山
紗那
留別
択捉島
西単冠山
単冠湾
ベルタルベ山
国後水道
安渡移矢岬
爺爺岳
留夜別
国後島
羅臼山
ケラムイ崎
泊
知床岬
知床岳
知床半島
羅臼岳
羅臼
斜里岳
斜里
網走
サロマ湖
常呂川
能取湖
佐呂間
北見
美幌
網走川
屈斜路湖
摩周湖
阿寒湖
雄阿寒岳
雌阿寒岳
足寄別
鶴居
釧路川
弟子屈
中標津
標津
別海
根釧台地
標茶
根室海峡
野付崎
納沙布岬
根室
根室半島
落石岬
浜中
厚岸
厚岸湾
釧路
尻羽岬
白糠
浦幌
十勝川
色丹
色丹島
多楽島
志発島
水晶島
歯舞群島
太平洋
46°
146°
148°
44°
42°
144°

東北地方

白神山地(青森県・秋田県)

世界遺産にもなっている、青森・秋田県境の山地。大規模なブナの原生林で有名です。

浄土ヶ浜(岩手県)

宮古市にある海岸。景観の美しさで知られています。

小学生の日本地図ドリル
楽しく学ぶ 基礎からわかる 47都道府県
役立つ！くわしい！
日本地図
北海道地方
2～3ページ
北海道
東北地方
4～5ページ
青森県
秋田県
岩手県
山形県
宮城県
福島県
関東地方
6～7ページ
栃木県
群馬県
茨城県
埼玉県
東京都
千葉県
神奈川県
中部地方
8～9ページ
新潟県
富山県
石川県
長野県
福井県
岐阜県
山梨県
愛知県
静岡県
近畿地方
10～11ページ
京都府
滋賀県
兵庫県
大阪府
三重県
奈良県
和歌山県
中国地方
12～13ページ
鳥取県
島根県
岡山県
広島県
山口県
四国地方
12～13ページ
香川県
徳島県
愛媛県
高知県
九州地方
14～15ページ
福岡県
佐賀県
大分県
長崎県
熊本県
宮崎県
鹿児島県
沖縄県
47都道府県を、地方ごとに見ていこう。
各都道府県の美しい自然や有名な景勝地もいっしょにチェックしてね。

北海道地方
140°
142°
0
50
100km
宗谷海峡
宗谷岬
野寒布岬
稚内
猿払
礼文島
礼文
利尻水道
利尻
利尻山
利尻島
天塩平野
浜頓別
豊富
中頓別
枝幸
天塩川
天塩
中川
音威子府
遠別
天塩山地
函岳
美深
北見山地
雄武
渚滑川
湧別川
紋別
焼尻島
天売島
羽幌
ピッシリ山
苫前
名寄
下川
滝上
湧別
遠軽
士別
和寒
天塩岳
幌加内
愛別
上川
留萌
増毛
沼田
深川
鷹栖
旭川
大雪山
置戸
暑寒別岳
雄冬岬
日本海
赤平
美瑛
石狩岳
滝川
芦別
砂川
夕張山地
十勝岳
石狩山地
歌志内
積丹岬
石狩湾
石狩川
月形
富良野
北海道
足寄
神威岬
積丹
美唄
当別
三笠
南富良野
士幌
本別
余市
小樽
石狩
石狩平野
岩見沢
積丹半島
新得
泊
札幌
南幌
夕張岳
芽室
帯広
倶知安
江別
栗山
夕張
占冠
池田
岩内
北広島
長沼
日高山脈
十勝平野
ニセコアンヌプリ
余市岳
恵庭
幌尻岳
羊蹄山
恵庭岳
千歳
厚真
弁慶岬
尻別川
蘭越
支笏湖
鵡川
中札内
島牧
寿都
留寿都
洞爺湖
樽前山
平取
茂津多岬
苫小牧
むかわ
大樹
ペテガリ岳
狩場山
渡島
長万部
有珠山
白老
日高
伊達
神威岳
後志利別川
今金
登別
新ひだか
広尾
せたな
内浦湾
八雲
チキウ岬
室蘭
浦河
えりも
神威山
奥尻
奥尻島
森
駒ケ岳
渡島半島
亀田半島
襟裳岬
乙部
七飯
江差
北斗
恵山岬
松前半島
木古内
函館
恵山
大島
津軽海峡
大千軒岳
松前
小島
白神岬

最上川(山形県)

流れが速く、日本三急流のひとつになっています。

松島(宮城県)

松島湾一帯にある260あまりの島々。日本三景(日本の代表的な3つの景勝地)のひとつです。

猪苗代湖(福島県)

日本で4番目に面積が広い湖。ハクチョウの渡来地となっています。

赤城山(群馬県)
この山の方角から吹く冷たい冬の北風が、群馬名物になっています。「あかぎさん」ともいいます。
偕楽園(茨城県)
日本三名園のひとつ。梅の名所です。
華厳の滝(栃木県)
落差97メートルの滝は、迫力満点です。
九十九里浜(千葉県)
千葉県東部の砂浜海岸。長さは66キロメートルにもおよびます。
小笠原諸島
142°
小笠
140°
36°
太平洋
鹿島灘
関東平野
関東山地
群馬県
栃木県
茨城県
埼玉県
東京都
千葉県
神奈川県
那須岳
那須塩原
高原山
大田原
八溝山
北茨城
大子
矢板
那須烏山
高萩
常陸太田
日立
白根山
男体山
谷川岳
日光
さくら
常陸大宮
久慈川
白根山
四阿山
浅間山
沼田
赤城山
宇都宮
鹿沼
真岡
東海
ひたちなか
榛名山
渋川
みどり
桐生
足利
栃木
下野
笠間
水戸
前橋
佐野
小山
筑西
桜川
小美玉
安中
伊勢崎
結城
筑波山
石岡
妙義山
高崎
館林
古河
下妻
かすみがうら
鉾田
富岡
藤岡
本庄
熊谷
つくば
土浦
行方
潮来
鹿嶋
春日部
霞ケ浦
利根川
神栖
秩父
川越
さいたま
柏
香取
雲取山
所沢
川口
松戸
市川
成田
銚子
青梅
船橋
匝瑳
旭
あきる野
佐倉
八王子
府中
東京
山武
犬吠埼
千葉
東金
相模原
東京湾
川崎
市原
袖ケ浦
房総
厚木
横浜
木更津
茂原
南足柄
伊勢原
鎌倉
横須賀
富津
平塚
小田原
鹿野山
いすみ

関東地方

さきたま古墳公園（埼玉県）

大規模な古墳群を保存しながらも、美しい公園として整備されています。

芦ノ湖（神奈川県）

観光名所として知られる、箱根山にある湖です。

明治神宮外苑（東京都）

晩秋のイチョウ並木を見に、多くの人が訪れます。

中部地方
0 50 100km
136°
138°
38°
兼六園(石川県)
江戸時代につくられた日本庭園。日本三名園のひとつです。
三方五湖(福井県)
若狭湾沿いの５つの湖。ラムサール条約湿地に登録されています。
黒部峡谷(富山県)
黒部川の上・中流部の峡谷です。立山連峰と後立山連峰を分断しています。
越後平野(新潟県)
米作がたいへんさかんです。別名・新潟平野。
日本海
佐渡海峡
新潟県
富山県
粟島
弾崎
金北山
姫崎
佐渡
佐渡島
沢崎鼻
舳倉島
七ッ島
珠洲岬
宝立山
珠洲
輪島
高洲山
能登半島
能登島
七尾
富山湾
羽咋
氷見
宝達山
かほく
高岡
射水
小矢部
砺波
金沢
南砺
富山
神通川
滑川
魚津
黒部
黒部川
立山
白馬岳
飛
姫川
糸魚川
焼山
妙高山
黒姫山
野尻湖
鳥ケ首岬
上越
妙高
米山
長野
飯山
中野
須坂
四阿山
千曲
苗場山
谷川岳
十日町
小千谷
柏崎
長岡
見附
守門岳
三条
燕
弥彦山
加茂
五泉
新潟
信濃川
阿賀野
新発田
胎内
村上
南魚沼
魚沼
越後山脈

上高地(長野県)

標高1500メートル。梓川上流部に位置する景勝地です。

長良川(岐阜県)

大日ヶ岳に源を発し、濃尾平野を南流する川。「鵜飼」の行事で有名です。

名城公園(愛知県)

名古屋城周辺の公園。名古屋城は金のしゃちほこで知られています。

富士山(山梨県・静岡県)

標高3776メートル。山梨県と静岡県にまたがる日本一高い山です。

竹田城跡(兵庫県)
「天空の城」の異名をもつ観光スポットです。
天橋立(京都府)
宮津湾にある砂州。日本三景のひとつです。
琵琶湖(滋賀県)
県の面積の約６分の１を占める、日本最大の湖です。
日本海
伊勢湾
136°
36°
兵庫県
京都府
滋賀県
丹後半島
丹波高地
琵琶湖
経ケ岬
伊根
京丹後
与謝野
宮津
舞鶴
由良川
円山川
大江山
豊岡
香美
新温泉
養父
氷ノ山
朝来
三室山
福知山
綾部
三国岳
京丹波
丹波
丹波篠山
南丹
亀岡
京都
大津
神河
多可
穴栗
市川
西脇
加西
加東
小野
三田
能勢
豊能
高槻
宇治
枚方
京田辺
たつの
姫路
高砂
加古川
三木
稲美
宝塚
伊丹
豊中
相生
赤穂
神戸
芦屋
西宮
尼崎
大阪
淀川
揖保川
家島諸島
明石
寝屋川
奈良
大和郡山
山添
笠置
伊賀
名張
津
亀山
鈴鹿
四日市
桑名
菰野
いなべ
御在所山
木曽川
揖斐川
伊吹山
長浜
米原
彦根
多賀
高島
近江八幡
東近江
野洲
守山
草津
栗東
湖南
甲賀

近畿地方
大阪府
奈良県
三重県
和歌山県
淡路島
紀伊半島
志摩半島
播磨灘
大阪湾
鳴門海峡
紀伊水道
熊野灘
太平洋
堺
岸和田
和泉
泉南
阪南
和歌山
海南
有田
湯浅
由良
日高
御坊
印南
みなべ
田辺
白浜
上富田
すさみ
串本
潮岬
古座川
那智勝浦
新宮
紀宝
御浜
熊野
尾鷲
紀北
大紀
大台
松阪
明和
玉城
度会
伊勢
鳥羽
南伊勢
志摩
大王崎
三木崎
天理
橿原
桜井
宇陀
曽爾
御杖
葛城
御所
明日香
吉野
東吉野
五條
橋本
かつらぎ
高野
紀の川
岩出
紀美野
有田川
日高川
野迫川
十津川
下北山
天川
川上
淡路
洲本
南あわじ
諭鶴羽山
高見山
大台ヶ原山
八剣山
釈迦ヶ岳
護摩壇山
那智山
紀ノ川
熊野川
櫛田川
宮川
34°
136°
0
50
100km
箕面山(大阪府)
ニホンザルほか、多くの種類の動物が生息しています。
吉野山(奈良県)
桜の名所として人気です。
二見浦(三重県)
伊勢市にある海岸。二見興玉神社の神石・夫婦岩で有名です。
熊野古道(和歌山県)
熊野三山（熊野本宮大社・熊野速玉大社・熊野那智大社）に至る参詣道です。

中国・四国地方

鳥取砂丘(鳥取県)

東西16キロメートル、南北2キロメートルの、広大な海岸砂丘です。

宍道湖(島根県)

全国屈指のシジミの産地として有名です。

後楽園(岡山県)

偕楽園（茨城県）、兼六園（石川県）とともに、日本三名園のひとつに数えられています。

厳島(広島県)

厳島神社で有名な、日本三景のひとつです。通称「宮島」。

秋吉台(山口県)

県西部の石灰岩台地。地下にある鍾乳洞は人気の観光スポットです。

四国カルスト・大野ヶ原(愛媛県)

四国カルストは、愛媛・高知の県境にある石灰岩台地。大野ヶ原はその西部の高原です。

桂浜(高知県)

高知を代表する景勝地。郷土の偉人・坂本龍馬の銅像がたっています。

鳴門海峡(徳島県)

「鳴門の渦潮」が名物となっている海峡です。

寒霞渓(香川県)

小豆島にある、紅葉や奇岩で知られる景勝地です。

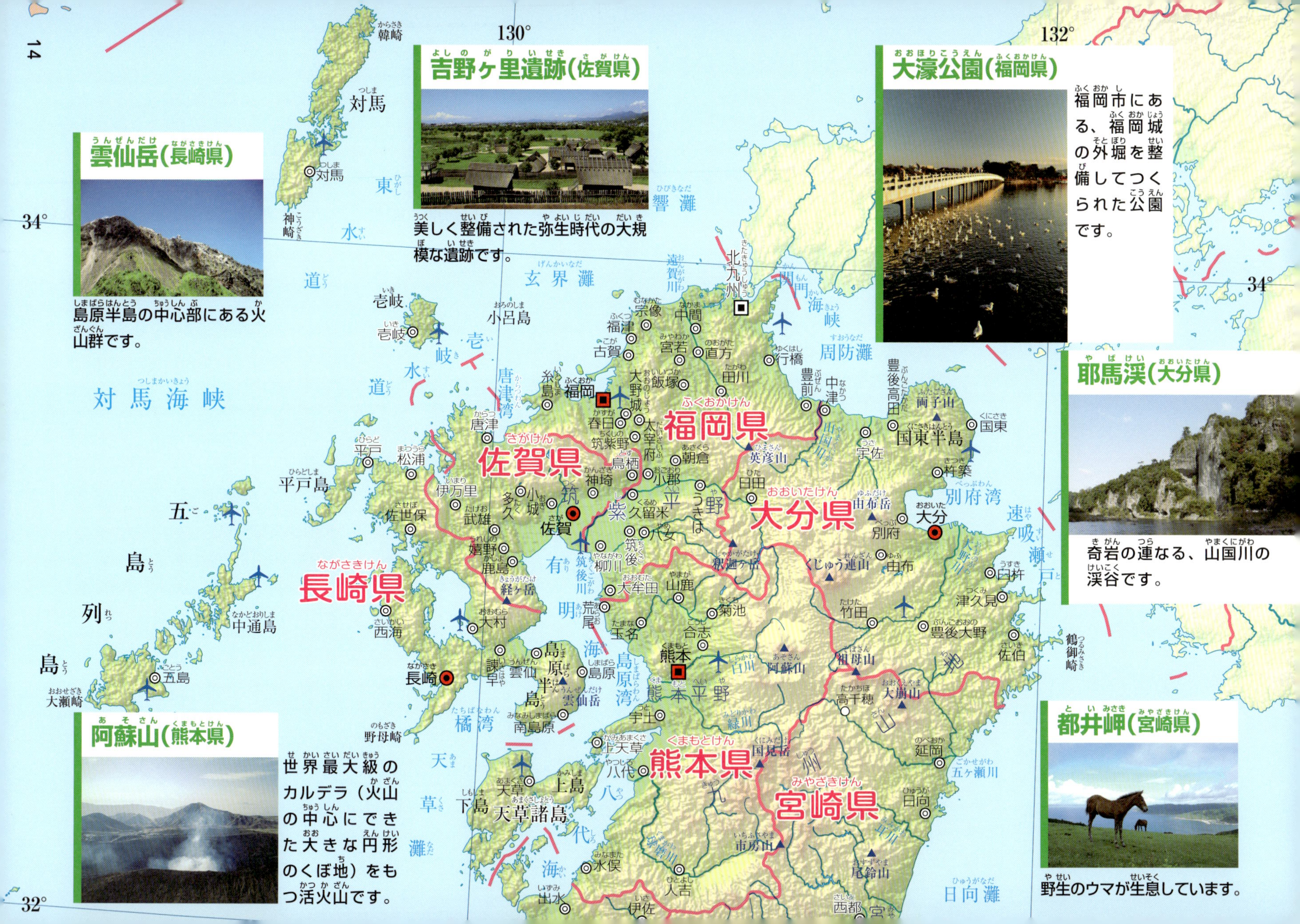

雲仙岳(長崎県)

島原半島の中心部にある火山群です。

吉野ヶ里遺跡(佐賀県)

美しく整備された弥生時代の大規模な遺跡です。

大濠公園(福岡県)

福岡市にある、福岡城の外堀を整備してつくられた公園です。

耶馬渓(大分県)

奇岩の連なる、山国川の渓谷です。

阿蘇山(熊本県)

世界最大級のカルデラ（火山の中心にできた大きな円形のくぼ地）をもつ活火山です。

都井岬(宮崎県)

野生のウマが生息しています。

九州地方

竹富島(沖縄県)

八重山諸島にある、町並みの美しい小島。水牛車での島めぐりが観光客に人気です。

桜島(鹿児島県)

鹿児島湾にある火山島。約100年前の噴火で、大隅半島と陸続きになりました。

日本と周辺の国々
ロシア
中華人民共和国
（中国）
朝鮮民主主義
人民共和国
（北朝鮮）
大韓民国
（韓国）
日本
東京
樺太
（サハリン）
オホーツク海
千島列島
択捉島
宗谷海峡
日本海
佐渡島
竹島
隠岐諸島
対馬
対馬海峡
黄海
伊豆諸島
太平洋
種子島
屋久島
東シナ海
南西諸島
大島（奄美大島）
沖縄島
琉球諸島
尖閣諸島
先島諸島
与那国島
台湾
大東諸島
沖大東島
日本標準時子午線
父島
母島
小笠原諸島
火山列島
硫黄島
南鳥島
北回帰線
沖ノ鳥島
マリアナ諸島
（アメリカ）
フィリピン海
フィリピン
日本の北端
北緯45°33′
日本の東端
東経153°59′
日本の西端
東経122°56′
日本の南端
北緯20°25′
北緯50°
北緯45°
北緯40°
北緯35°
北緯30°
北緯25°
北緯20°
北緯15°
東経120°
東経125°
東経130°
東経135°
東経140°
東経145°
東経150°
東経155°
東経160°
0 100 500 1000km

楽しく学ぶ　基礎からわかる
47都道府県

学習社会科ドリル研究会　著

Mates-Publishing

本書の特徴

この本は、日本や各都道府県の特徴を、楽しく学ぶためにつくられたクイズの本です。

※本書は2019年発行の『小学生のおもしろ日本地図ドリル 基礎からわかる47都道府県 改訂版』を元に情報更新と内容の見直しを行い、書名を変更して新たに発行したものです。

1章　日本の全体を知ろう！

1章は、人口の多い都道府県、農業や工業のさかんな都道府県などを、ランキング形式で学ぶクイズになっています。また、有名な川や山などの名前を答えるクイズもあります。

- 答えを記入する欄の下には、その都道府県に関する情報が書かれてあります。また、その都道府県の位置も学べるようになっています。
- ワンランク上の知識が身につく、関連クイズもあります。

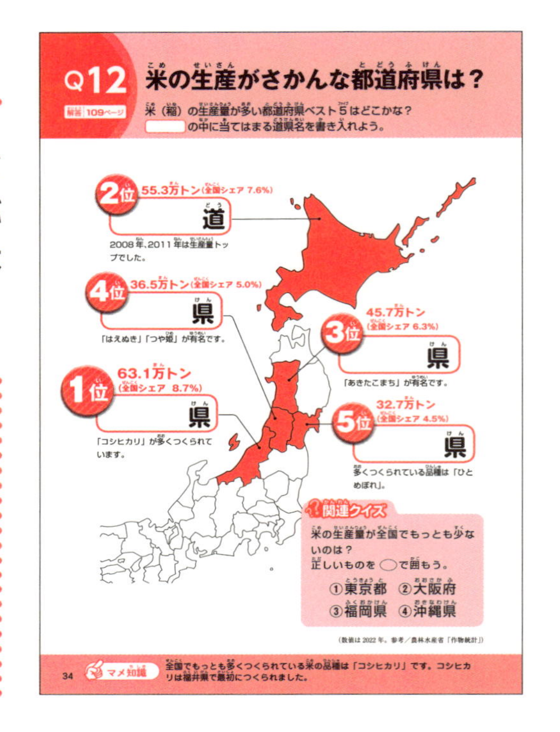

2章　各都道府県を知ろう！

2章は、各都道府県ひとつひとつを取り上げ、それぞれの特徴を学ぶクイズになっています。

- 上段に、その都道府県の面積・人口などのデータを載せています。
- 中段は地図を見て、県庁所在地・半島・湾などを答えるクイズです。
- 下段は、その都道府県の名産・名所・行事・歴史・工芸品などを学ぶクイズです。

目次

〔巻頭カラー〕役立つ！ くわしい！ 日本地図

1章　日本の全体を知ろう！

2章　各都道府県を知ろう！

1章

日本の全体を知ろう！

Q1 面積が広い都道府県は？

解答 105ページ

日本の47都道府県の中で、面積が広い都道府県はどこかな？
□の中に当てはまる道県名を書き入れよう。

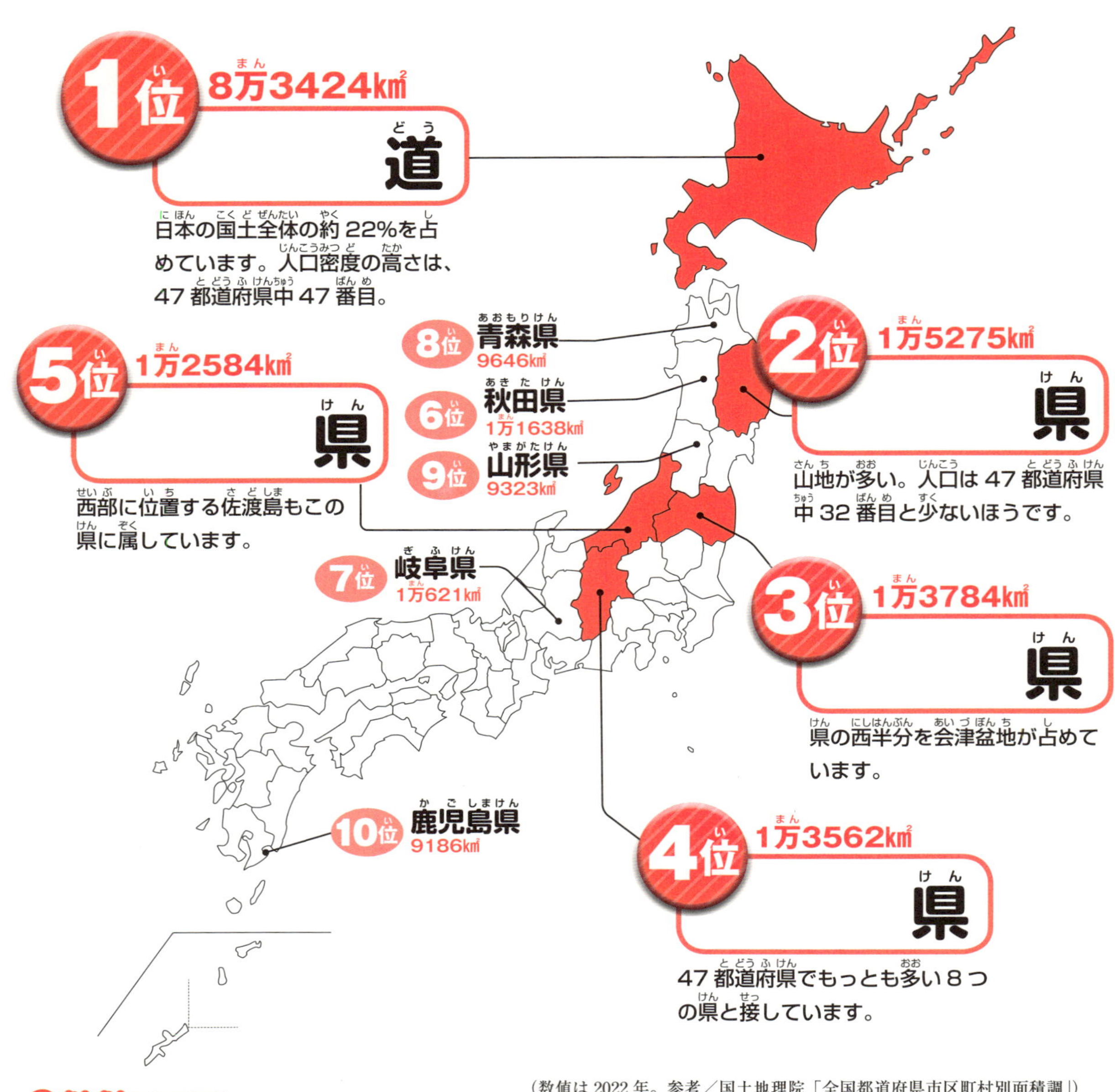

（数値は 2022 年。参考／国土地理院「全国都道府県市区町村別面積調」）

関連クイズ

四国でもっとも面積が広いのは何県？ 正しいものを○で囲もう。

①香川県　②高知県　③徳島県　④愛媛県

マメ知識 日本全体の面積は約 37 万 8000 平方キロメートル。面積が世界最大の国ロシアの約 45 分の 1 の大きさです。

Q2 面積がせまい都道府県は？

解答｜106ページ

日本の47都道府県の中で、面積がせまい都道府県はどこかな？
□の中に当てはまる都府県名を書き入れよう。

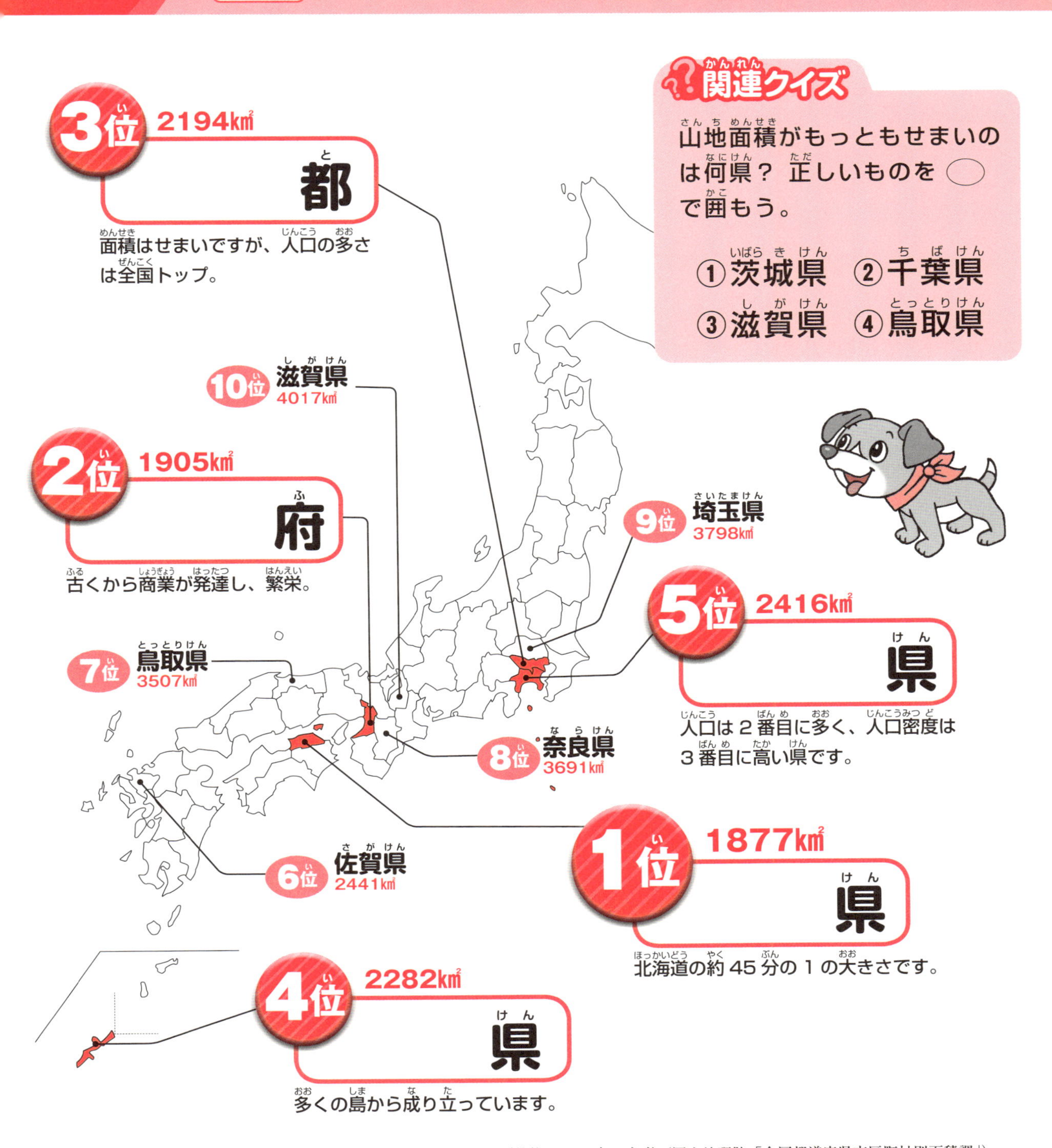

関連クイズ

山地面積がもっともせまいのは何県？ 正しいものを◯で囲もう。

①茨城県　②千葉県
③滋賀県　④鳥取県

（数値は2022年。参考／国土地理院「全国都道府県市区町村別面積調」）

上にあげた面積がせまい10の都府県の合計面積は、面積がもっとも広い北海道の約3分の1です。

Q3 人口が多い都道府県は？

解答 106ページ

日本の47都道府県の中で、人口の多い都道府県はどこかな？
　　　の中に当てはまる都府県名を書き入れよう。

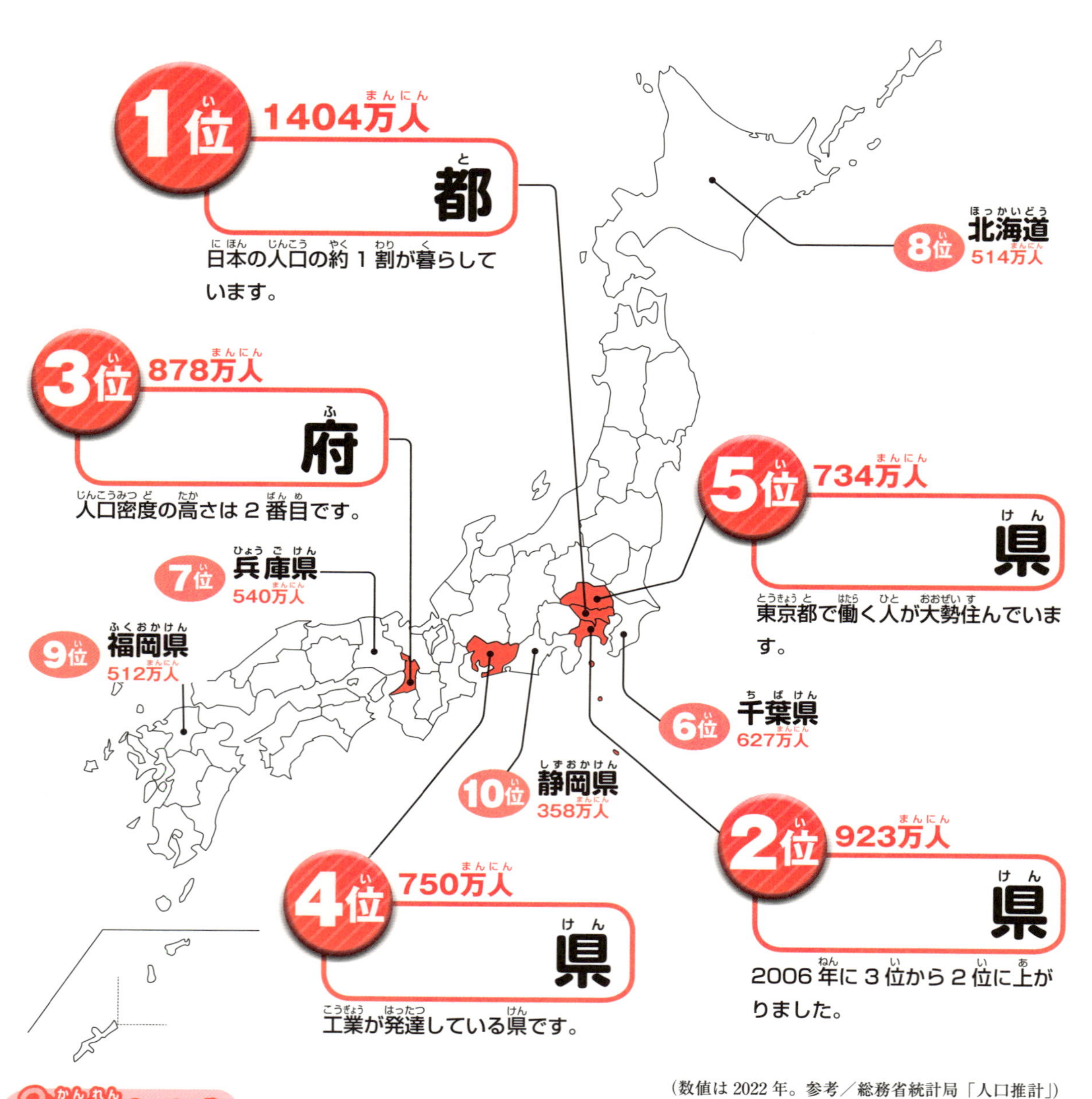

（数値は2022年。参考／総務省統計局「人口推計」）

関連クイズ

日本の市でもっとも人口が多いのは？ 正しいものを○で囲もう。

①札幌市　②横浜市　③名古屋市　④大阪市

マメ知識 日本の総人口は1億2495万人（2022年）。世界で11番目に人口の多い国です。

Q4 人口が少ない都道府県は？

解答 106ページ

日本の47都道府県の中で、人口の少ない都道府県はどこかな？
□の中に当てはまる県名を書き入れよう。

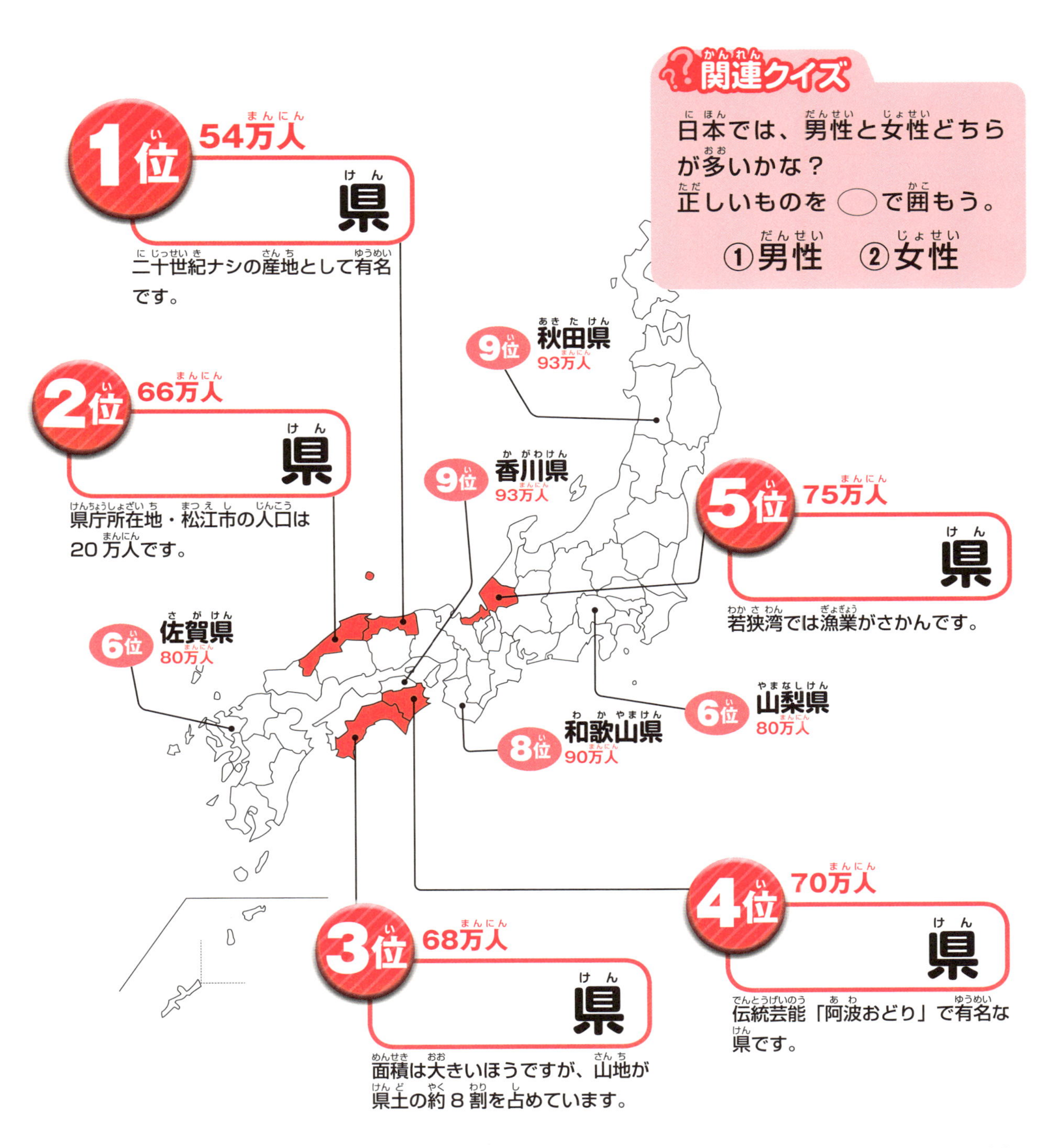

（数値は2022年。参考／総務省統計局「人口推計」）

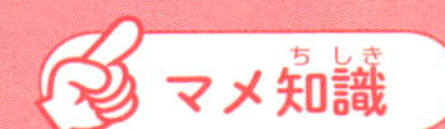

日本の人口は2008年頃から減少していて、子どもが少なく高齢者の多い「少子高齢化」の傾向が進んでいます。

Q5 富士山だけじゃない！ 高い山

解答 106ページ

高い山ベスト5をおぼえよう。すべて中部地方に集まっているね。
　　　の中に当てはまる山の名前をリストから選んで書き入れよう。

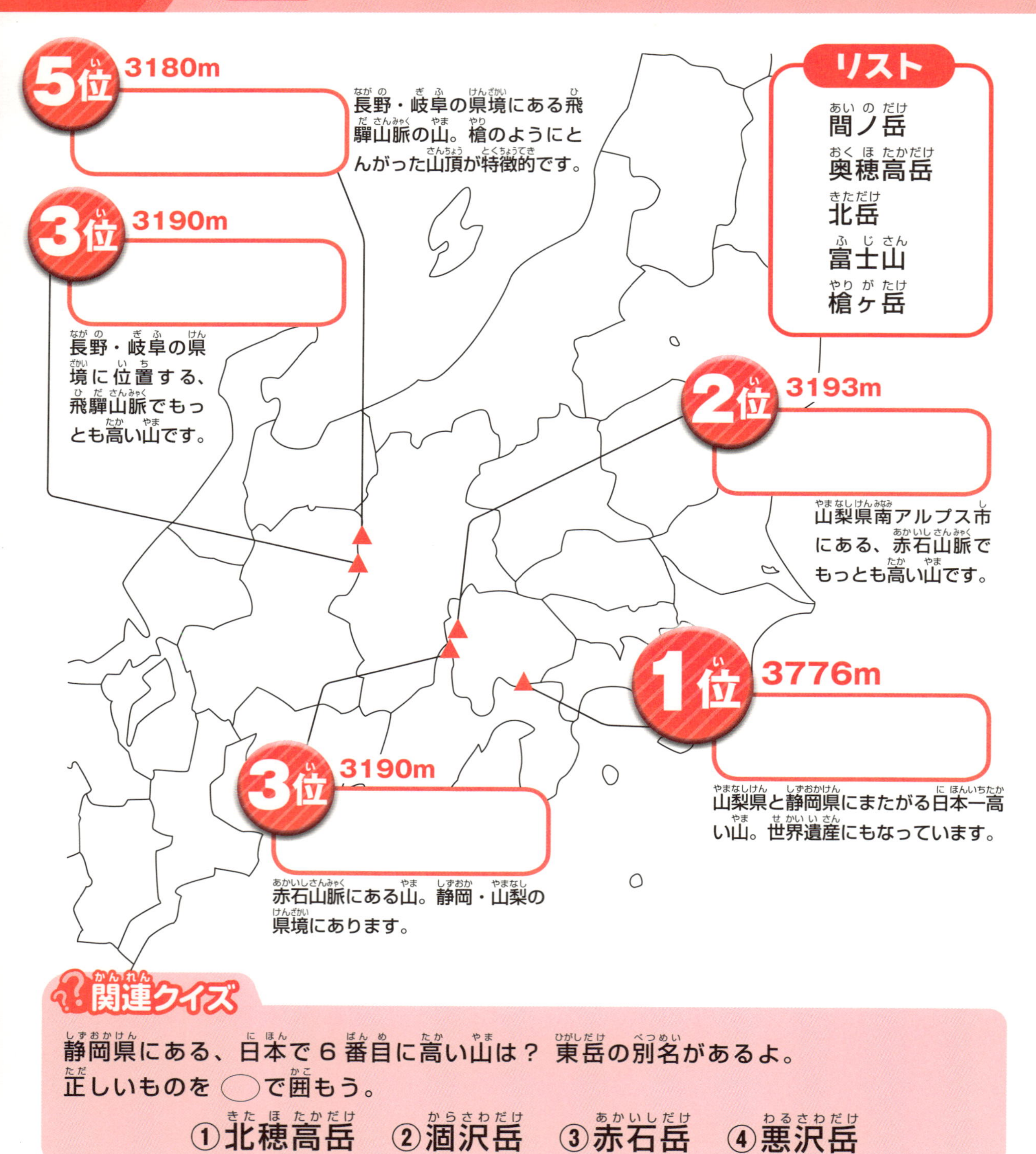

関連クイズ

静岡県にある、日本で6番目に高い山は？ 東岳の別名があるよ。
正しいものを◯で囲もう。

①北穂高岳　②涸沢岳　③赤石岳　④悪沢岳

マメ知識 世界一高い山は、ネパールと中国チベット自治区との国境にあるエベレスト。ヒマラヤ山脈でもっとも高い山で、標高は8848メートルです。

Q6 有名な山脈・山地をおぼえよう

解答 107ページ

日本は国土の約７割が山岳地帯なんだよ。　　　の中に当てはまる山脈・山地の名前をリストから選んで書き入れよう。

リスト

赤石山脈　奥羽山脈　木曽山脈　中国山地　飛騨山脈　越後山脈

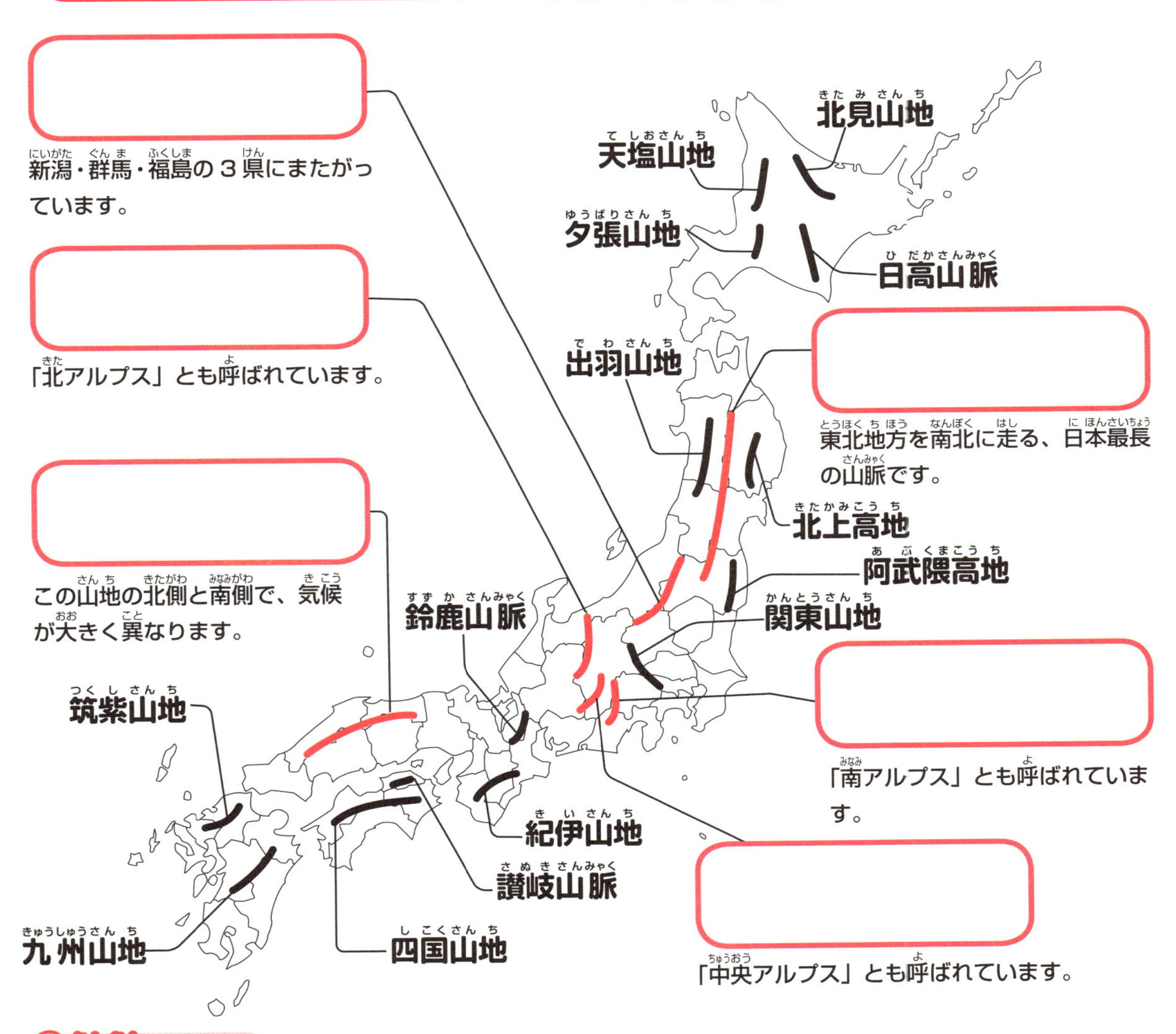

関連クイズ

参詣道などが世界遺産になっている山地は？　正しいものを○で囲もう。

①天塩山地　②紀伊山地　③四国山地　④筑紫山地

マメ知識　「山地」は高い山々が集まっているところ、「山脈」は山地が細長く連なっているところのことをいいます。

Q7 全長200キロメートル以上 長い川

解答 107ページ

長い川ベスト5をおぼえよう。日本の長い川は、東日本に多いんだね。
[　　　]の中に当てはまる川の名前をリストから選んで書き入れよう。

リスト

石狩川　北上川　信濃川
天塩川　利根川

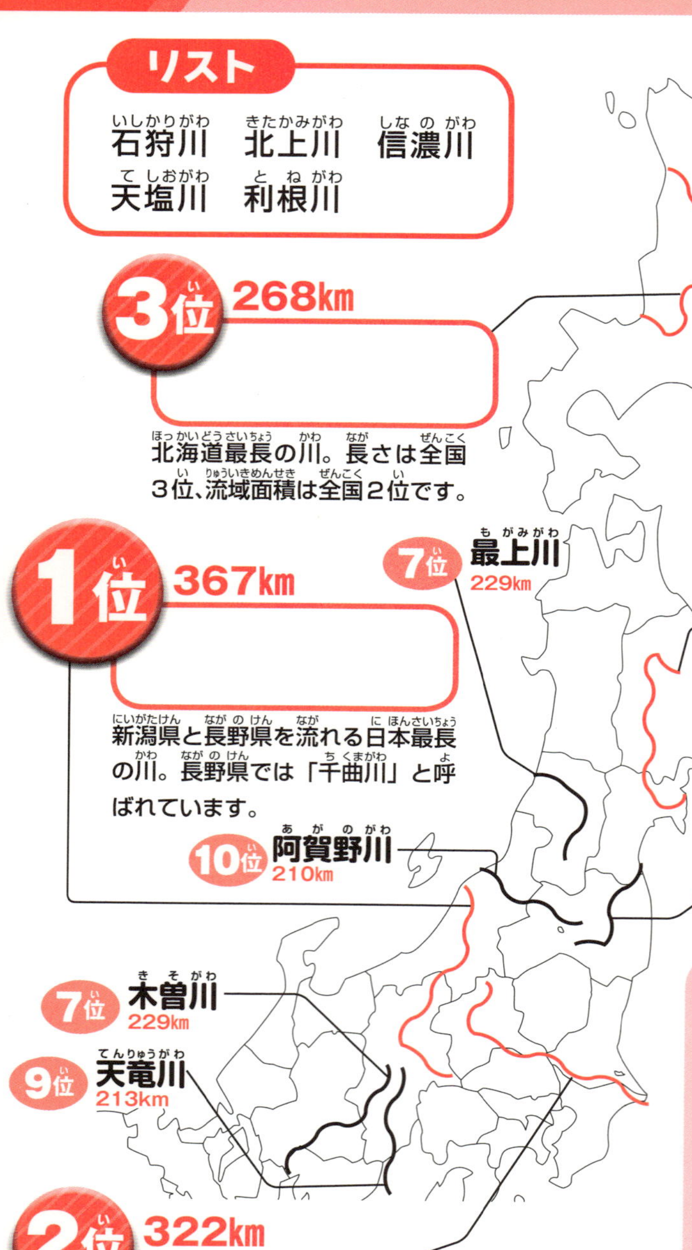

3位 268km

[　　　　　　]

北海道最長の川。長さは全国3位、流域面積は全国2位です。

4位 256km

[　　　　　　]

北海道北部を流れる川。天塩岳に源を発し、日本海に注ぐ川です。

1位 367km

[　　　　　　]

新潟県と長野県を流れる日本最長の川。長野県では「千曲川」と呼ばれています。

5位 249km

[　　　　　　]

岩手県と宮城県を流れる、東北地方最長の川です。

2位 322km

[　　　　　　]

関東地方を流れる川。流域面積は日本一です。

関連クイズ

世界の川とくらべ、日本の川にはどんな特徴がある？
正しいものを◯で囲もう。

①長くて流れがゆるやか
②長くて流れが急
③短くて流れがゆるやか
④短くて流れが急

マメ知識 その川に、降った雨や溶けた雪の水が集まる範囲を「流域」といい、その面積のことを「流域面積」といいます。

Q8 人気の観光名所 大きな湖

解答 107ページ

面積が大きな湖ベスト５をおぼえよう。どの湖も人気観光スポットだよ。
□の中に当てはまる湖の名前をリストから選んで書き入れよう。

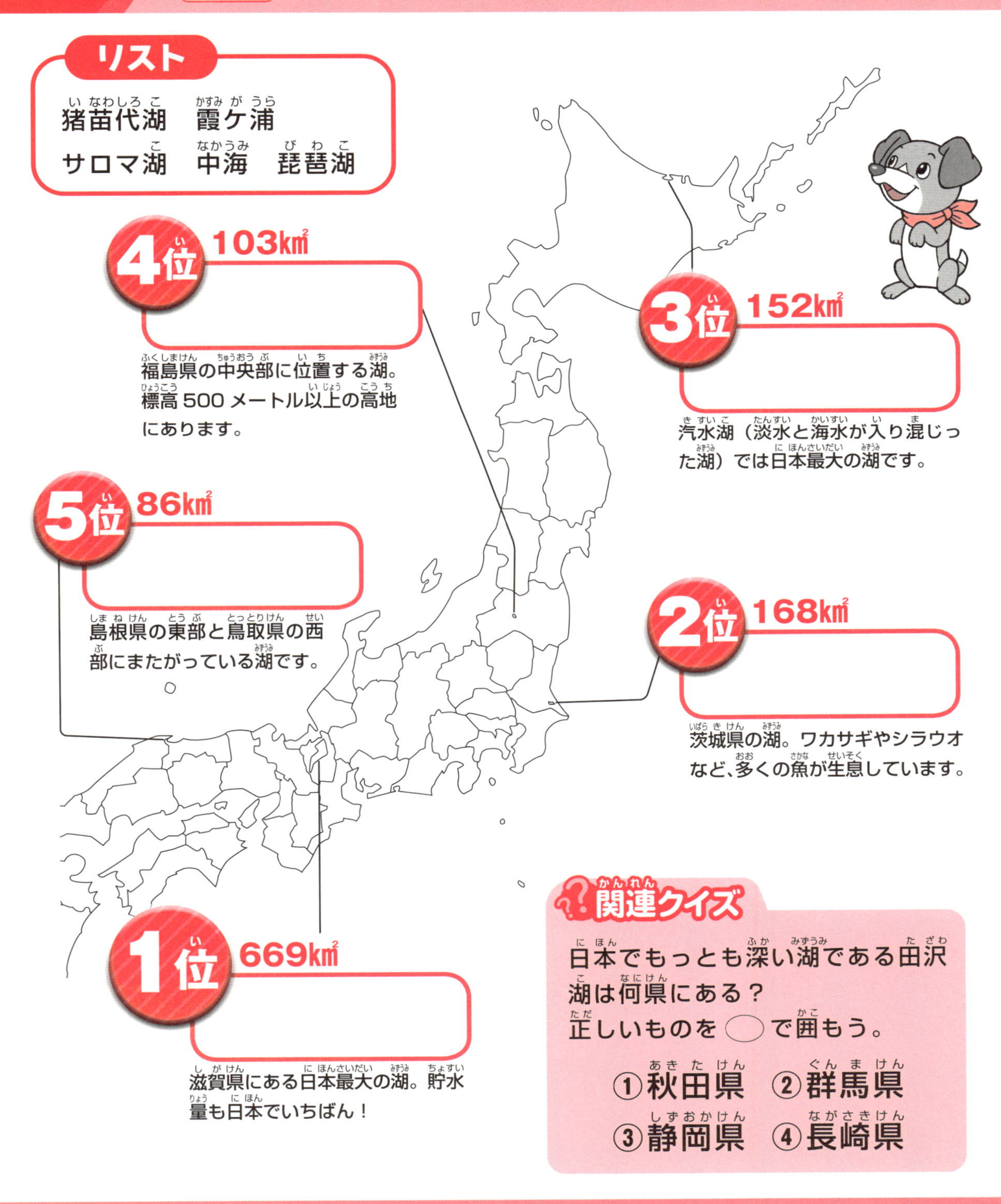

リスト

猪苗代湖　霞ケ浦
サロマ湖　中海　琵琶湖

4位 103㎢

福島県の中央部に位置する湖。標高500メートル以上の高地にあります。

5位 86㎢

島根県の東部と鳥取県の西部にまたがっている湖です。

1位 669㎢

滋賀県にある日本最大の湖。貯水量も日本でいちばん！

3位 152㎢

汽水湖（淡水と海水が入り混じった湖）では日本最大の湖です。

2位 168㎢

茨城県の湖。ワカサギやシラウオなど、多くの魚が生息しています。

関連クイズ

日本でもっとも深い湖である田沢湖は何県にある？
正しいものを◯で囲もう。

①秋田県　②群馬県
③静岡県　④長崎県

マメ知識 北海道にはほかにも、屈斜路湖（面積６位）、支笏湖（面積８位）、洞爺湖（９位）など大きな湖がたくさんあります。

Q9 島国日本の大きな島

解答｜108ページ

面積の大きな日本の主な島をおぼえよう。［　　　］の中に当てはまる島の名前をリストから選んで書き入れよう。

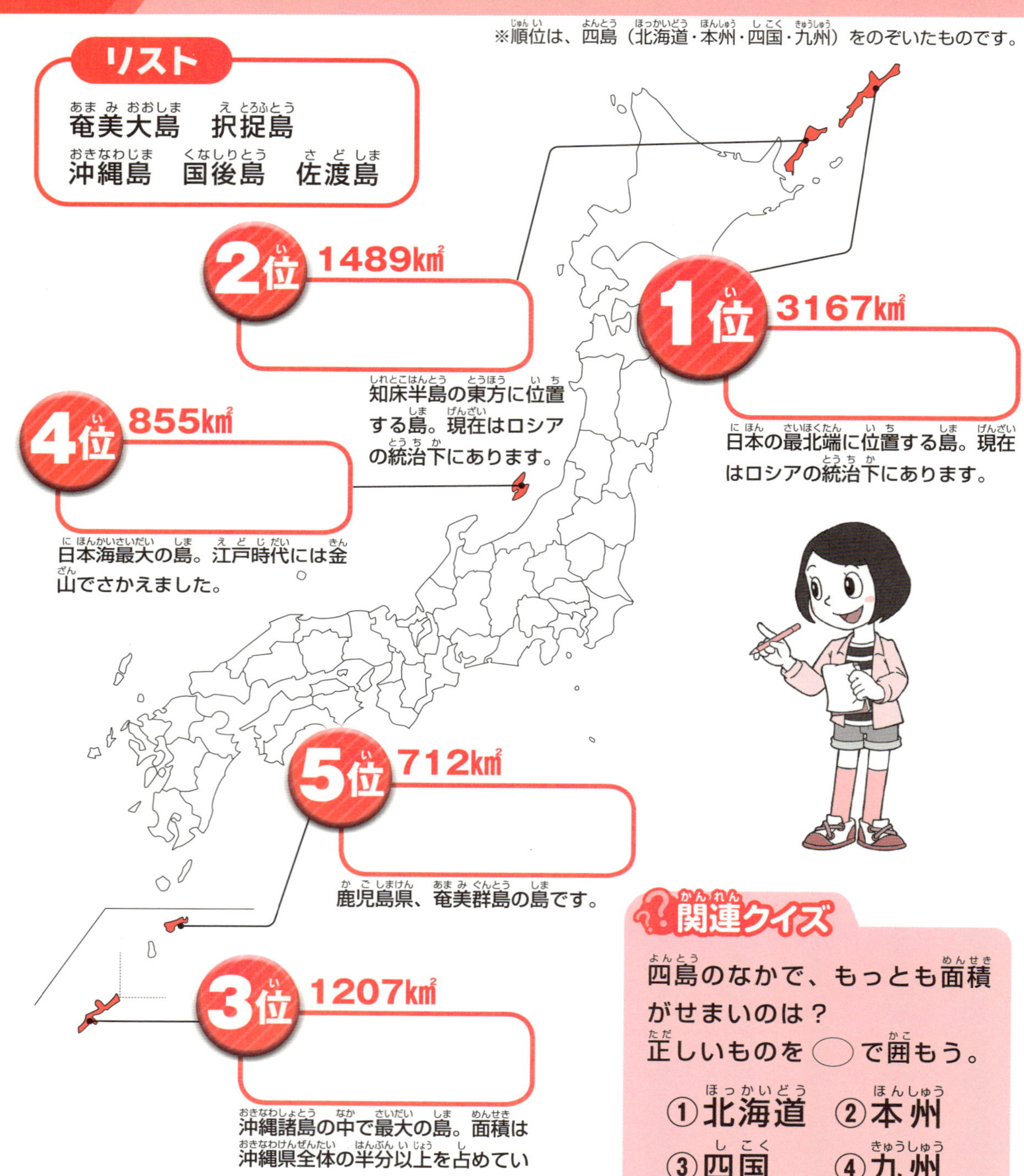

（数値は 2022 年。参考／国土地理院「全国都道府県市区町村別面積調」）

マメ知識 面積のもっとも広い日本の島・本州（22 万 7939 平方キロメートル）は、世界で見ても 7 番目に大きな島です。

Q10 空の玄関口 大きな空港

解答 108ページ

利用客数の多い日本の主な空港をおぼえよう。
□の中に当てはまる空港名を書き入れよう。

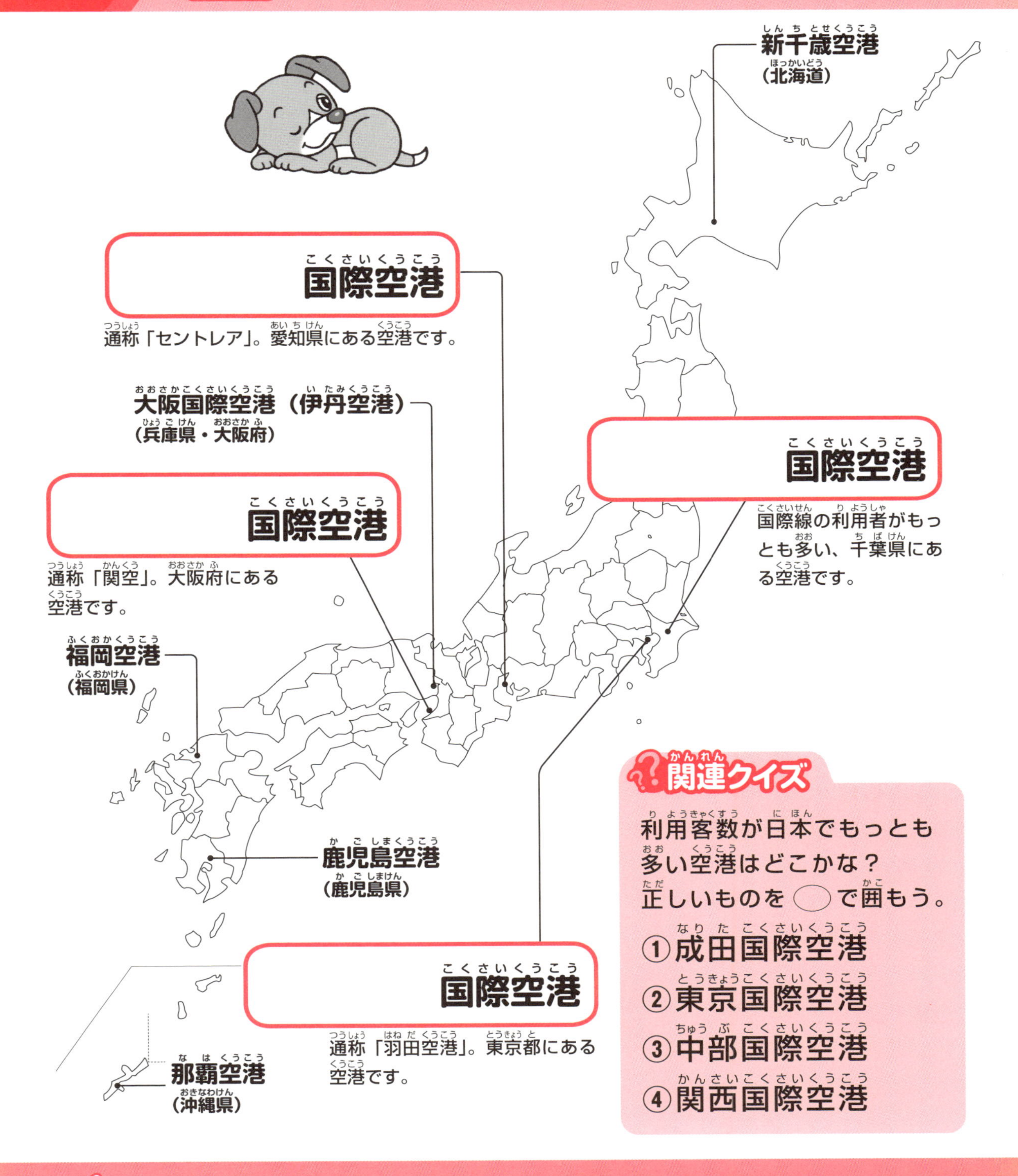

関連クイズ

利用客数が日本でもっとも多い空港はどこかな？
正しいものを◯で囲もう。

①成田国際空港
②東京国際空港
③中部国際空港
④関西国際空港

マメ知識 日本には全国各地に空港があり、その数は大小合わせると100近くにもなります。

Q11 日本の世界遺産

解答 108ページ

日本にはどんな場所に、どんな世界遺産があるかな。
□の中に当てはまる建造物・地域・自然などを書き入れよう。

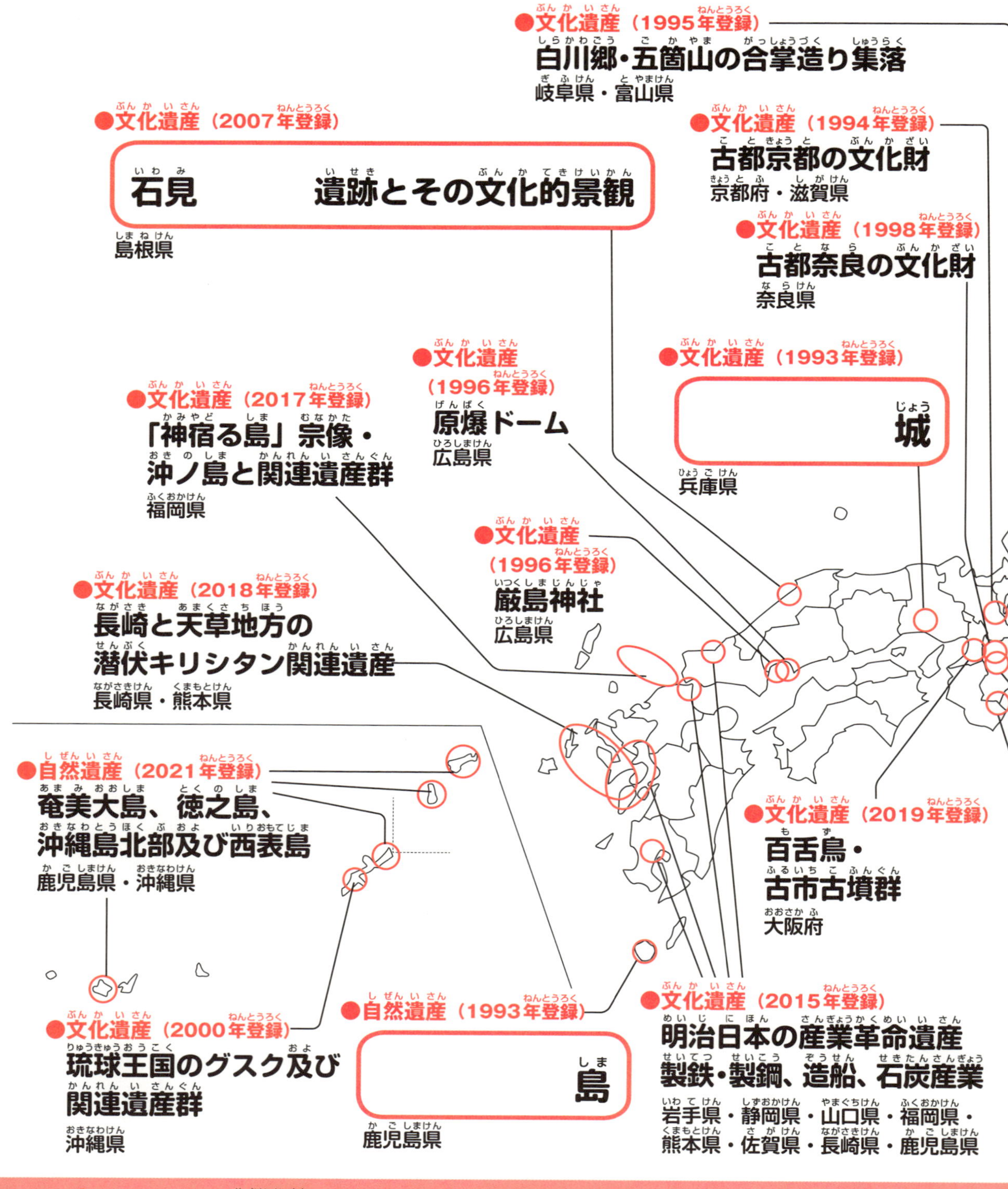

マメ知識　世界遺産とは、ユネスコの世界遺産委員会の審査によって登録された、未来に引き継いでいくべき文化財、遺跡、自然環境などのことをいいます。

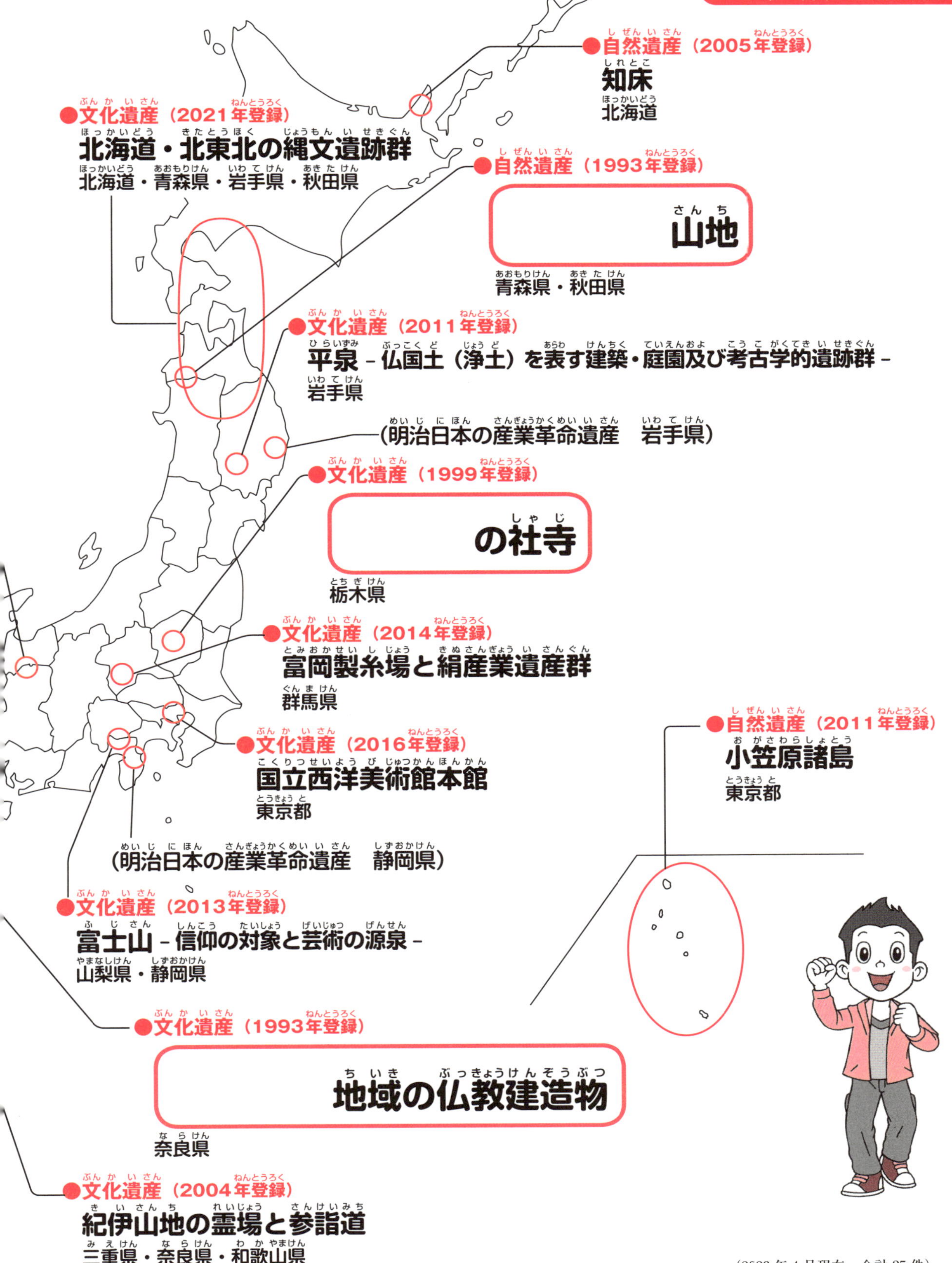

（2023年4月現在　合計25件）

マメ知識
東京都の国立西洋美術館本館は、７か国にまたがる世界遺産「ル・コルビュジエの建築作品－近代建築運動への顕著な貢献－」の、構成資産のひとつです。

Q12 米の生産がさかんな都道府県は？

解答 109ページ

米（稲）の生産量が多い都道府県ベスト5はどこかな？
　　　の中に当てはまる道県名を書き入れよう。

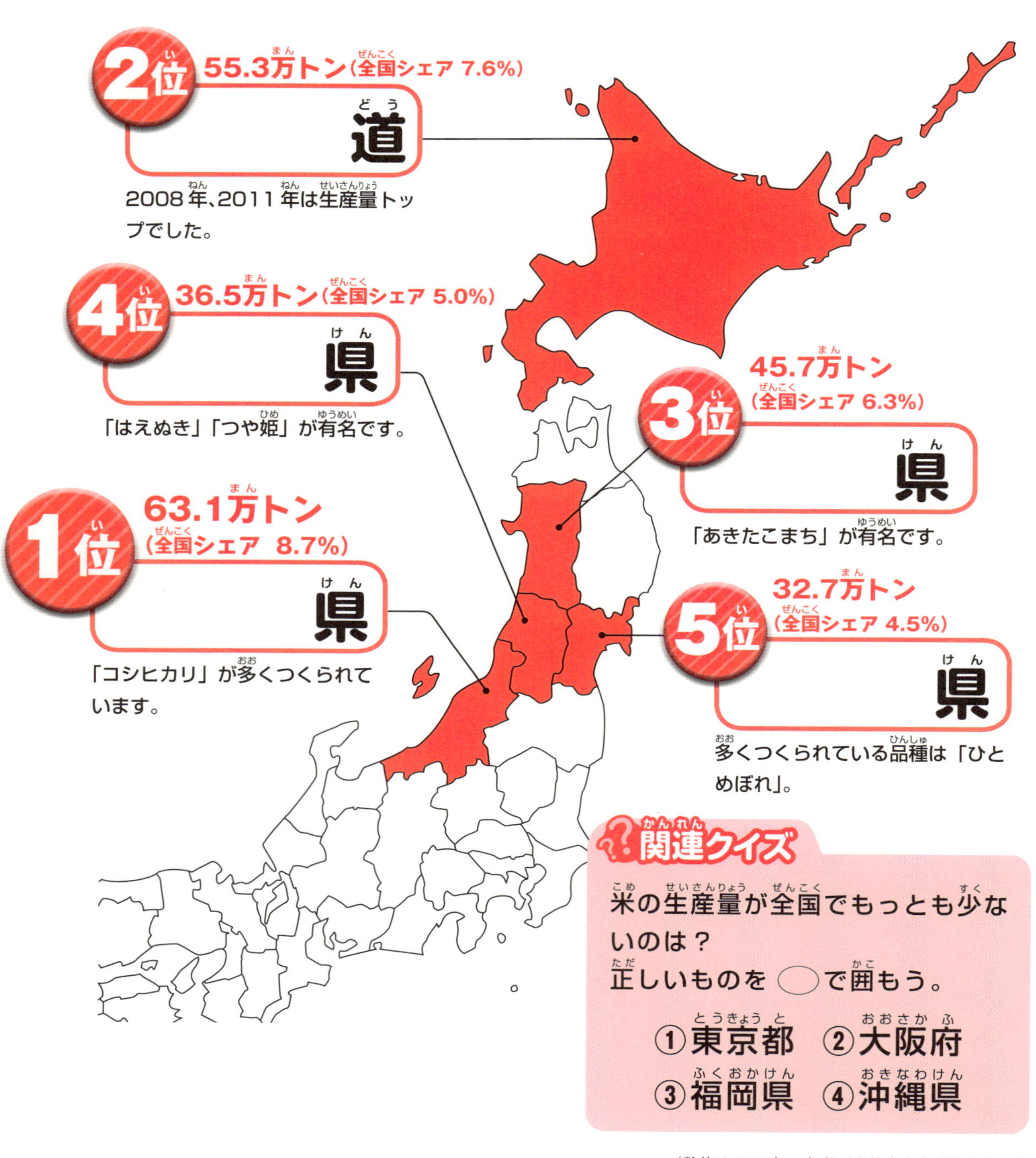

関連クイズ

米の生産量が全国でもっとも少ないのは？
正しいものを◯で囲もう。

①東京都　②大阪府
③福岡県　④沖縄県

（数値は2022年。参考／農林水産省「作物統計」）

マメ知識 全国でもっとも多くつくられている米の品種は「コシヒカリ」です。コシヒカリは福井県で最初につくられました。

Q13 大豆の生産がさかんな都道府県は？

解答 109ページ

大豆の生産量が多い都道府県ベスト5はどこかな？
□の中に当てはまる道県名を書き入れよう。

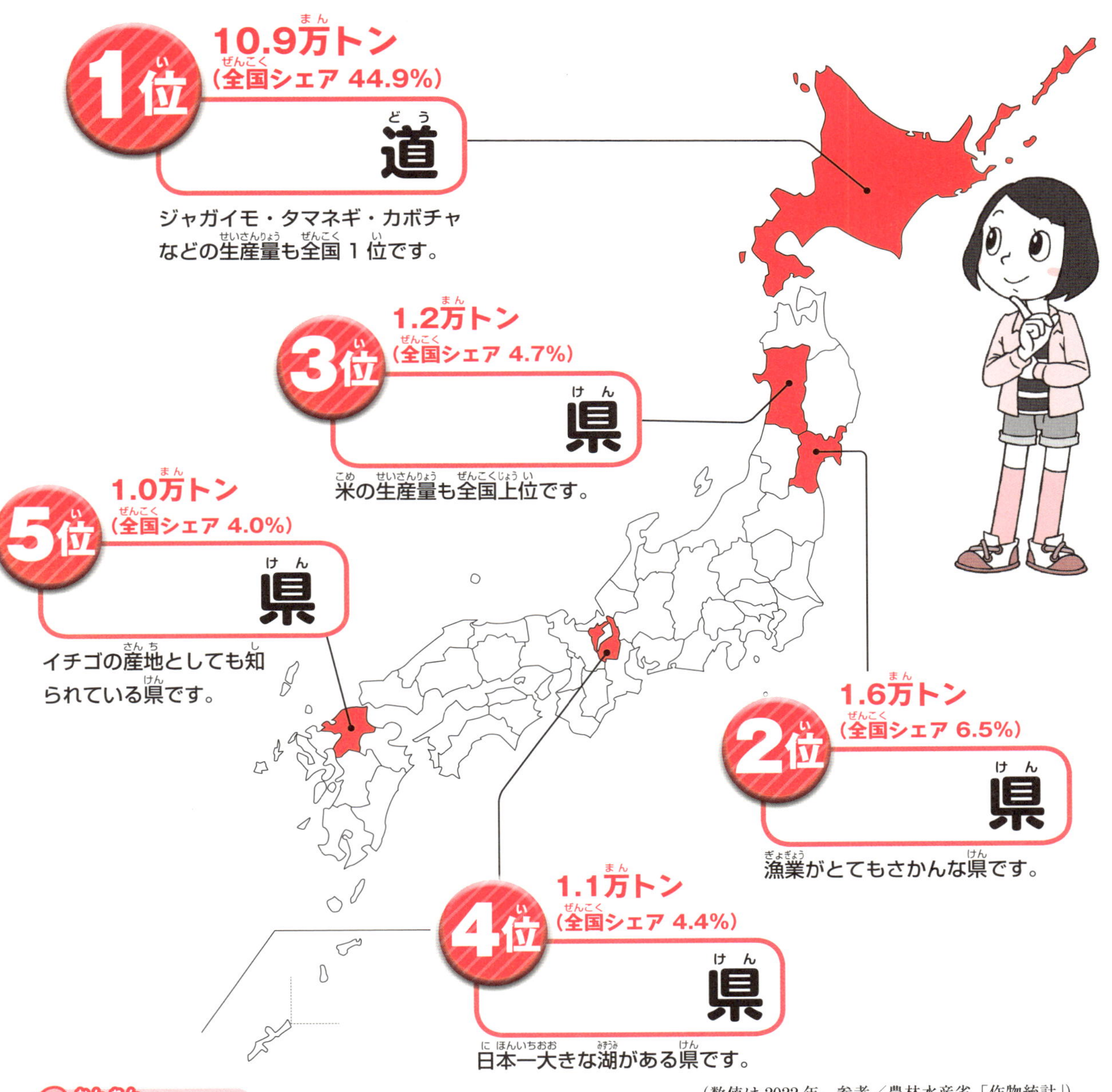

（数値は 2022 年。参考／農林水産省「作物統計」）

関連クイズ

小豆の生産が、全国生産の9割以上を占めているのは？ 正しいものを◯で囲もう。

①北海道　②秋田県　③千葉県　④鹿児島県

マメ知識 大豆は、しょう油・みそ・とうふ・納豆など、日本の食卓に欠かせない様々な調味料や食品の原料になっています。

Q14 小麦の生産がさかんな都道府県は？

解答 109ページ

小麦の生産量が多い都道府県ベスト５はどこかな？
　　　の中に当てはまる道県名を書き入れよう。

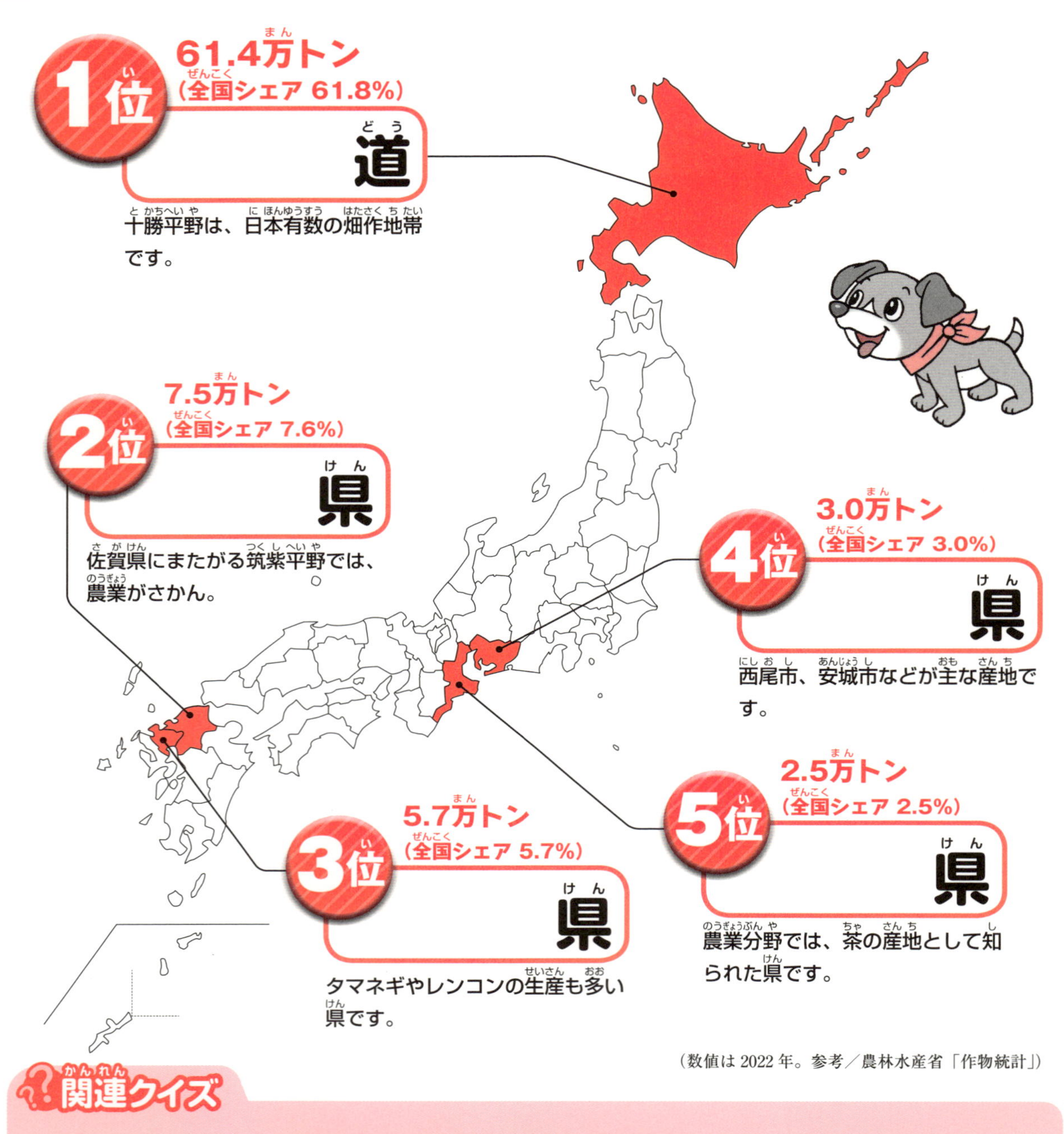

（数値は 2022 年。参考／農林水産省「作物統計」）

関連クイズ

日本で消費されている小麦の、約何%が外国産？ 正しいものを◯で囲もう。

①約20%　②約55%　③約85%　④約99%

小麦は、パン、うどんやラーメン、ケーキやクッキーといったお菓子の原料に使われ、「米」「トウモロコシ」とともに「世界三大穀物」のひとつになっています。

Q15 キャベツの生産がさかんな都道府県は？

解答 109ページ

キャベツの生産量が多い都道府県ベスト５はどこかな？
　　　の中に当てはまる県名を書き入れよう。

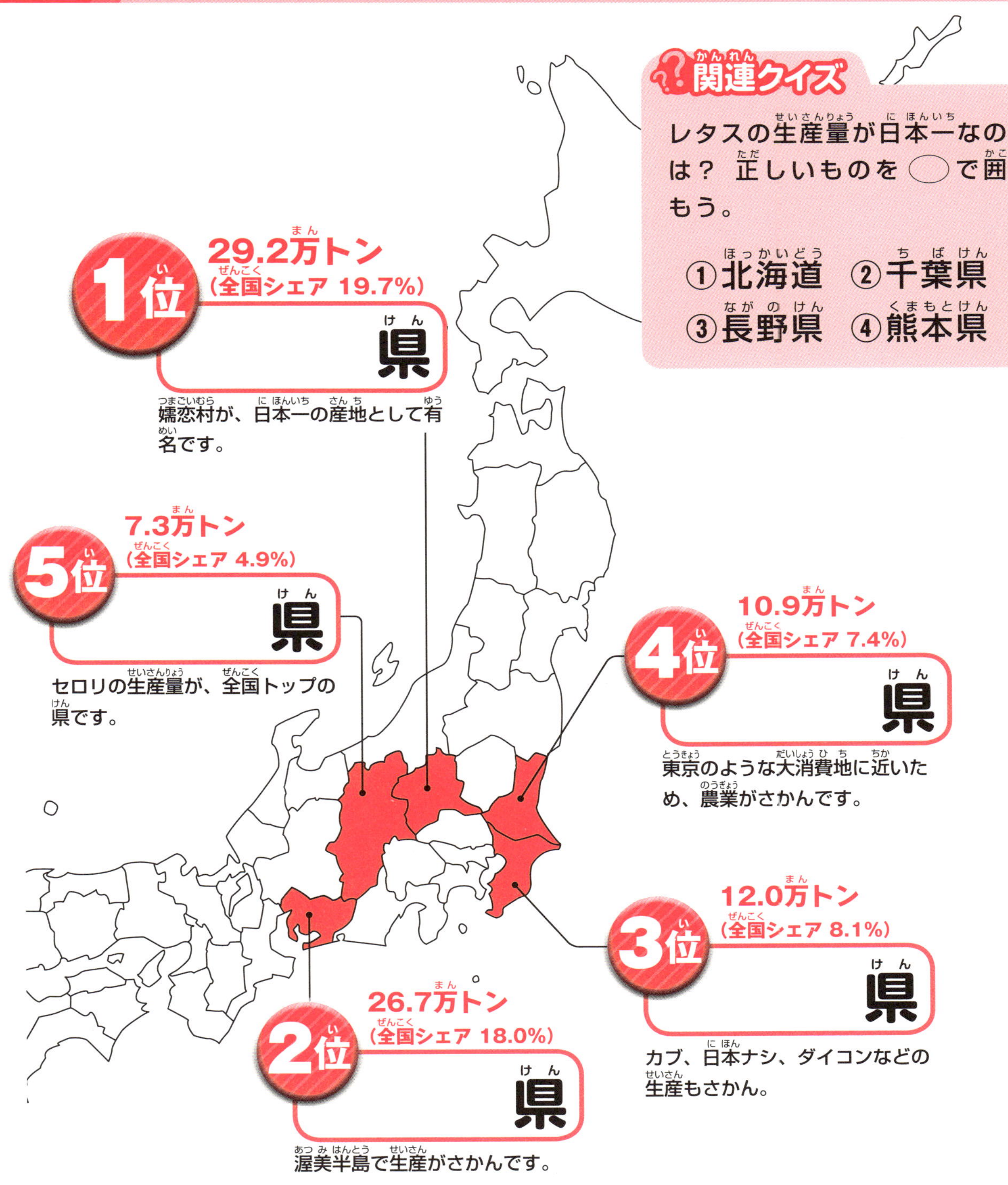

(数値は 2021 年。参考／農林水産省「作物統計」)

夏でもすずしい高原地帯の気候を利用して栽培される、キャベツ、レタス、セロリ、ハクサイなどの野菜を、「高原野菜」といいます。

Q16 ニンジンの生産がさかんな都道府県は？

解答 110ページ

ニンジンの生産量が多い都道府県ベスト５はどこかな？
［　　　］の中に当てはまる道県名を書き入れよう。

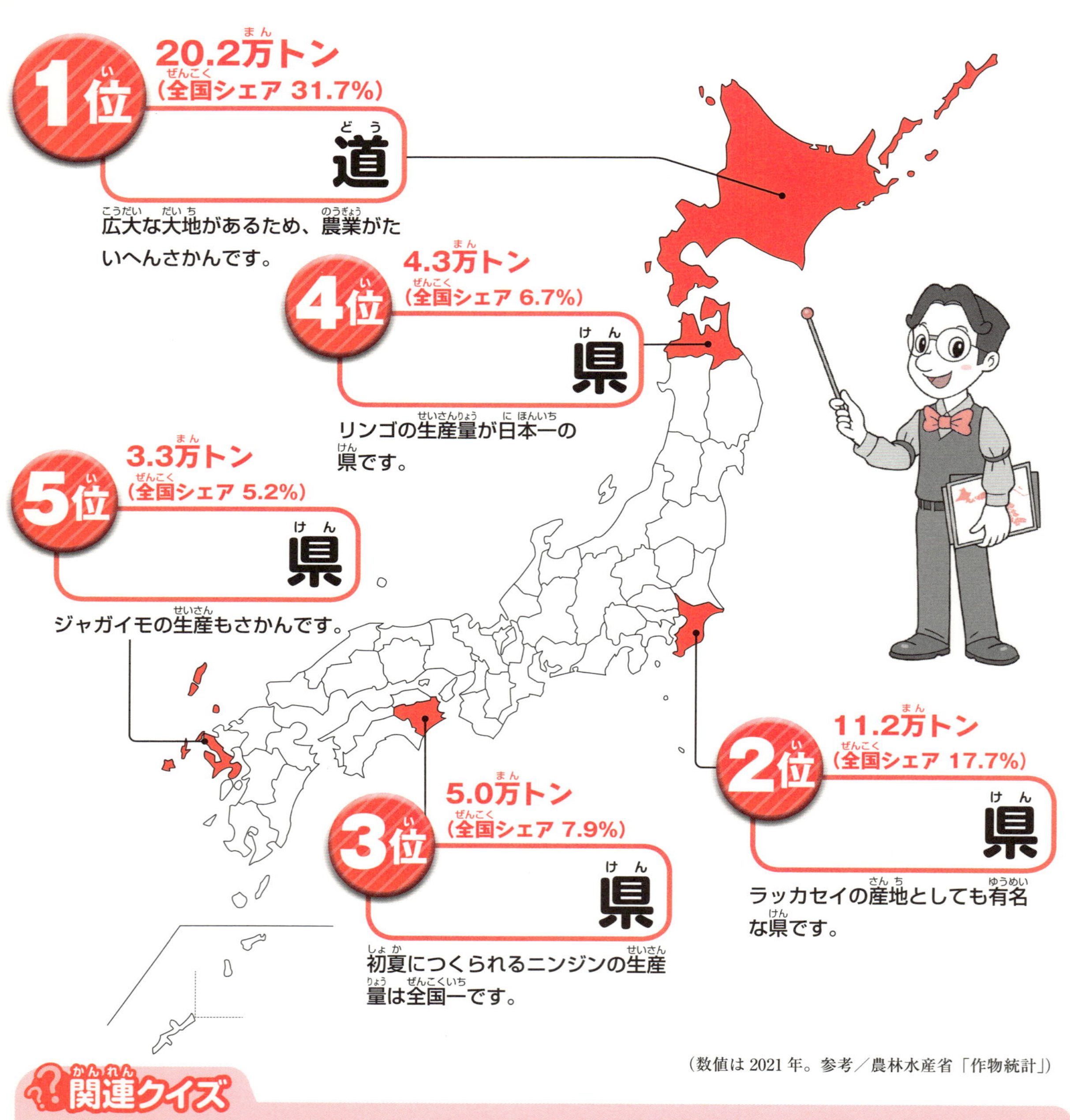

関連クイズ

タマネギの生産量が日本一なのは？ 正しいものを◯で囲もう。

①青森県　②群馬県　③島根県　④北海道

マメ知識 ニンジンの生産量６位は茨城県、７位は鹿児島県、８位は愛知県、９位は熊本県、10位は埼玉県です。（2021年）

Q17 キュウリの生産がさかんな都道府県は？

解答 110ページ

キュウリの生産量が多い都道府県ベスト5はどこかな？
　　　の中に当てはまる県名を書き入れよう。

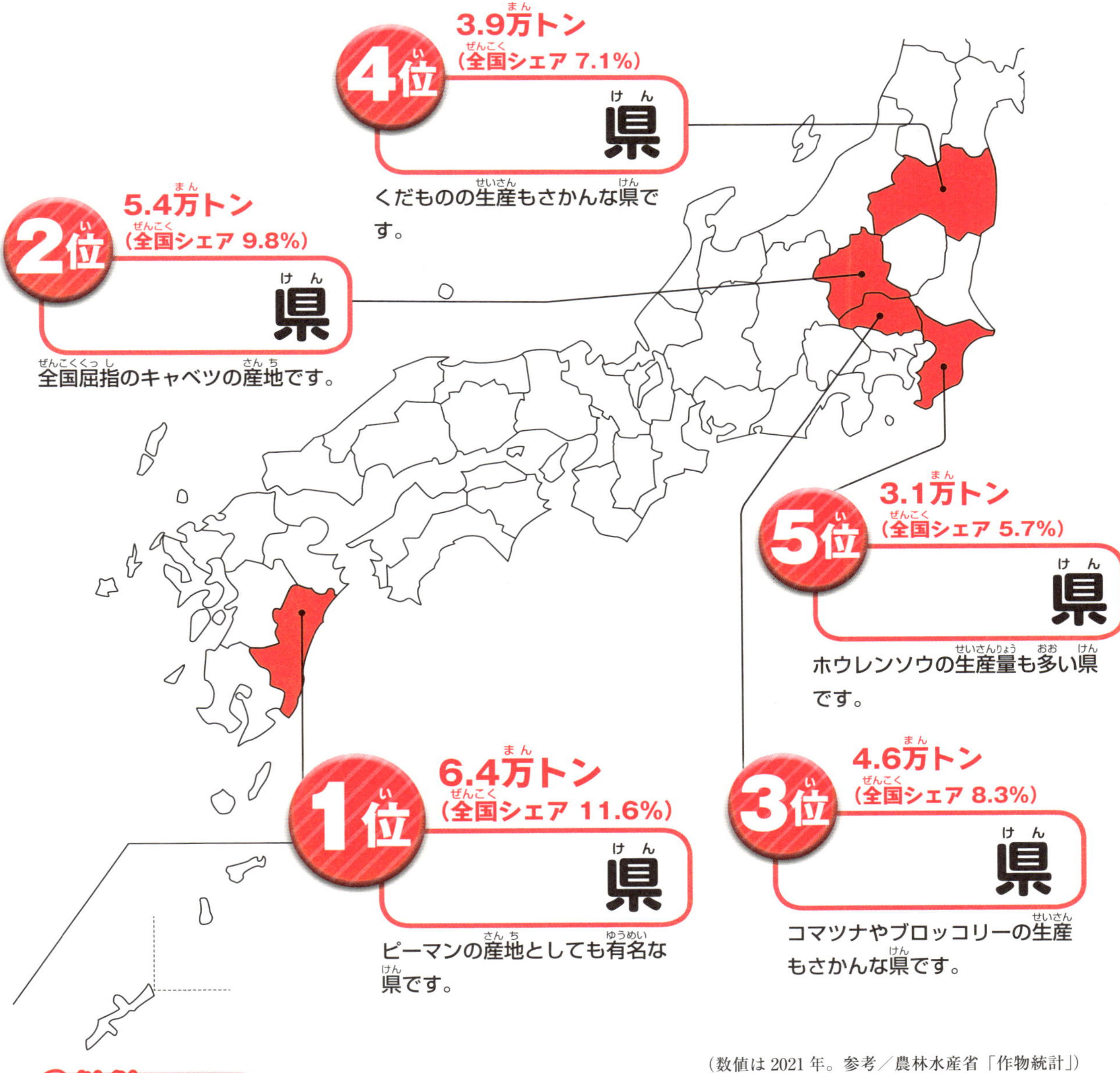

（数値は 2021 年。参考／農林水産省「作物統計」）

関連クイズ

トマトの生産量が日本一なのは？ 正しいものを◯で囲もう。

①沖縄県　②熊本県　③大阪府　④秋田県

マメ知識 キュウリの原産地はインドで、その栽培の歴史は3000年以上ともいわれています。

Q18 ミカンの生産がさかんな都道府県は？

解答 110ページ

ミカンの生産量が多い都道府県ベスト５はどこかな？
□の中に当てはまる県名を書き入れよう。

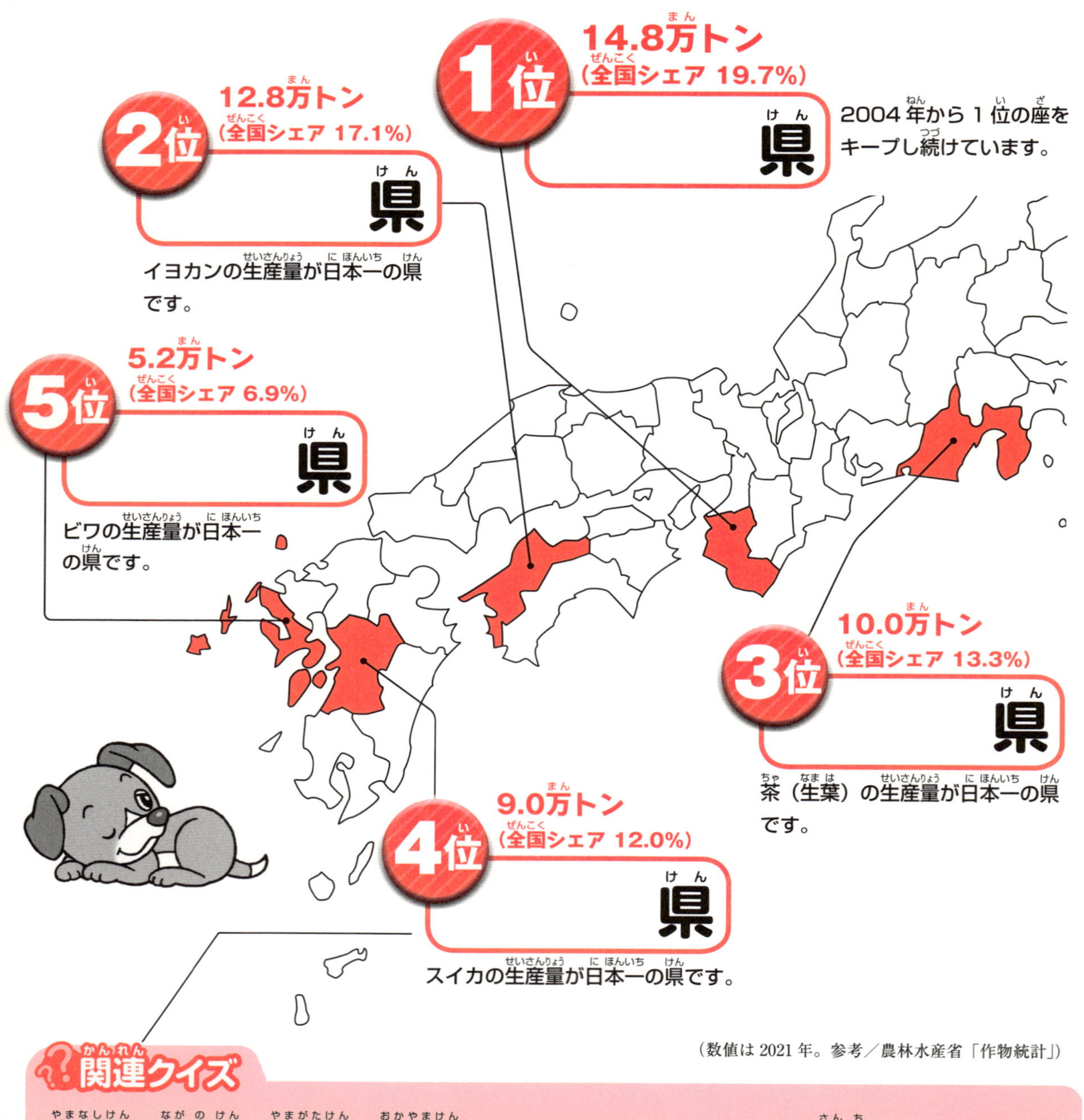

（数値は2021年。参考／農林水産省「作物統計」）

関連クイズ

山梨県、長野県、山形県、岡山県といえば、どんなくだものの産地？
正しいものを◯で囲もう。

①日本ナシ　②西洋ナシ　③カキ　④ブドウ

マメ知識 ミカンの生産量世界一の国は、中国（中華人民共和国）です。

Q19 リンゴの生産がさかんな都道府県は？

解答 110ページ

リンゴの生産量が多い都道府県ベスト5はどこかな？
□の中に当てはまる県名を書き入れよう。

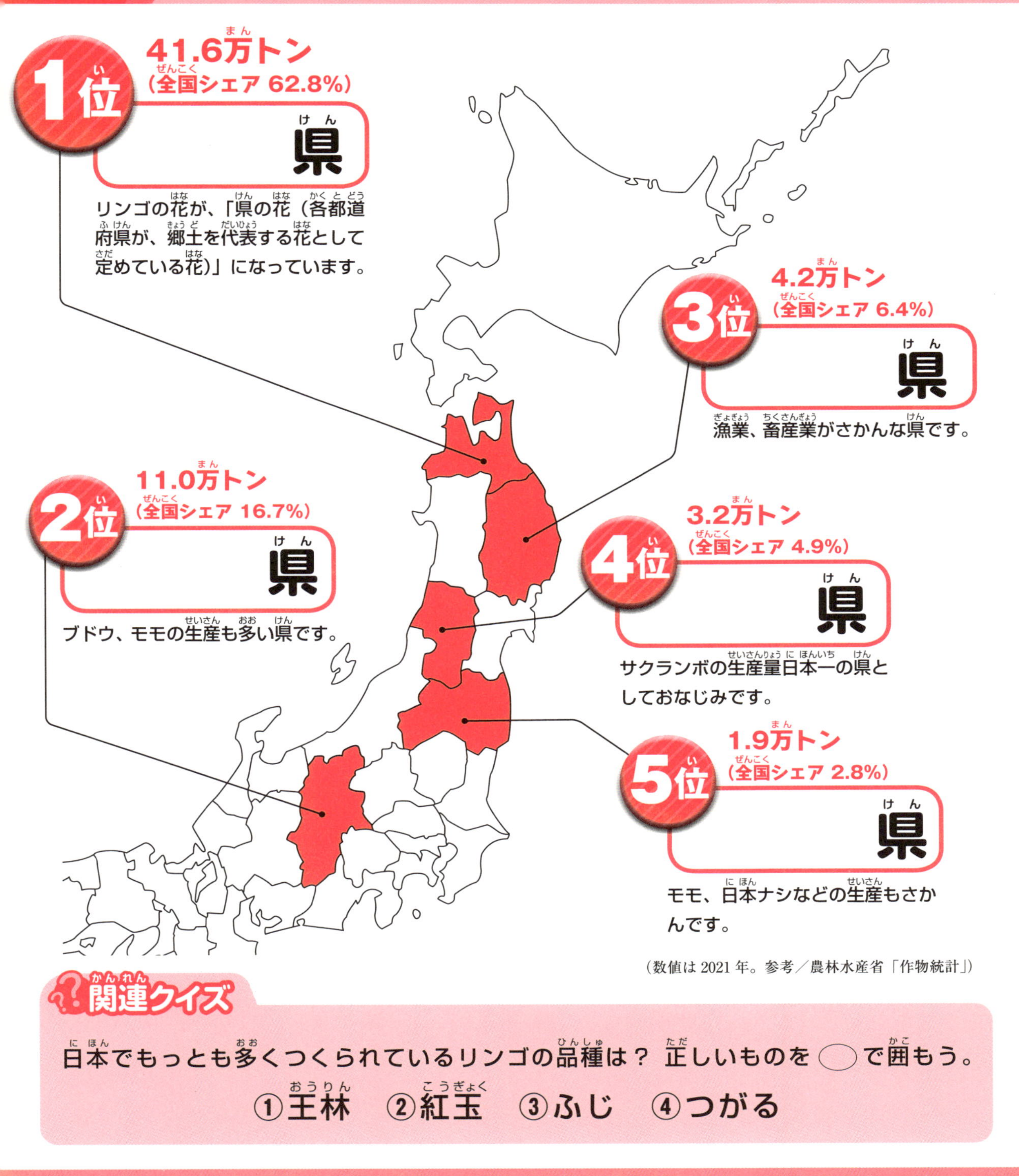

（数値は2021年。参考／農林水産省「作物統計」）

関連クイズ

日本でもっとも多くつくられているリンゴの品種は？ 正しいものを◯で囲もう。

①王林　②紅玉　③ふじ　④つがる

マメ知識 リンゴの生産量ベスト5のうち4県が東北地方。さらに6位（秋田県）、9位（宮城県）も東北地方の県です。（2021年）

Q20 ブタを多く飼っている都道府県は？

解答 111ページ

ブタ（食肉用）の飼養数が多い都道府県ベスト５はどこかな？
　　　の中に当てはまる道県名を書き入れよう。

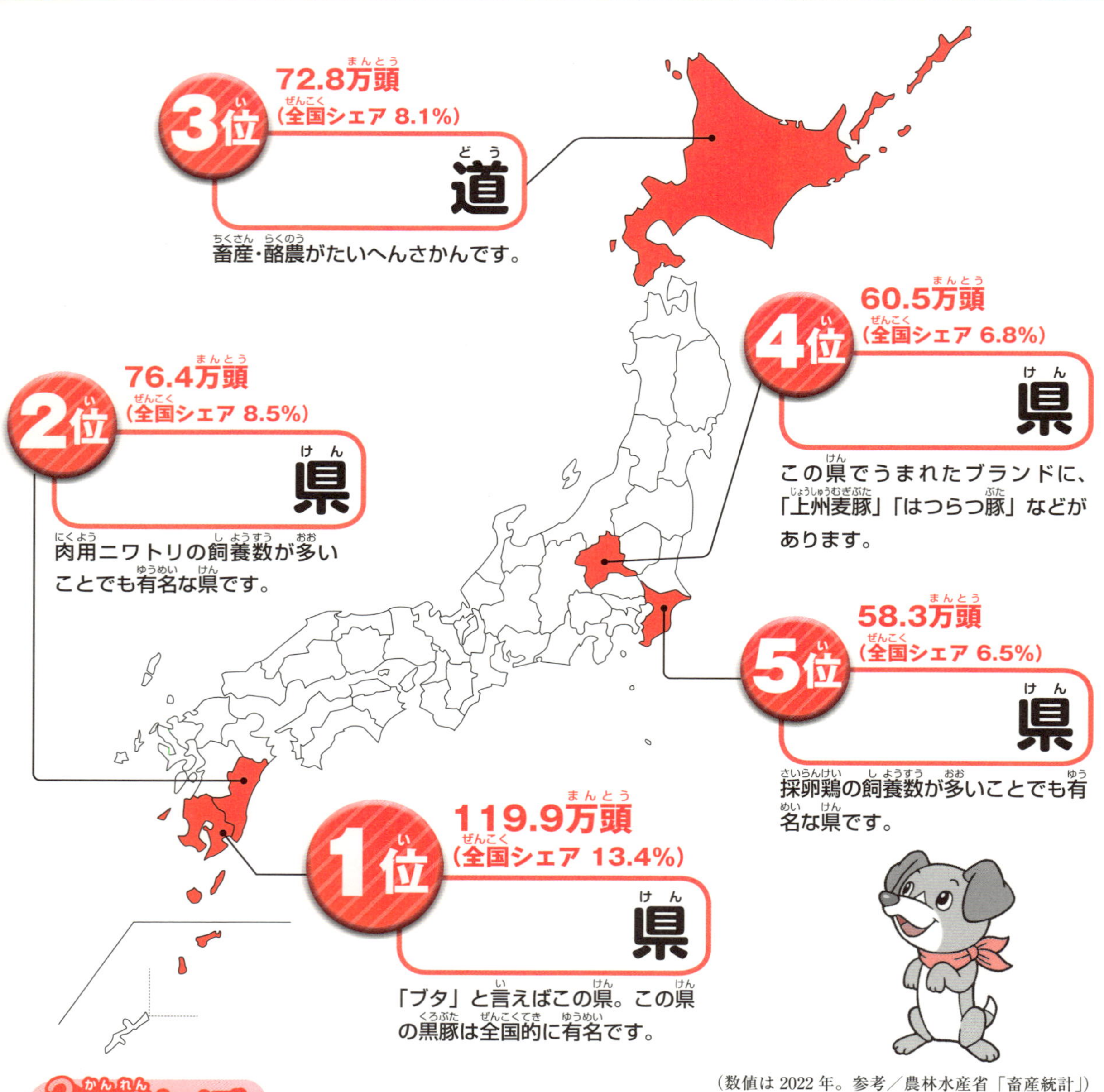

（数値は 2022 年。参考／農林水産省「畜産統計」）

関連クイズ

「イベリコ豚」は、どこの国のブタの品種のひとつかな？
正しいものを ◯ で囲もう。

①中国　②インド　③スペイン　④ロシア

マメ知識
採卵鶏（卵をうませるために育成されるニワトリ）の飼養数は、１位茨城県、２位千葉県、３位鹿児島県、４位広島県、５位愛知県です。（2022 年）

Q21 ウシを多く飼っている都道府県は？

解答｜111ページ

肉牛の飼養数が多い都道府県ベスト5はどこかな？
□の中に当てはまる道県名を書き入れよう。

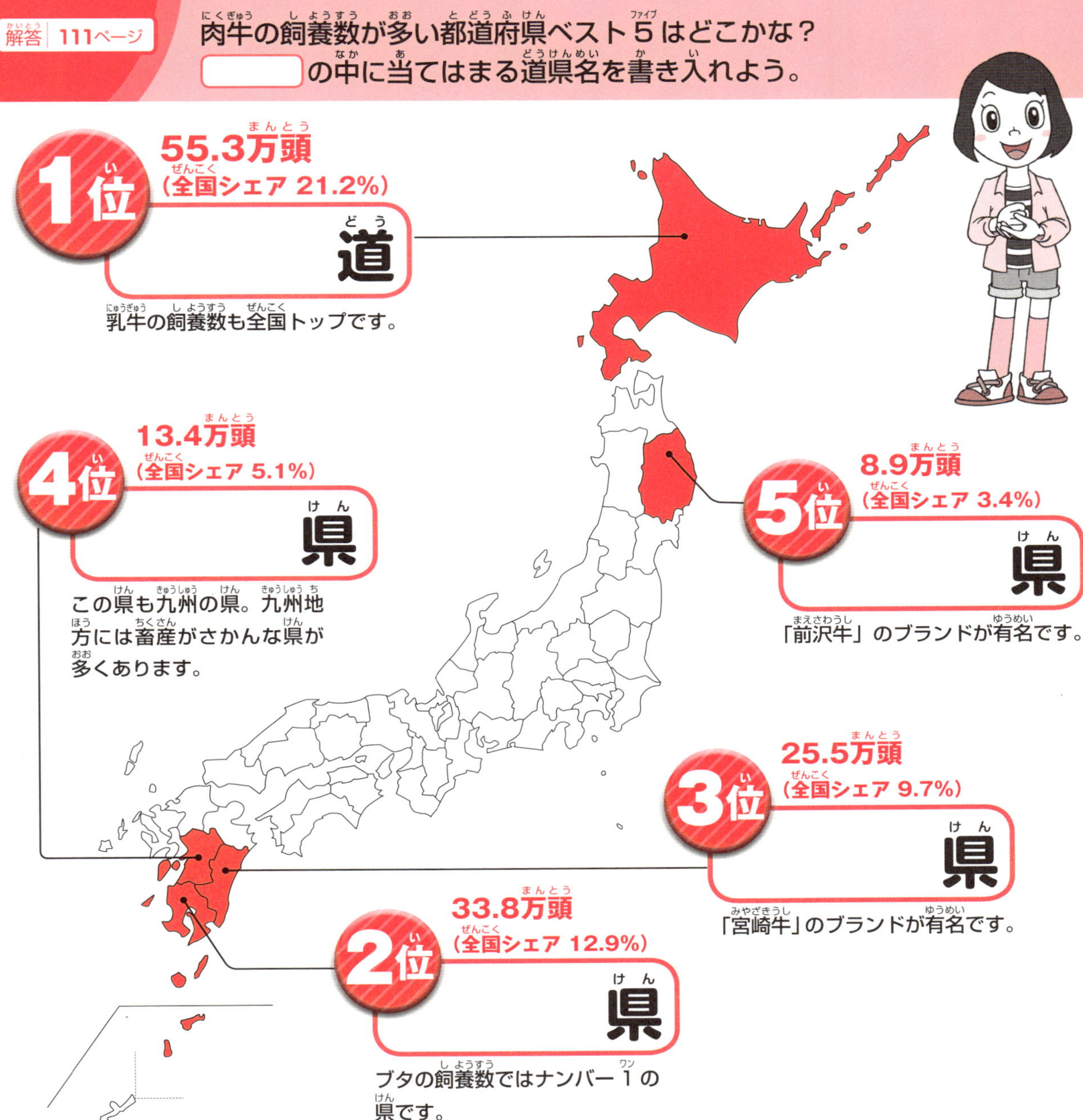

（数値は2022年。参考／農林水産省「畜産統計」）

関連クイズ

「松阪牛」の生産で知られる松阪市は何県にある？
正しいものを◯で囲もう。

①秋田県　②長野県　③三重県　④山口県

マメ知識　肉牛の飼養数6位は長崎県、7位は栃木県、8位は宮城県、9位は沖縄県、10位は群馬県です。（2022年）

Q22 イワシがたくさんとれる都道府県は？

解答 111ページ

イワシの漁獲量（水産物のとれる量）が多い都道府県ベスト５はどこかな？
□の中に当てはまる県名を書き入れよう。

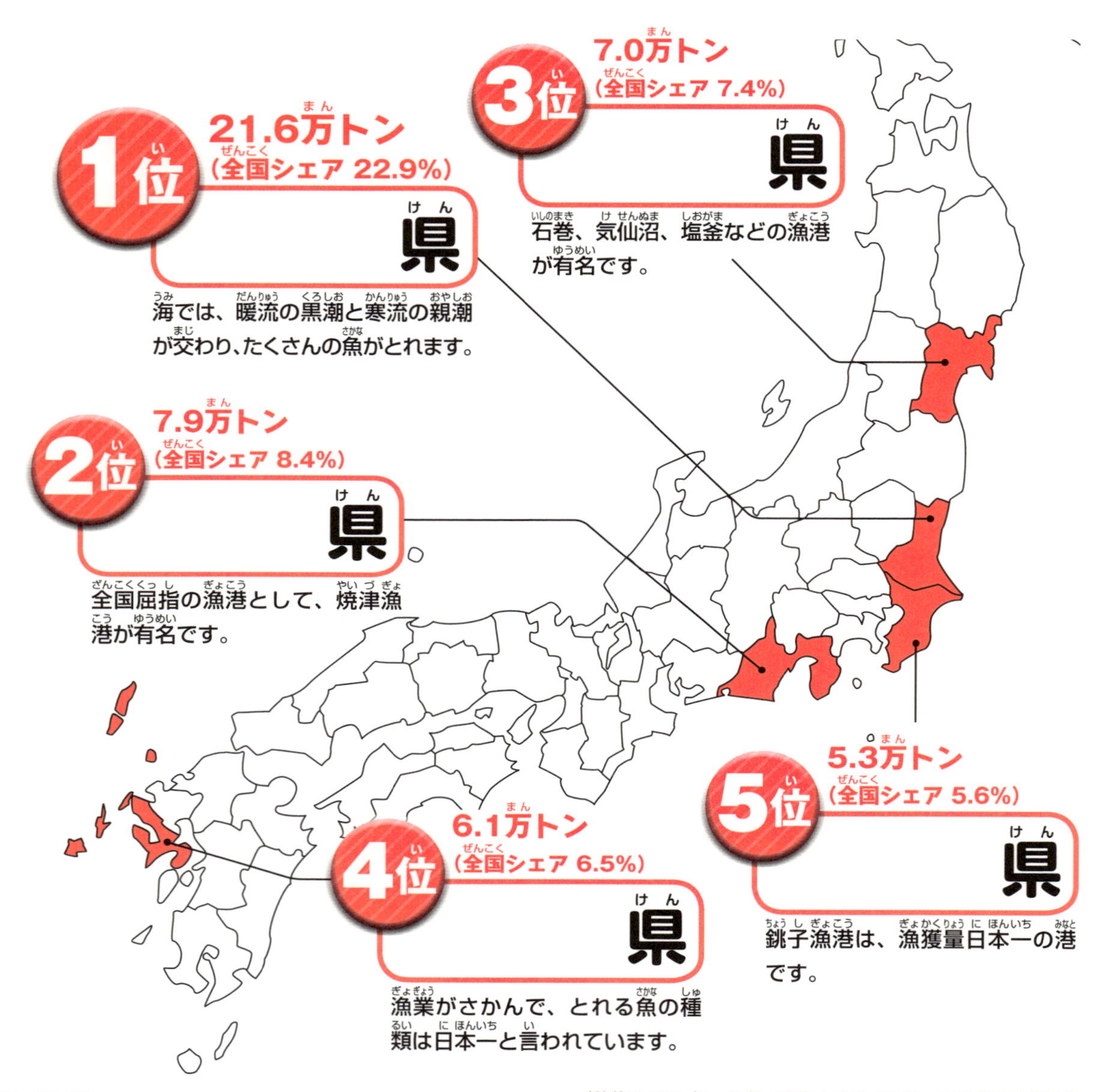

1位
21.6万トン
（全国シェア 22.9%）
県
海では、暖流の黒潮と寒流の親潮が交わり、たくさんの魚がとれます。
2位
7.9万トン
（全国シェア 8.4%）
県
全国屈指の漁港として、焼津漁港が有名です。
3位
7.0万トン
（全国シェア 7.4%）
県
石巻、気仙沼、塩釜などの漁港が有名です。
4位
6.1万トン
（全国シェア 6.5%）
県
漁業がさかんで、とれる魚の種類は日本一と言われています。
5位
5.3万トン
（全国シェア 5.6%）
県
銚子漁港は、漁獲量日本一の港です。

（数値は 2021 年。参考／農林水産省「漁業・養殖業生産統計」）

関連クイズ

北海道における漁獲量が、全国漁獲量の 99％を占めている魚は？
正しいものを ◯ で囲もう。

①マグロ　②サバ　③タイ　④ニシン

マメ知識 漁業がさかんな地域は、周囲を海で囲まれた北海道ほか、静岡県・三重県・千葉県・茨城県・宮城県など、太平洋側の県に多い傾向があります。

Q23 カツオがたくさんとれる都道府県は？

解答 111ページ

カツオの漁獲量（水産物のとれる量）が多い都道府県ベスト５はどこかな？
□の中に当てはまる県名を書き入れよう。

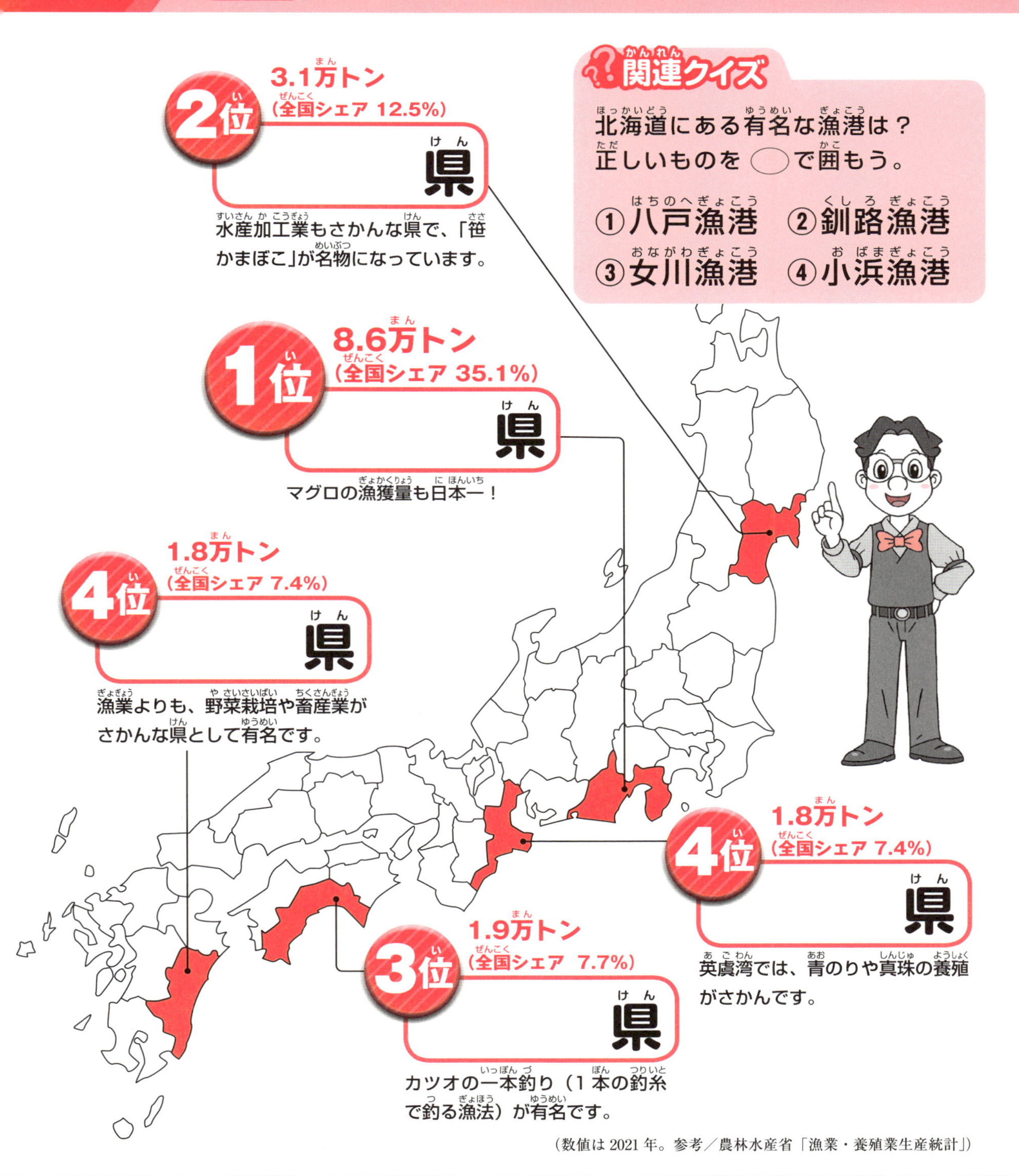

関連クイズ

北海道にある有名な漁港は？
正しいものを○で囲もう。

①八戸漁港　②釧路漁港
③女川漁港　④小浜漁港

（数値は2021年。参考／農林水産省「漁業・養殖業生産統計」）

マメ知識 カツオブシ（カツオを原料とした保存食）の産地としては、鹿児島県、静岡県、高知県などがあげられます。

Q24 日本経済を支える工業地帯

解答 112ページ

どのような場所に、多くの工場が集中している工業地帯・地域があるかな。
［　　］の中に当てはまる工業地帯名を書き入れよう。

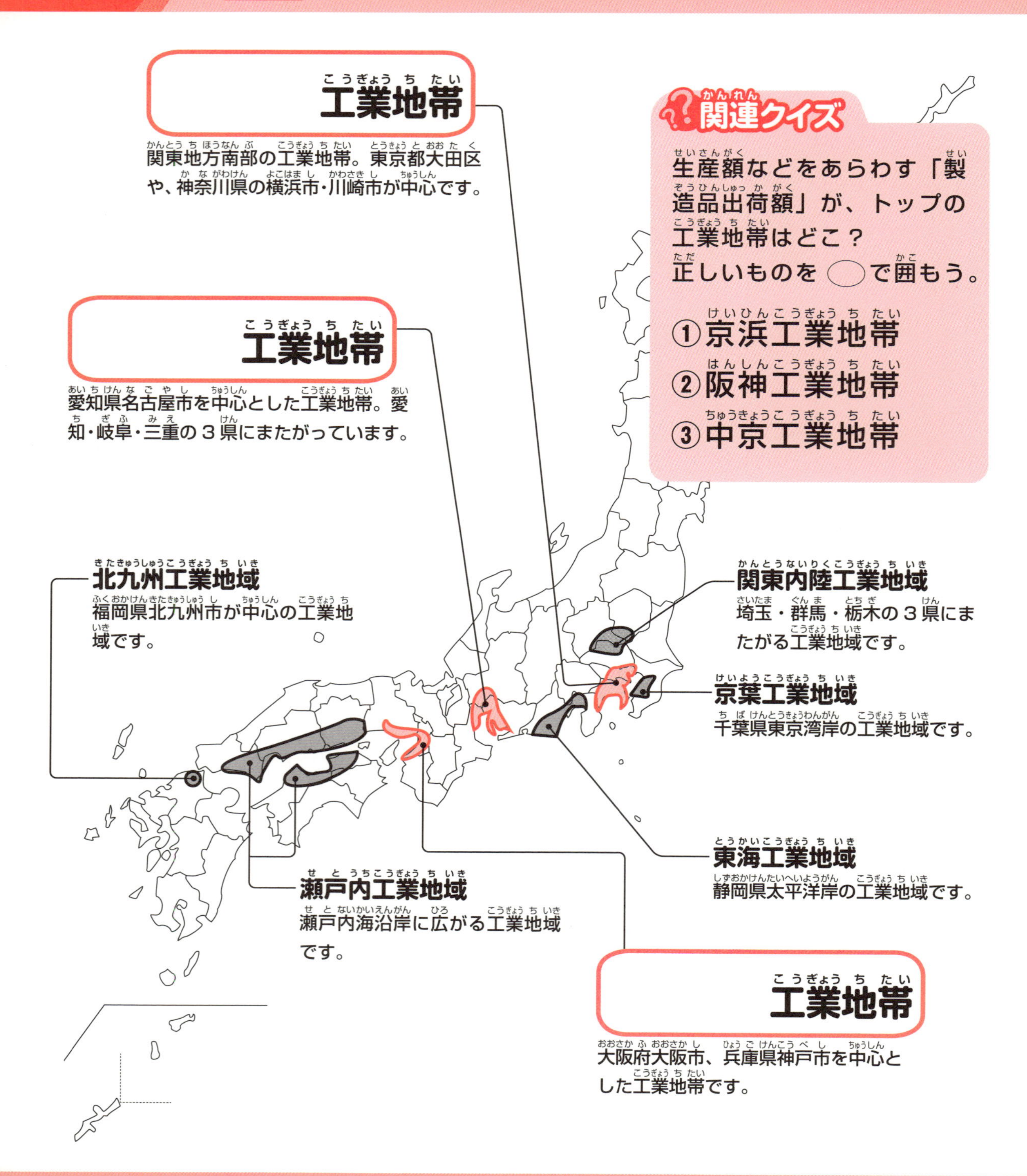

関連クイズ

生産額などをあらわす「製造品出荷額」が、トップの工業地帯はどこ？
正しいものを〇で囲もう。

①京浜工業地帯
②阪神工業地帯
③中京工業地帯

マメ知識 「工業」とは、原材料を人間や機械の力で加工し、いろいろな製品を生産する産業のことをいいます。

Q25 製造業がさかんな都道府県は？

解答 112ページ

製造品出荷額が多い都道府県ベスト５はどこかな？
　　　　の中に当てはまる府県名を書き入れよう。

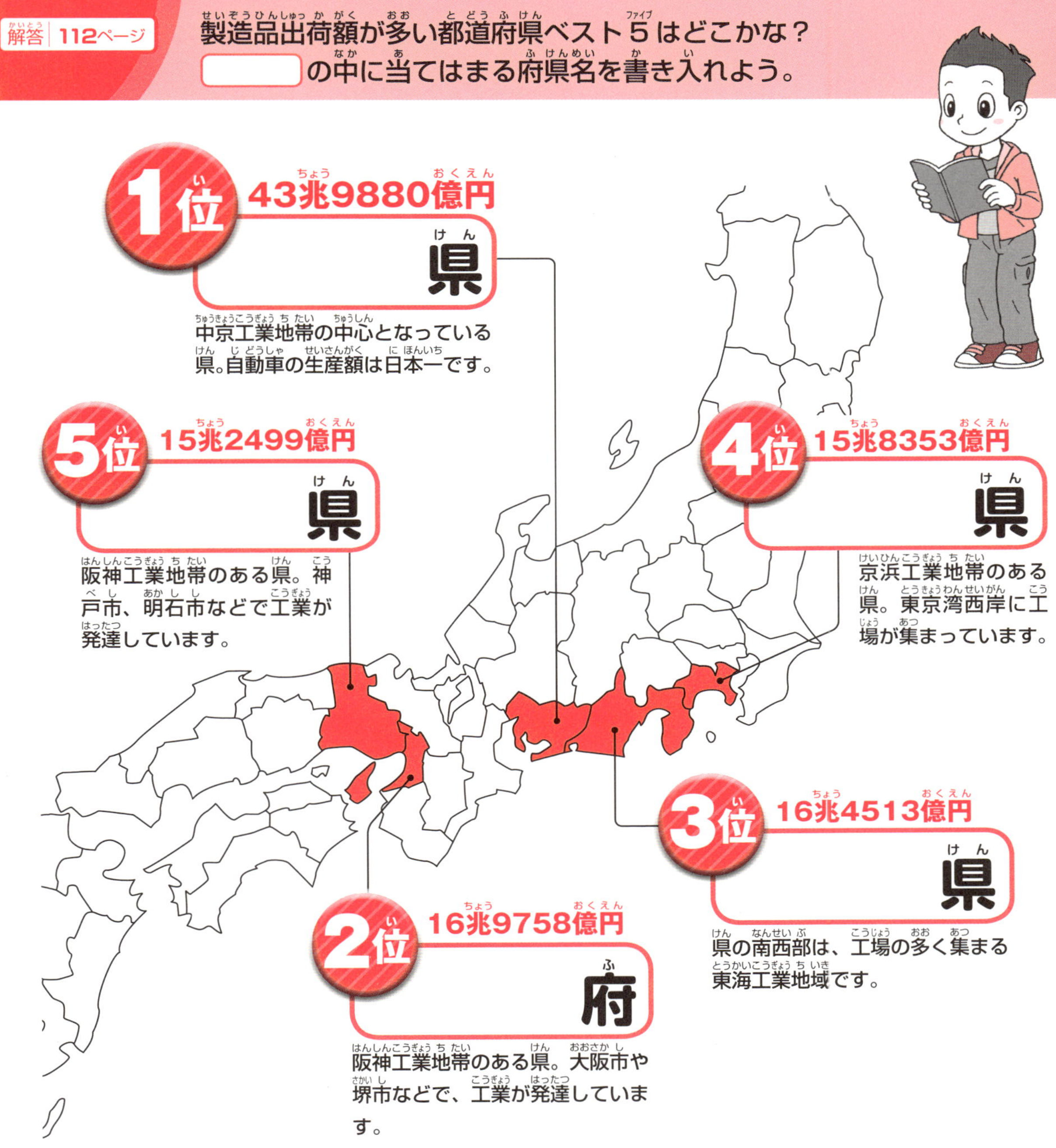

（数値は2020年。参考／経済産業省「経済センサス - 活動調査」）

関連クイズ

自動車産業で有名な愛知県の市は？ 正しいものを○で囲もう。

①旭川市　②姫路市　③松江市　④豊田市

マメ知識

「製造品出荷額」とは、工場でつくった製品を、出荷（製品を市場に出すこと）した金額のこと。工業の発達度合の目安として、よく使われます。

Q26 林業がさかんな都道府県は？

解答 112ページ

林業産出額が多い都道府県ベスト５はどこかな？
□の中に当てはまる道県名を書き入れよう。

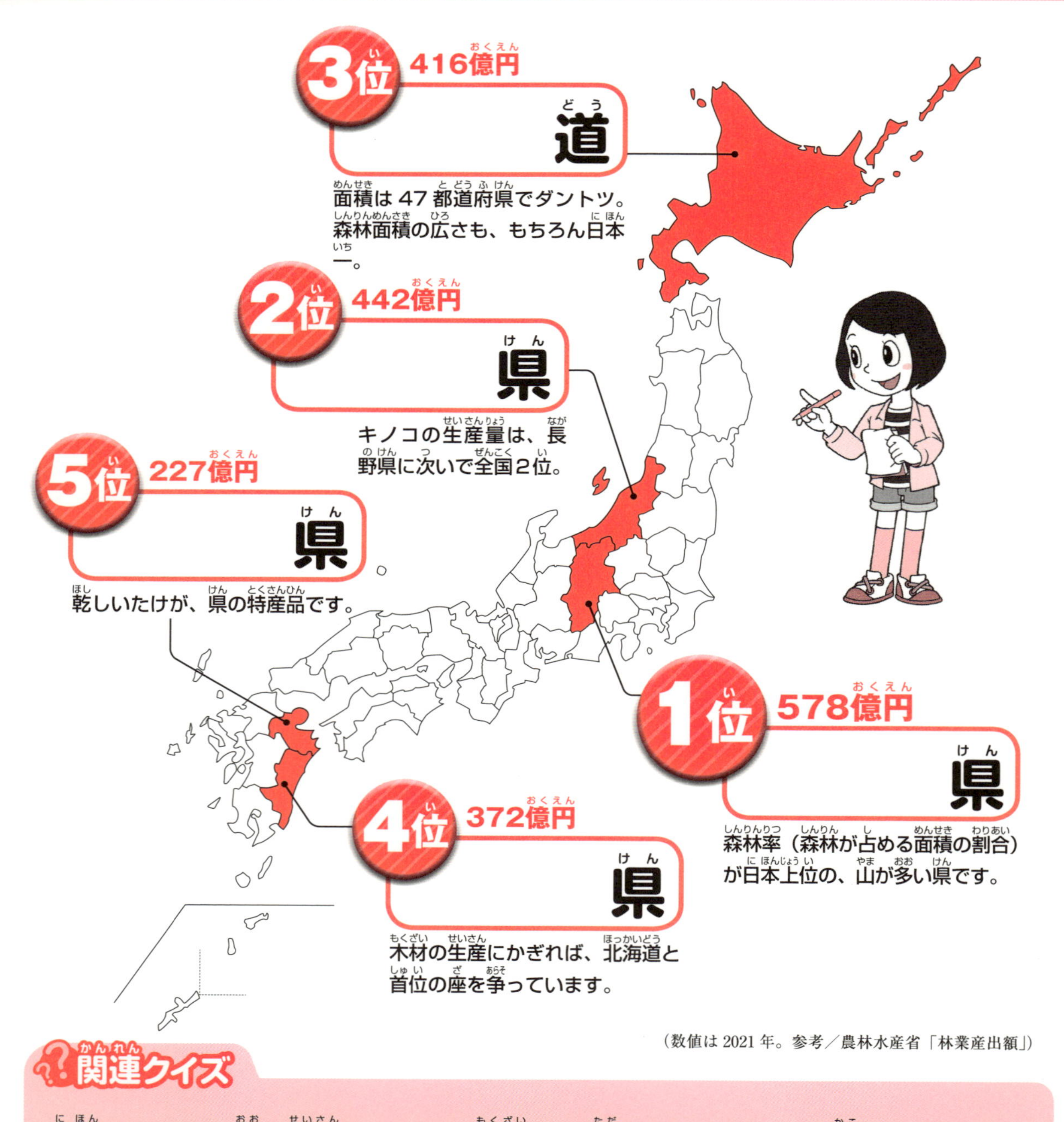

3位 416億円
道
面積は47都道府県でダントツ。森林面積の広さも、もちろん日本一。
2位 442億円
県
キノコの生産量は、長野県に次いで全国2位。
5位 227億円
県
乾しいたけが、県の特産品です。
1位 578億円
県
森林率（森林が占める面積の割合）が日本上位の、山が多い県です。
4位 372億円
県
木材の生産にかぎれば、北海道と首位の座を争っています。

（数値は2021年。参考／農林水産省「林業産出額」）

関連クイズ

日本でもっとも多く生産されている木材は？ 正しいものを◯で囲もう。

①ヒノキ　②スギ　③クロマツ　④カラマツ

マメ知識 「林業」とは、森林を育て、そこから木材や、キノコ・山菜などを生産する産業のことをいいます。

Q27 温泉が多い都道府県は？

解答 113ページ

温泉の源泉数（温泉の出る場所の数）が多い都道府県ベスト5はどこかな？
□の中に当てはまる道県名を書き入れよう。

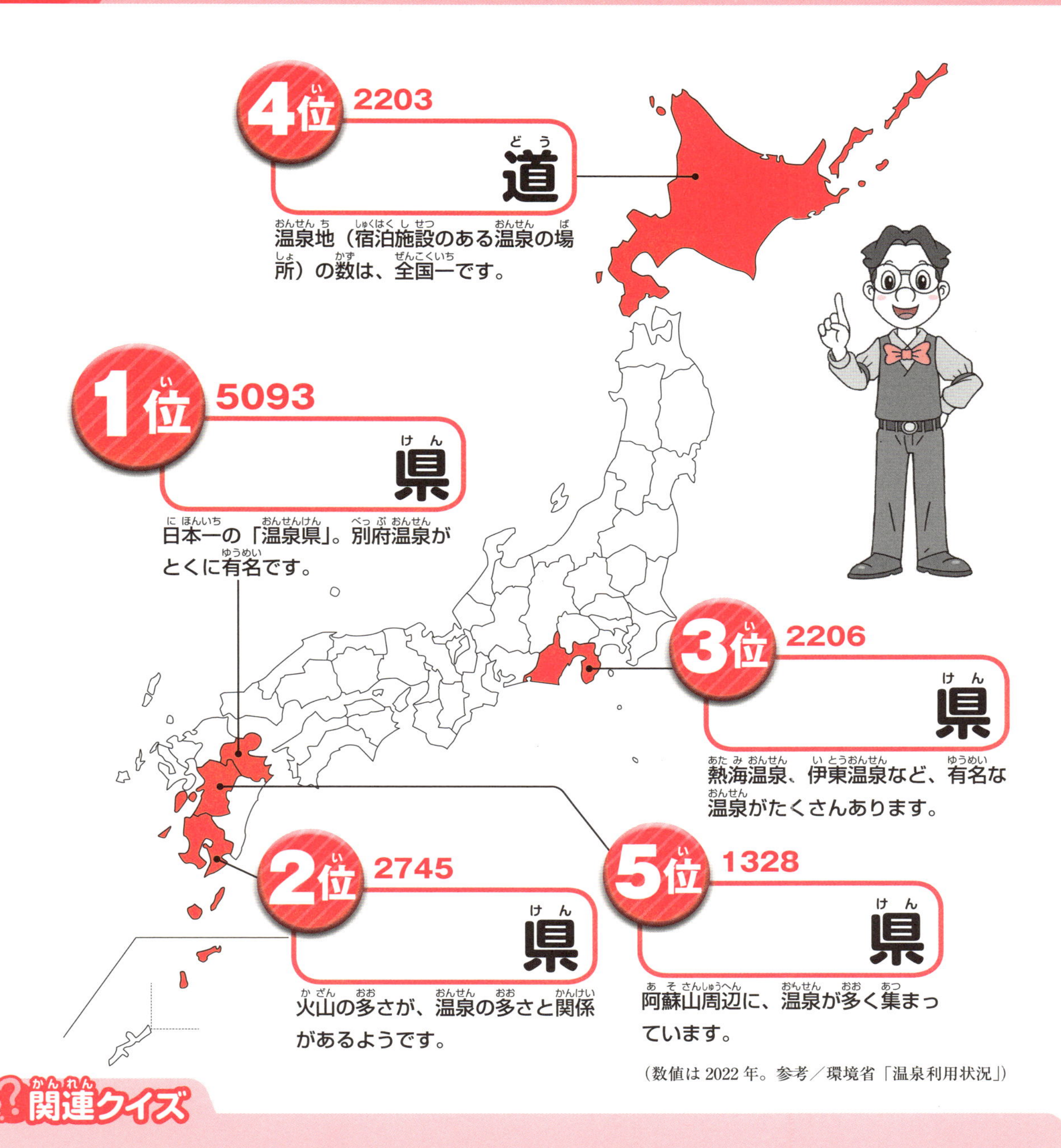

4位 2203
道
温泉地（宿泊施設のある温泉の場所）の数は、全国一です。
1位 5093
県
日本一の「温泉県」。別府温泉がとくに有名です。
3位 2206
県
熱海温泉、伊東温泉など、有名な温泉がたくさんあります。
2位 2745
県
火山の多さが、温泉の多さと関係があるようです。
5位 1328
県
阿蘇山周辺に、温泉が多く集まっています。

（数値は2022年。参考／環境省「温泉利用状況」）

関連クイズ

日本最古の温泉といわれる「道後温泉」があるのは？ 正しいものを○で囲もう。

①青森県 ②大阪府 ③山口県 ④愛媛県

マメ知識 有名な温泉には、草津温泉（群馬県）、鬼怒川温泉（栃木県）、箱根温泉（神奈川県）、下呂温泉（岐阜県）、由布院温泉（大分県）などもあります。

Q28 子どもの割合が高い都道府県は？

解答 113ページ

人口に占める、15歳未満の割合が高い都道府県ベスト5は？
□の中に当てはまる県名を書き入れよう。

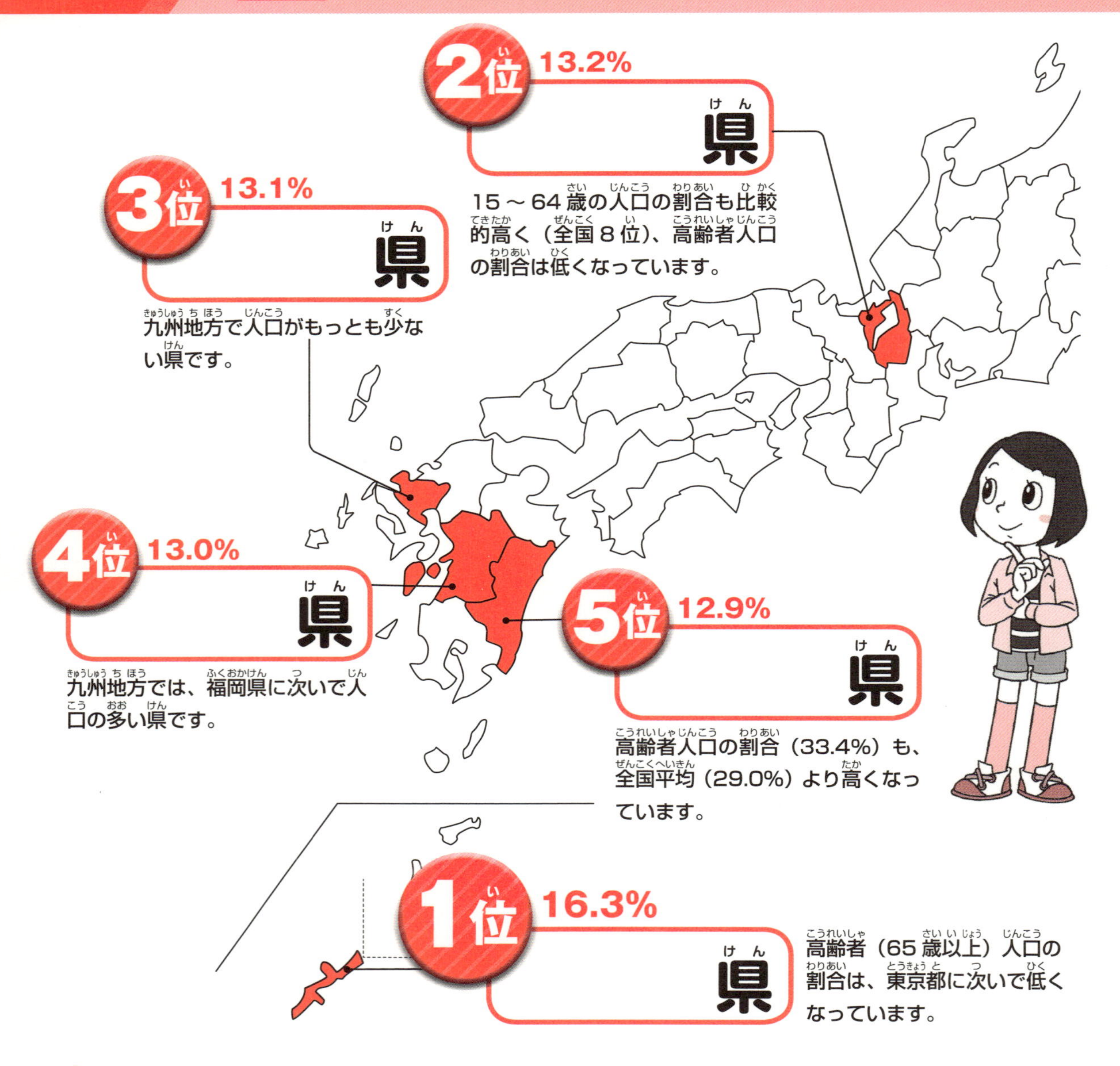

（数値は2022年。参考／総務省統計局「人口推計」）

関連クイズ

総人口に占める、年齢15～64歳の割合がいちばん高いのは？
正しいものを〇で囲もう。

①新潟県　②東京都　③大阪府　④福岡県

マメ知識 日本全体でみると、総人口に占める15歳未満の割合が11.6%、15～64歳の割合が59.4%、65歳以上の割合が29.0%となっています。（2022年）

Q29 市町村の多い都道府県は？

解答 113ページ

市町村数の多い都道府県ベスト５はどこかな？
［　　］の中に当てはまる道県名を書き入れよう。

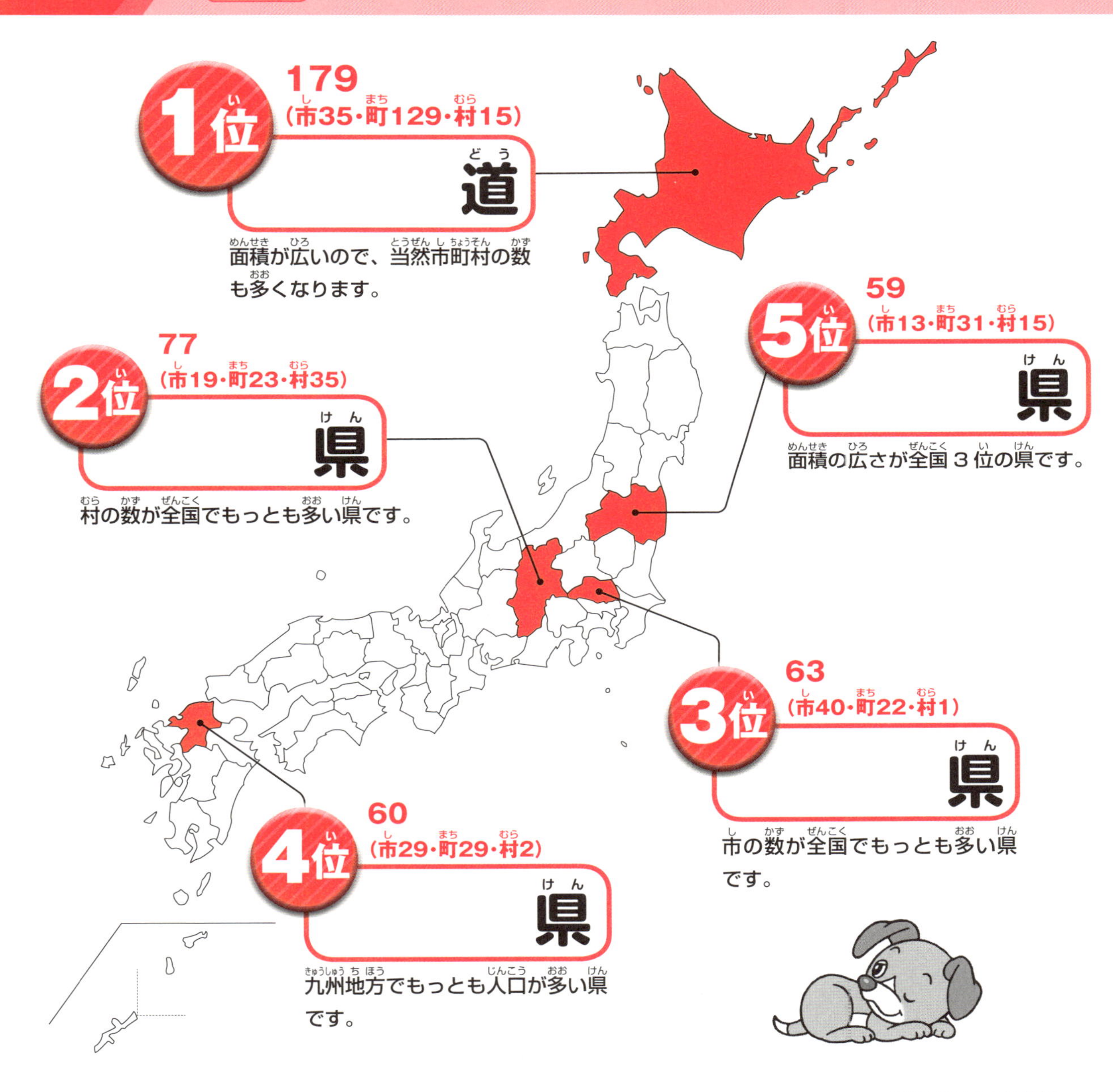

(2023年5月1日現在)

関連クイズ

市町村数がもっとも少ないのは？ 正しいものを◯で囲もう。

①山形県　②三重県　③広島県　④富山県

マメ知識　全国には1718（市792・町743・村183）の市町村があります。（2023年5月1日現在 ※北方領土の6村をのぞく）

Q30 海岸線の長い都道府県は？

解答 114ページ

海岸線の長い都道府県ベスト5はどこかな？
[　　　] の中に当てはまる道県名を書き入れよう。

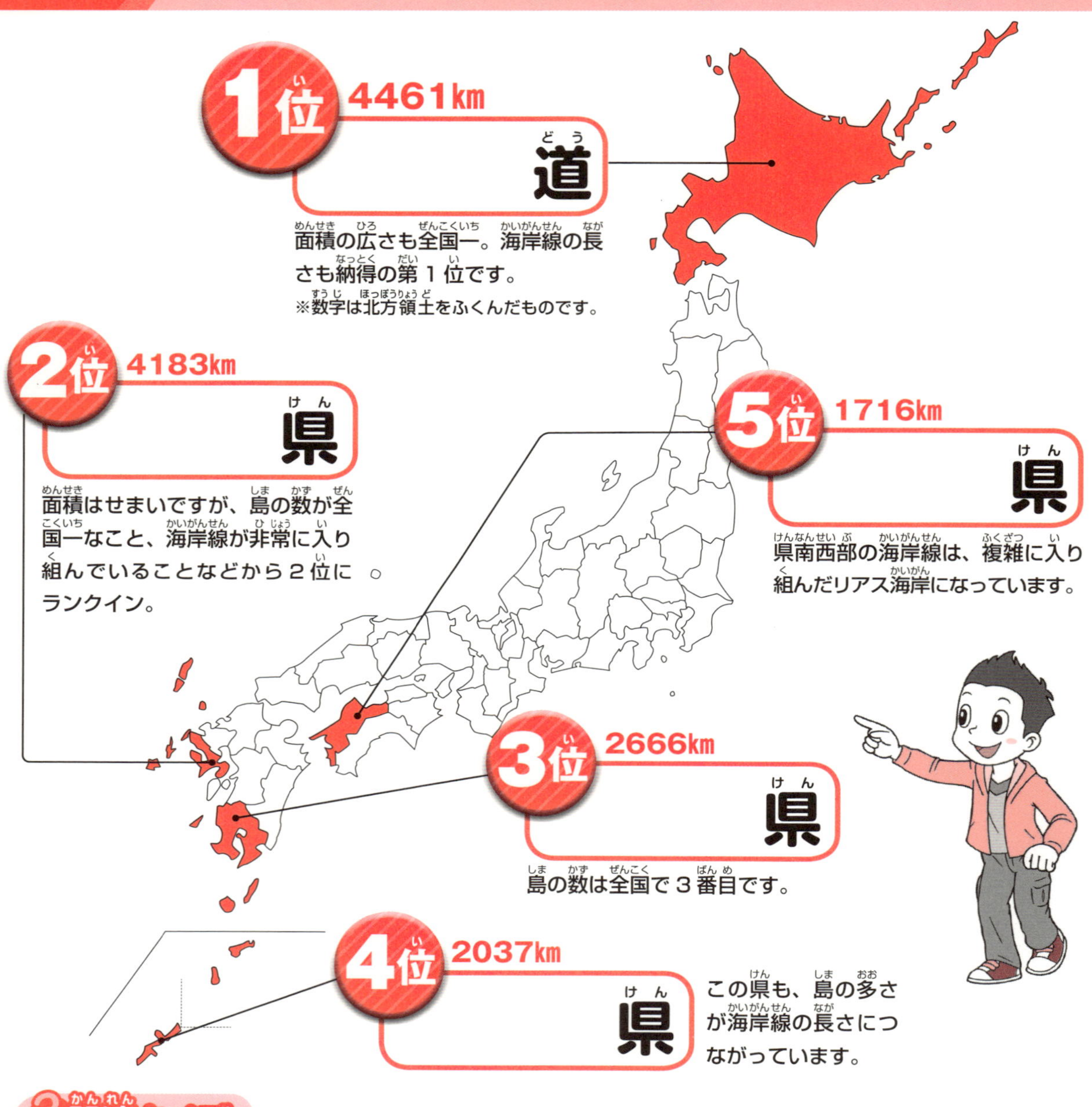

1位 4461km
道
面積の広さも全国一。海岸線の長さも納得の第1位です。
※数字は北方領土をふくんだものです。
2位 4183km
県
面積はせまいですが、島の数が全国一なこと、海岸線が非常に入り組んでいることなどから2位にランクイン。
5位 1716km
県
県南西部の海岸線は、複雑に入り組んだリアス海岸になっています。
3位 2666km
県
島の数は全国で3番目です。
4位 2037km
県
この県も、島の多さが海岸線の長さにつながっています。

関連クイズ

海岸線がもっとも短い都道府県はどこ？ ただし、海のない県はのぞきます。
正しいものを ◯ で囲もう。

①鳥取県　②富山県　③東京都　④大阪府

マメ知識 島の多い日本は、面積にくらべて海岸線がたいへん長くなっています。その長さは、アメリカ合衆国の海岸線の長さを上回ります。

Q31 森林率の高い都道府県は？

解答 114ページ

森林率（森林が占める面積の割合）の高い都道府県ベスト5はどこかな？
□の中に当てはまる県名を書き入れよう。

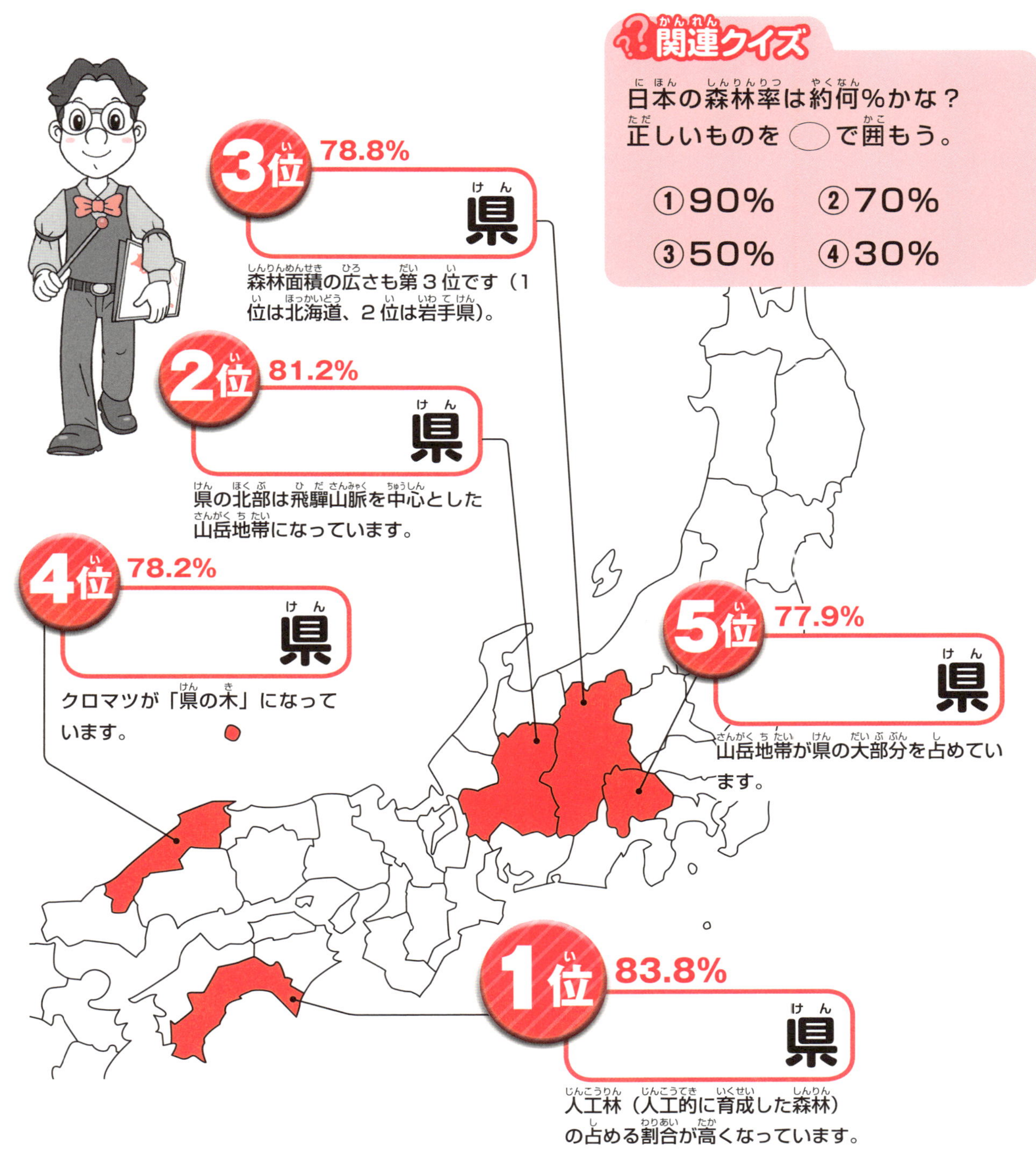

（数値は2017年。参考／林野庁「都道府県別森林率・人工林率」）

マメ知識 森林率の低い都道府県には、大阪府（30.0％）、千葉県（30.5％）、茨城県（30.6％）、埼玉県（31.5％）、東京都（36.0％）などがあります。（2017年）

Q32 外国人旅行者の多い都道府県は？

解答 114ページ

外国から訪れる人の多い都道府県ベスト５はどこかな？
□の中に当てはまる都道府県名を書き入れよう。

※人数は、「外国人の、のべ宿泊者数」

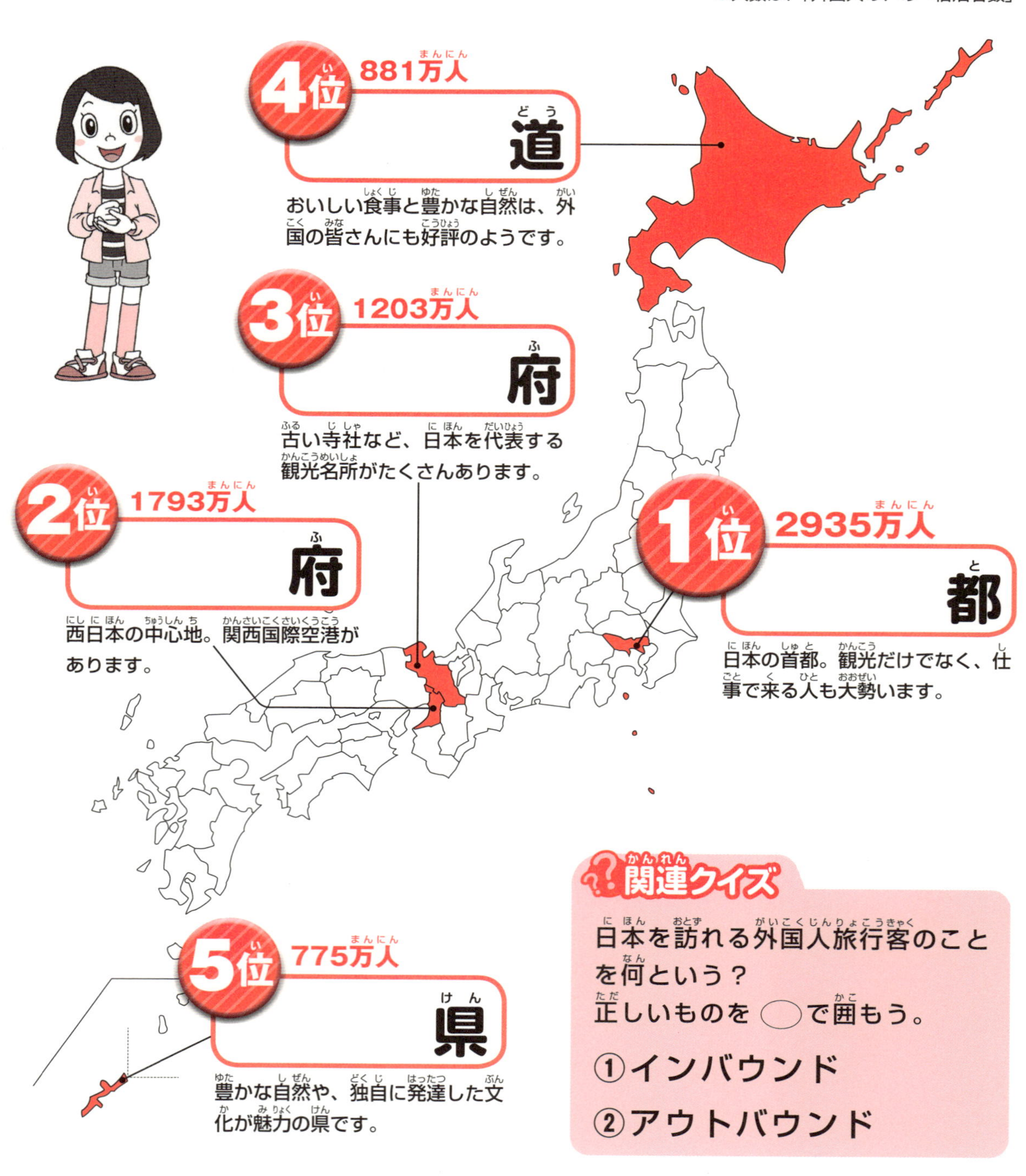

4位 881万人
道
おいしい食事と豊かな自然は、外国の皆さんにも好評のようです。
3位 1203万人
府
古い寺社など、日本を代表する観光名所がたくさんあります。
2位 1793万人
府
西日本の中心地。関西国際空港があります。
1位 2935万人
都
日本の首都。観光だけでなく、仕事で来る人も大勢います。
5位 775万人
県
豊かな自然や、独自に発達した文化が魅力の県です。

関連クイズ

日本を訪れる外国人旅行客のことを何という？
正しいものを◯で囲もう。

①インバウンド

②アウトバウンド

（数値は 2019 年。参考／観光庁「宿泊旅行統計調査」）

マメ知識 新型コロナウイルス感染症拡大による制限で、2020 ～ 2022 年の訪日外国人旅行者数は大きく落ち込みましたが、2023 年以降は、回復のきざしを見せています。

Q33 人口10万人あたりの小学校数が多い都道府県は？

解答｜115ページ

人口10万人あたりの小学校数が多い都道府県ベスト5はどこかな？
［　　］の中に当てはまる県名を書き入れよう。

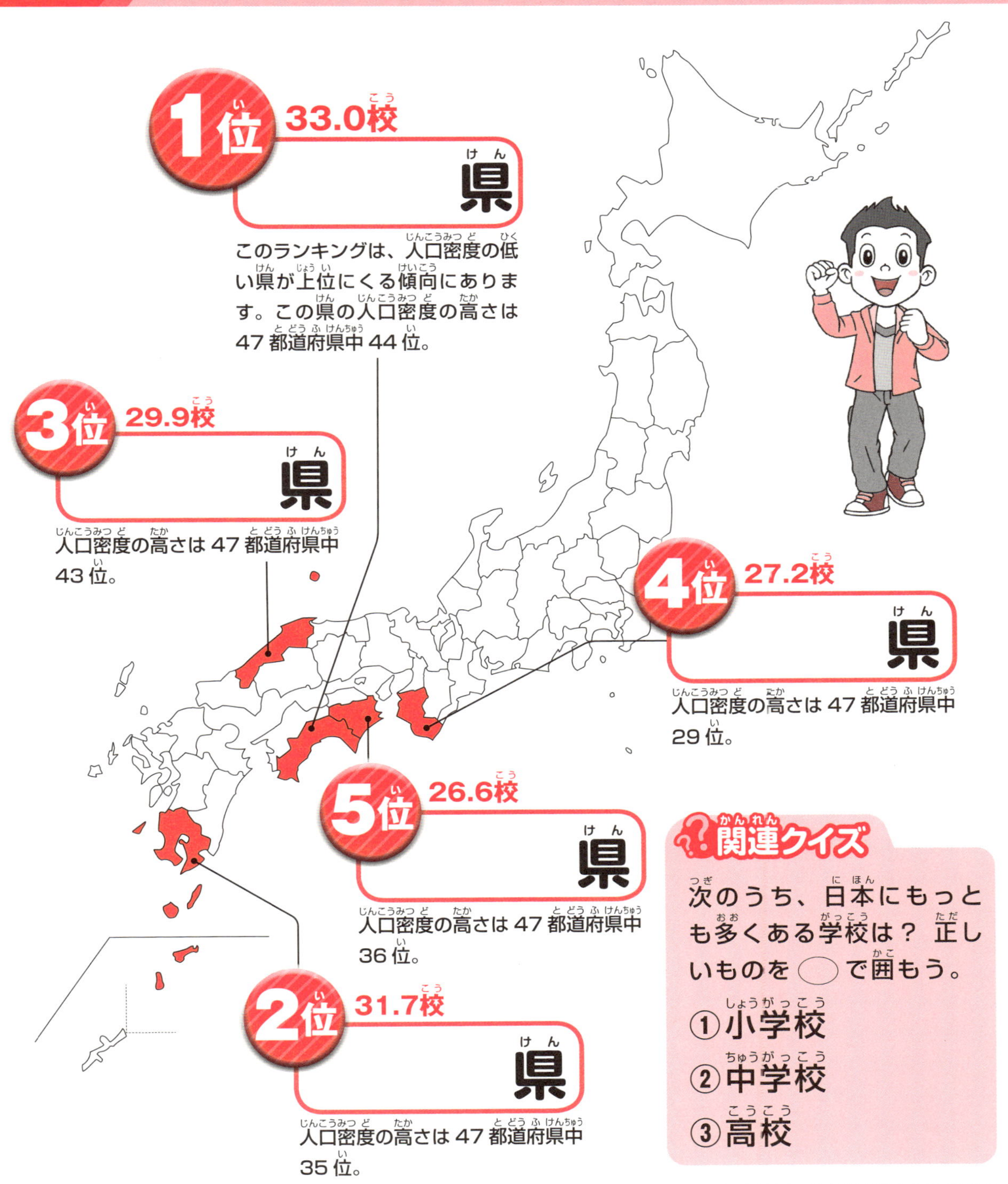

1位 33.0校
県
このランキングは、人口密度の低い県が上位にくる傾向にあります。この県の人口密度の高さは47都道府県中44位。
3位 29.9校
県
人口密度の高さは47都道府県中43位。
4位 27.2校
県
人口密度の高さは47都道府県中29位。
5位 26.6校
県
人口密度の高さは47都道府県中36位。
2位 31.7校
県
人口密度の高さは47都道府県中35位。

関連クイズ

次のうち、日本にもっとも多くある学校は？ 正しいものを◯で囲もう。

① 小学校
② 中学校
③ 高校

（数値は2022年。参考／文部科学省「学校基本調査」、総務省統計局「人口推計」）

実際の小学校の数は、1位東京都、2位大阪府、3位愛知県、4位北海道、5位神奈川県となっています。（2022年）

Q34 人口10万人あたりのお医者さんの数が多い都道府県は?

解答 115ページ

人口10万人あたりの医師数が多い都道府県ベスト5はどこかな?
□の中に当てはまる都府県名を書き入れよう。

関連クイズ

人口10万人あたりの歯科医師数がもっとも多いのは?
正しいものを○で囲もう。

①北海道　②東京都
③神奈川県　④大阪府

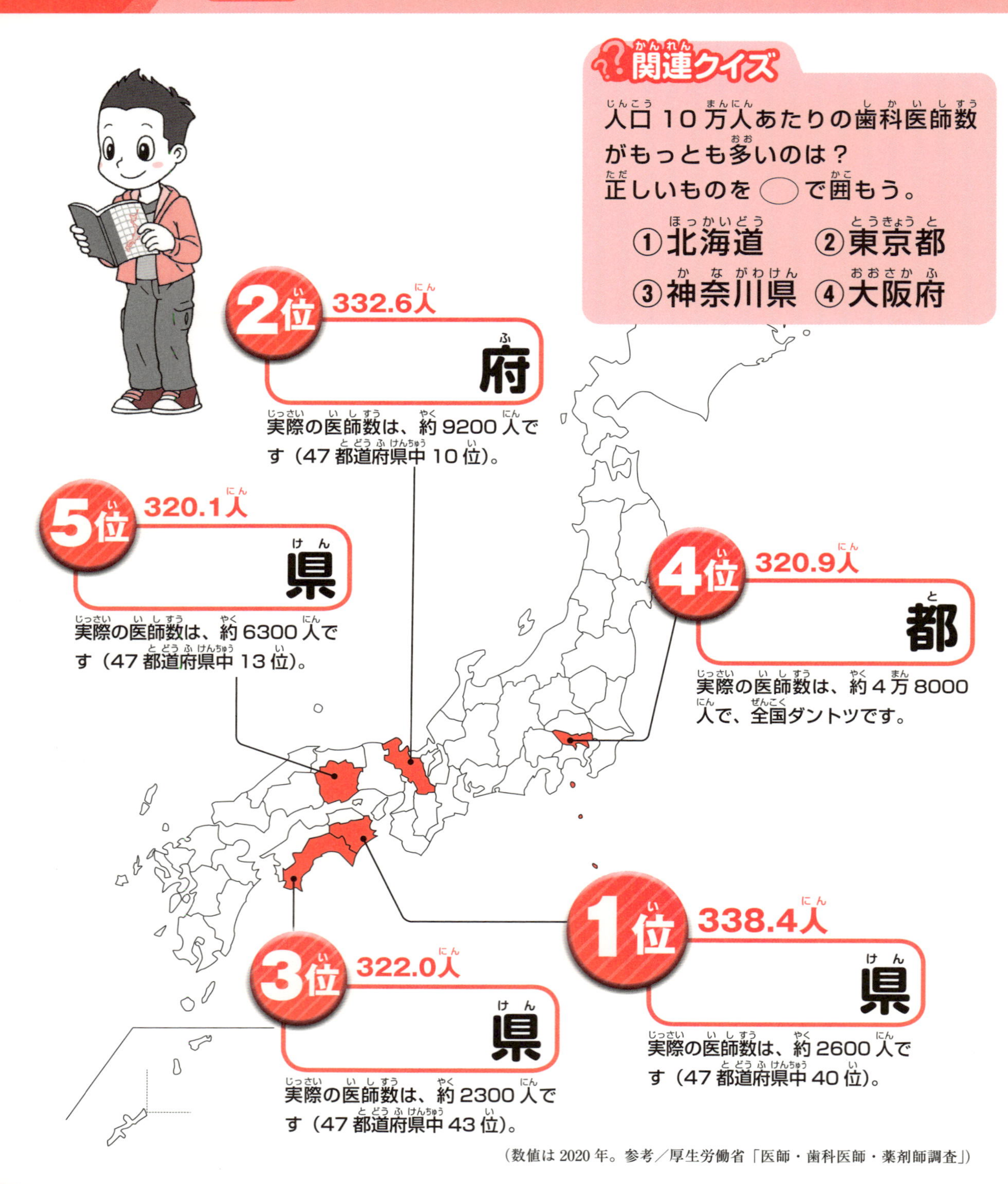

(数値は2020年。参考/厚生労働省「医師・歯科医師・薬剤師調査」)

マメ知識 全国にいる医師の数はおよそ34万人。そのうちの5人に1人が女性です。

2章（しょう）

各都道府県（かくとどうふけん）を知（し）ろう！

Q35 農業生産額はダントツ〔北海道〕

解答｜115ページ

日本の最北端に位置する北海道のクイズに挑戦してみよう。

北海道データ（2022年）

- ◆**地方区分**：北海道地方
- ◆**面積**：8万3424㎢（1位）
- ◆**人口**：514万人（8位）
- ◆**人口密度**：62人／㎢（47位）
- ◆**隣接都道府県(海上含む)**：青森県

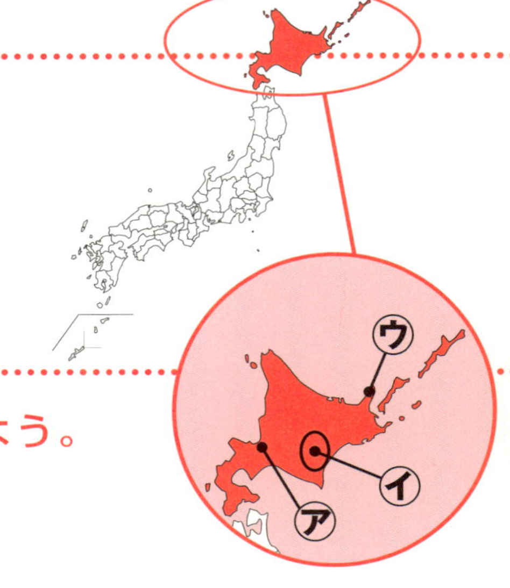

■ [　　] の中に当てはまる地名を入れよう。

- ●㋐は道庁所在地の[　　　　]市。
- ●㋑の平野の名称は、[　　　　]平野。
- ●㋒の半島の名称は、[　　　　]半島。

■ 正しいものを◯で囲もう。

産業をチェック
北海道はどんな動物の飼養頭数が日本一？

①ブタ　②採卵鶏
③乳牛　④肉用鶏

自然をチェック
次の北海道の湖のうち、マリモの生育地として有名な湖は？

①サロマ湖　②支笏湖
③阿寒湖　④摩周湖

名所をチェック
日本初の西洋式城郭で知られる、函館市の城跡「五稜郭」。上から見るとどんな形に見える？

①星形　②ひし形
③だ円形　④ハート形

郷土料理をチェック
次の北海道で多くとれる魚のうち、石狩地方の郷土料理「石狩鍋」に欠かせない魚といえば？

①サケ　②ニシン
③タラ　④ホッケ

北海道は多くの農産物や海産物の生産が日本一。農産物ではジャガイモ・タマネギ・小麦・テンサイ・トウモロコシ・ソバなどが、圧倒的な全国シェアを占めています。

Q36 日本一のリンゴの産地〔青森県〕

解答 116ページ

東北地方北端に位置する青森県のクイズに挑戦してみよう。

青森県データ（2022年）

- ◆地方区分：東北地方
- ◆面積：9646㎢（8位）
- ◆人口：120万人（31位）
- ◆人口密度：124人／㎢（41位）
- ◆隣接都道府県(海上含む)：北海道、岩手県、秋田県

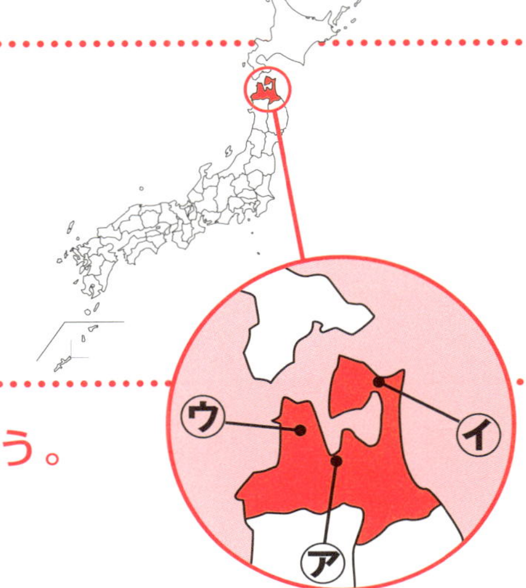

■ ［　　］の中に当てはまる地名を入れよう。

- ●㋐は県庁所在地の［　　　　］市。
- ●㋑の半島の名称は、［　　　　］半島。
- ●㋒の半島の名称は、［　　　　］半島。

■ 正しいものを〇で囲もう。

名産をチェック

リンゴやナガイモの生産量が日本一の青森県。ほかにはどんな農作物の生産量が日本一かな？

①オクラ　②シシトウ　③トウガラシ　④ニンニク

自然をチェック

青森県と秋田県にまたがる白神山地は、何の原生林が広がっていることで有名？

①スギ　②サクラ　③ブナ　④ヒノキ

行事をチェック

「青森［？］」は、武者姿などに形作った大きな灯籠を引き回す夏祭り。［？］に入る言葉は？

①ねぶた　②七夕　③花笠　④おどり

名所をチェック

青森市にある三内丸山遺跡は、何時代の大規模集落遺跡として知られている？

①縄文時代　②弥生時代　③奈良時代　④平安時代

「青森」という地名は、現在の青森港（青森市）付近に、昔、青々と茂った森があったことに由来するといわれています。

解答 116ページ

Q37 リアス式海岸の好漁場〔岩手県〕

東北地方北東部に位置する岩手県のクイズに挑戦してみよう。

岩手県データ（2022年）

◆地方区分：東北地方
◆面積：1万5275km²（2位）
◆人口：118万人（32位）
◆人口密度：77人／km²（46位）
◆隣接都道府県：青森県、宮城県、秋田県

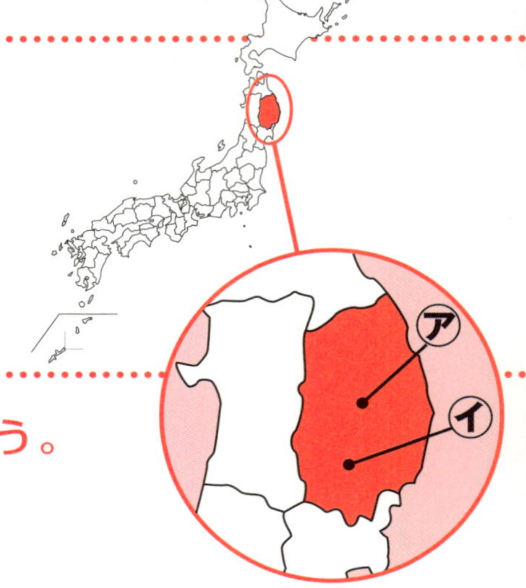

■ [　　] の中に当てはまる地名を入れよう。

● ㋐は県庁所在地の [　　] 市。

● ㋑の [　　] 市は特産の「前沢牛」で有名。

● 県東部を占める [　　] 高地。

■ 正しいものを ◯ で囲もう。

自然をチェック
リアス海岸（地形が複雑に入り組んだ海岸）で有名な海岸の名称は？

①一陸海岸　②二陸海岸
③三陸海岸　④四陸海岸

名所をチェック
次の岩手県の自治体のうち、世界遺産にもなっている中尊寺があるのは？

①盛岡市　②花巻市
③久慈市　④平泉町

歴史をチェック
『銀河鉄道の夜』『風の又三郎』などで知られる、岩手県出身の作家は？

①太宰治　②宮沢賢治
③夏目漱石　④芥川龍之介

郷土料理をチェック
小ぶりの椀で食べる、盛岡地方の郷土料理「わんこ[？]」。[？]に入る料理は？

①そば　②汁
③めし　④もち

岩手県は水産業がさかん。養殖のワカメ・コンブ・アワビなどの生産量は、全国上位です。

Q38 仙台は東北最大の都市〔宮城県〕

解答 116ページ

東北地方中部の太平洋側に位置する宮城県のクイズに挑戦してみよう。

宮城県データ（2022年）

- ◆地方区分：東北地方
- ◆面積：7282㎢（16位）
- ◆人口：228万人（14位）
- ◆人口密度：313人／㎢（18位）
- ◆隣接都道府県：岩手県、秋田県、山形県、福島県

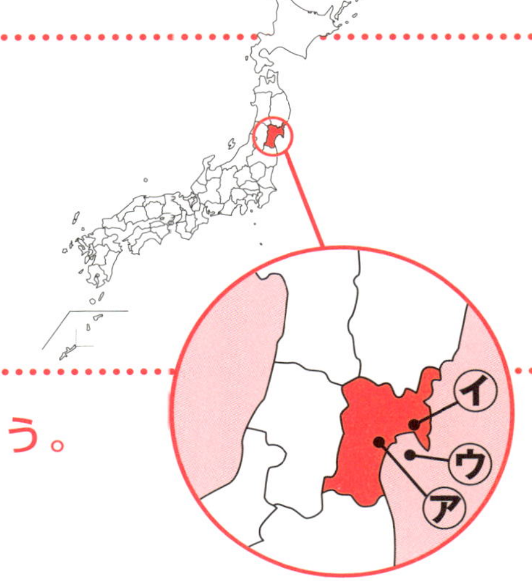

■ □の中に当てはまる地名を入れよう。

- ● ㋐は県庁所在地の□市。
- ● ㋑の□市の人口は県内で2番目。
- ● ㋒の湾の名称は、□湾。

■ 正しいものを○で囲もう。

名所をチェック

日本三景のひとつに数えられている、大小260あまりの島々が集まる宮城県の景勝地は？

①松島　②竹島
③梅島　④桜島

仙台は江戸時代、城下町として発展しました。ではその礎を築いた初代仙台藩主の名は？

①前田利家　②伊達政宗
③山内一豊　④今川義元

石巻市・気仙沼市・塩竈市などは、どんな産業がとくにさかんなことで知られる？

①農業　②林業
③水産業　④工業

宮城県でつくられている伝統的な工芸品は何？ 温泉土産として誕生したと伝えられているよ。

①こけし　②市松人形
③だるま　④節句人形

県庁所在地の仙台市は、東北地方でもっとも人口の多い都市。東北地方の政治、経済、そして文化の中心として大いに発展しています。

Q39 大みそかに鬼が来る!?〔秋田県〕

解答 116ページ

東北地方北西部に位置する秋田県のクイズに挑戦してみよう。

秋田県データ（2022年）

- ◆地方区分：東北地方
- ◆面積：1万1638㎞²（6位）
- ◆人口：93万人（39位）
- ◆人口密度：80人／㎞²（45位）
- ◆隣接都道府県：青森県、岩手県、宮城県、山形県

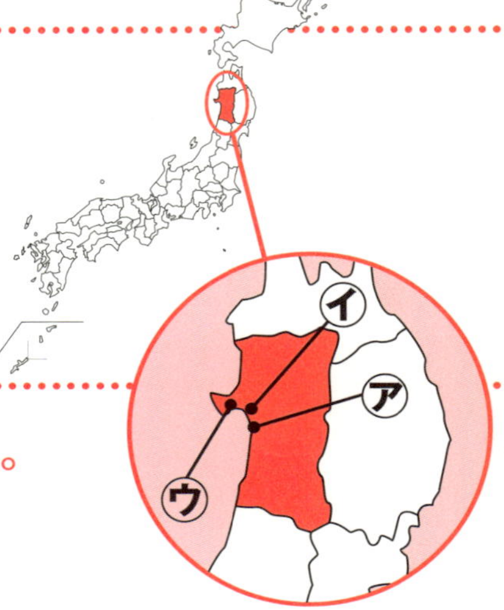

■ の中に当てはまる地名を入れよう。

- ●㋐は県庁所在地の［　　　］市。
- ●㋑の位置にある湖の名称は、［　　　］潟。
- ●㋒の半島の名称は、［　　　］半島。

■ 正しいものを〇で囲もう。

自然をチェック

秋田県中部にある田沢湖は、何が日本一の湖？

①面積　②透明度
③深さ　④外周の長さ

行事をチェック

鬼に扮した村人が家々をまわる、主に大みそかにおこなわれる男鹿地方の行事は？

①鬼来迎　②トシドン
③獅子舞　④なまはげ

行事をチェック

雪で小さな家をつくり、中で水神をまつる行事「かまくら」。とくに何市のものが有名？

①能代市　②横手市
③湯沢市　④にかほ市

郷土料理をチェック

秋田県の郷土料理「きりたんぽ」は、つぶした何をスギなどの棒に巻きつけ、焼いた料理？

①米　②パン
③豆　④トリ肉

マメ知識
八郎潟はかつて、琵琶湖に次いで日本で2番目に大きな湖でした。しかし、大部分が干拓により陸地となり、現在の大きさは、日本で18番目になっています。

Q40 サクランボ王国〔山形県〕

解答 117ページ

東北地方南西部に位置する山形県のクイズに挑戦してみよう。

山形県データ（2022年）

◆**地方区分**：東北地方
◆**面積**：9323km²（9位）
◆**人口**：104万人（36位）
◆**人口密度**：112人／km²（42位）
◆**隣接都道府県**：宮城県、秋田県、福島県、新潟県

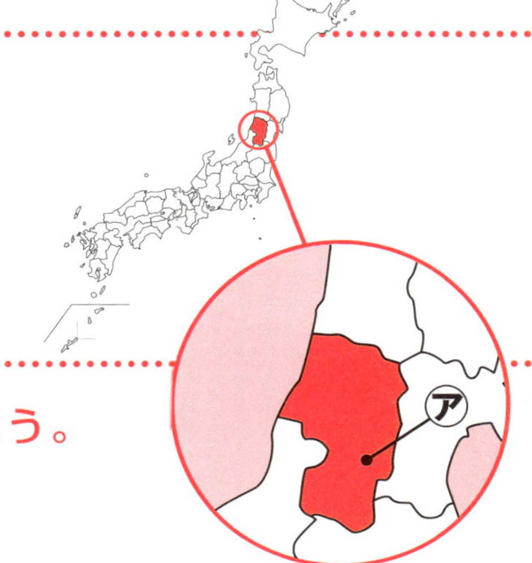

■ ＿＿ の中に当てはまる地名を入れよう。

● ㋐は県庁所在地の＿＿＿＿市。

● 県北西部に広がる、＿＿＿＿平野。

● 宮城県との県境を縦断する、＿＿＿＿山脈。

■ 正しいものを ◯ で囲もう。

名産をチェック

サクランボとともに、山形県が全国１位の生産量をほこっているくだものは？

①イチゴ　②ハッサク
③バナナ　④洋ナシ

工芸品をチェック

次の山形県の市のうち、「将棋の駒」の生産で有名な市は？

①上山市　②村山市
③天童市　④寒河江市

自然をチェック

「五月雨を あつめて早し ？ 」は松尾芭蕉の有名な俳句。 ？ に入る山形県の川は？

①高瀬川　②最上川
③雄物川　④岩木川

行事をチェック

山形市の「 ？ まつり」は、 ？ を手にしておどり歩く８月の祭り。 ？ に入る言葉は？

①鳴子　②たいまつ
③手ぬぐい　④花笠

県北西部の庄内平野は、日本有数の米どころで、稲作がさかんです。また、県南部の米沢盆地は、米沢牛の生産地として有名です。

Q41 面積の広さは全国３位〔福島県〕

解答｜117ページ

東北地方南東部に位置する福島県のクイズに挑戦してみよう。

福島県データ（2022年）

- 地方区分：東北地方
- 面積：1万3784km²（3位）
- 人口：179万人（21位）
- 人口密度：130人／km²（40位）
- 隣接都道府県：宮城県、山形県、茨城県、栃木県、群馬県、新潟県

■　　の中に当てはまる地名を入れよう。

- ㋐は県庁所在地の　　　　市。
- ㋑の位置にある湖の名称は、　　　　湖。
- 県西部の盆地の名称は、　　　　盆地。

■ 正しいものを◯で囲もう。

自然をチェック

面積の広さが日本４位の猪苗代湖は、何の飛来地として知られている？

①ツル　②オオワシ
③ツバメ　④ハクチョウ

歴史をチェック

お札の肖像にもなった、福島県出身の細菌学者の名前は？

①野口英世　②新渡戸稲造
③樋口一葉　④福沢諭吉

郷土料理をチェック

喜多方市や白河市は、どんな料理で有名？

①すき焼き　②ラーメン
③カレー　④天丼

歴史をチェック

江戸中期、白河藩主をつとめ、のちに老中として「寛政の改革」をおこなった人物の名は？

①柳沢吉保　②田沼意次
③松平定信　④水野忠邦

福島県は県西部の「会津」、県中部の「中通り」、県東部の「浜通り」の３つのエリアに大きく分けられ、風土がそれぞれ異なるという特徴があります。

Q42 全国屈指の農業県〔茨城県〕

解答 117ページ

関東地方北東部に位置する茨城県のクイズに挑戦してみよう。

茨城県データ（2022年）

◆地方区分：関東地方
◆面積：6098㎢（24位）
◆人口：284万人（11位）
◆人口密度：466人／㎢（12位）
◆隣接都道府県：福島県、栃木県、埼玉県、千葉県

■ [　　] の中に当てはまる地名を入れよう。

● ㋐は県庁所在地の[　　　　]市。

● ㋑の[　　　　]市は学園都市として有名。

● ㋒の海域の名称は、[　　　　]灘。

■ 正しいものを  で囲もう。

名所をチェック
水戸市にある日本庭園「偕楽園」は、何の名所として有名？

①ウメ　②タケ
③ヒマワリ　④イチョウ

名産をチェック
茨城県が一大産地となっている農作物は？

①リンゴ　②メロン
③ミカン　④カキ

名産をチェック
水戸市の名産として全国的に知られているものは？

①タラコ　②ジャム
③納豆　④バター

産業をチェック
「[？]臨海工業地域」は、茨城県南東部の工業地域です。[？]に当てはまるのはどれ？

①筑波　②古河
③水戸　④鹿島

野菜の産出額が、北海道に次いで2位の茨城県。とくに、レンコン・メロン・ピーマン・チンゲンサイ・ハクサイ・レタス・サツマイモなどの生産がさかんです。

Q43 甘くておいしい「とちおとめ」〔栃木県〕

解答 117ページ

関東地方北部に位置する栃木県のクイズに挑戦してみよう。

栃木県データ（2022年）

- ◆地方区分：関東地方
- ◆面積：6408㎢（20位）
- ◆人口：191万人（19位）
- ◆人口密度：298人／㎢（22位）
- ◆隣接都道府県：福島県、茨城県、群馬県、埼玉県

■ [　　] の中に当てはまる地名を入れよう。

- ● ㋐は県庁所在地の[　　　　]市。
- ● ㋑は日光東照宮のある[　　　　]市。
- ● ㋒は「益子焼」の産地である[　　　　]町。

■ 正しいものを（　）で囲もう。

名産をチェック

栃木県が生産量日本一の農作物は？「とちおとめ」という品種が有名だね。

① ブドウ　② カキ　③ イチゴ　④ サツマイモ

名所をチェック

「日光の社寺」として世界遺産にもなっている日光東照宮は、だれをまつった神社？

① 聖徳太子　② 平清盛　③ 藤原道長　④ 徳川家康

名所をチェック

「[？]の滝」は、日光市にある高さ97メートルのダイナミックな滝。[？]に当てはまるのは？

① 袋田　② 華厳　③ 那智　④ 布引

自然をチェック

「日本一標高の高い場所にある湖（人工湖、面積4平方キロメートル以下の湖をのぞく）」といえば？

① 中禅寺湖　② 洞爺湖　③ 八郎潟　④ 浜名湖

栃木県宇都宮市はギョーザが名物。1世帯あたりのギョーザ購入額1位の座を、同じくギョーザが名物の静岡県浜松市や宮崎県宮崎市と毎年争っています。

Q44 上州名物「からっ風」〔群馬県〕

解答 118ページ

関東地方北西部に位置する群馬県のクイズに挑戦してみよう。

群馬県データ（2022年）

◆地方区分：関東地方
◆面積：6362㎢（21位）
◆人口：191万人（18位）
◆人口密度：300人／㎢（21位）
◆隣接都道府県：福島県、栃木県、埼玉県、新潟県、長野県

■ □の中に当てはまる地名を入れよう。

● ㋐は県庁所在地の□市。
● ㋑の□市の人口は県内トップ。
● ㋒の□市は、絹織物の産地として有名。

■ 正しいものを○で囲もう。

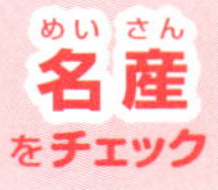

名産をチェック
嬬恋村が大産地として知られている、群馬県を代表する野菜は？

①ダイコン　②レンコン
③キャベツ　④タマネギ

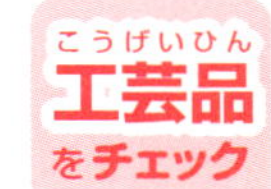

工芸品をチェック
高崎市の名物として知られる工芸品は？

①だるま　②招き猫
③シーサー　④ちょうちん

自然をチェック
上州（群馬県のこと）の名物「からっ風」とは、冬に強く吹くどんな風？

①湿った北風　②乾いた北風
③湿った南風　④乾いた南風

歴史をチェック
明治5年（1872）に開場し、日本の近代化に大きく貢献した製糸工場は今の何市にあった？

①みどり市　②沼田市
③富岡市　④太田市

マメ知識
群馬県の特産品のひとつに、コンニャクの原料であるコンニャクイモがあります。群馬県のコンニャクイモの生産量は、全国の約9割を占めています。

Q45 野菜づくりがさかん〔埼玉県〕

解答 118ページ

関東地方西部に位置する埼玉県のクイズに挑戦してみよう。

埼玉県データ（2022年）

- 地方区分：関東地方
- 面積：3798km²（39位）
- 人口：734万人（5位）
- 人口密度：1933人／km²（4位）
- 隣接都道府県：茨城県、栃木県、群馬県、千葉県、東京都、山梨県、長野県

- ㋐は県庁所在地の［　　　］市。
- ㋑の［　　　］市は、江戸時代に城下町として栄えた地。
- 県西部の地域の名称は、［　　　］地方。

正しいものを○で囲もう。

埼玉県は、［？］・ブロッコリー・カブ・ネギなどの産地として有名です。［？］に入る野菜は？

①ゴーヤ　②セロリ　③レタス　④コマツナ

名産をチェック

草加市の名物として、広く知られている菓子といえば？

①カステラ　②どら焼き　③せんべい　④チョコレート

工芸品をチェック

埼玉県の伝統工芸品として、全国的に知られているものは？

①和傘　②そろばん　③仏壇　④ひな人形

名所をチェック

長瀞町の［？］は、「日本［？］名所百選」にも選ばれています。［？］に入る植物は？

①ウメ　②サクラ　③フジ　④イチョウ

野菜の生産がさかんな埼玉県ですが、チョコレート・せんべい・ケーキ・ビスケット・アイスクリームなど、菓子類の製造もさかんです。

Q46 様々な産業が発展〔千葉県〕

解答 118ページ

関東地方南東部に位置する千葉県のクイズに挑戦してみよう。

千葉県データ（2022年）

◆地方区分：関東地方
◆面積：5157㎢（28位）
◆人口：627万人（6位）
◆人口密度：1216人／㎢（6位）
◆隣接都道府県（海上含む）：茨城県、埼玉県、東京都、神奈川県

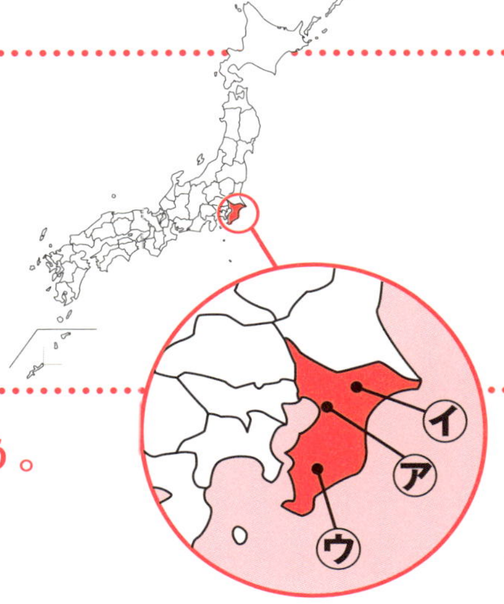

■ ［　　］の中に当てはまる地名を入れよう。

● ㋐は県庁所在地の［　　　　］市。

● ㋑は成田空港のある［　　　　］市。

● ㋒の半島の名称は、［　　　　］半島。

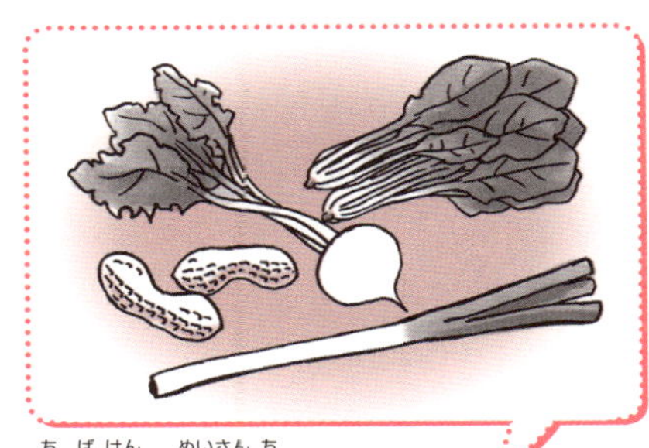

■ 正しいものを（　）で囲もう。

自然をチェック

関東平野を貫流して銚子市で太平洋に注ぐ、流域面積日本一の川は？ 長さは全国２位。

①天塩川　②石狩川
③利根川　④信濃川

名産をチェック

千葉県が名産地である次の農作物のうち、千葉県の生産量が全国生産の約８割を占めるのは？

①カブ　②ホウレンソウ
③ネギ　④ラッカセイ

名所をチェック

日本でもっとも有名なテーマパーク「東京ディズニーリゾート」がある市は？

①浦安市　②市川市
③船橋市　④松戸市

産業をチェック

［？］工業地域は、東京湾に沿って連なる千葉県の工業地域です。［？］に入る言葉は？

①京葉　②播磨臨海
③東海　④鹿島臨海

千葉県は全国で唯一、標高500メートル以上の山がありません。ちなみに千葉県の最高峰は、標高408メートルの愛宕山です。

Q47

政治・経済・文化の中心〔東京都〕

解答 118ページ

関東地方南西部に位置する日本の首都、東京都のクイズに挑戦してみよう。

東京都データ（2022年）

- ◆**地方区分**：関東地方
- ◆**面積**：2194㎢（45位）
- ◆**人口**：1404万人（1位）
- ◆**人口密度**：6399人／㎢（1位）
- ◆**隣接都道府県**：埼玉県、千葉県、神奈川県、山梨県

- 東京都庁があるのは㋐の［　　　］区。
- ㋑の湾の名称は、［　　　］湾。
- ㋒の島の名称は、［　　　］島。

■ 正しいものを  で囲もう。

歴史をチェック

慶長8年（1603）、江戸（現在の東京都）に幕府を開いた初代将軍の名は？

①織田信長　②豊臣秀吉
③毛利元就　④徳川家康

名所をチェック

墨田区にある「東京スカイツリー」の高さは［？］メートル。［？］に入る数字は？

①333　②417
③634　④828

行事をチェック

次の東京都の有名な祭りのうち、日枝神社の祭礼はどれ？

①三社祭　②神田祭
③山王祭　④深川祭

郷土料理をチェック

東京都の郷土料理のひとつである「柳川鍋」は、どんな海産物を使った料理？

①ウニ　②ドジョウ
③カニ　④スッポン

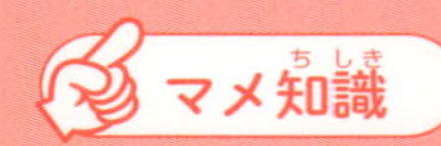

東京都の面積は、国土の約0.6％程度。そのようなせまい場所に、日本の人口の10％以上もの人が住んでいます。

Q48 観光スポットがたくさん〔神奈川県〕

解答 119ページ

関東地方南部に位置する神奈川県のクイズに挑戦してみよう。

神奈川県データ（2022年）

◆**地方区分**：関東地方
◆**面積**：2416km²（43位）
◆**人口**：923万人（2位）
◆**人口密度**：3820人／km²（3位）
◆**隣接都道府県（海上含む）**：千葉県、東京都、山梨県、静岡県

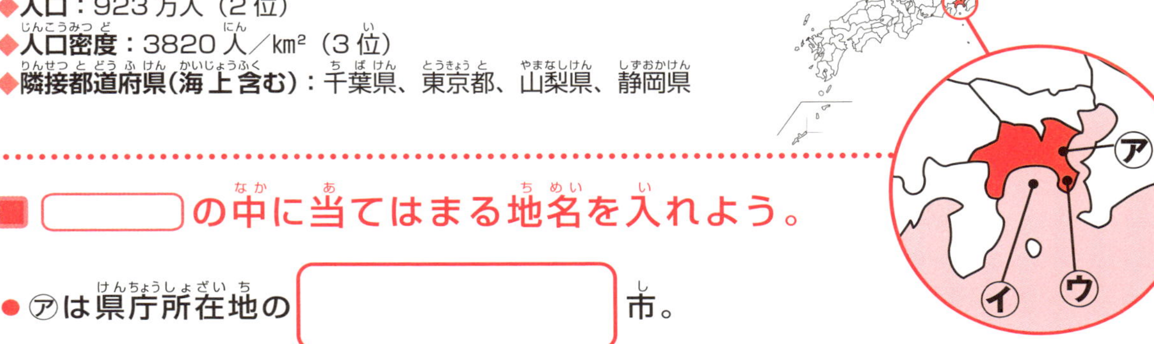

■ ＿＿＿ の中に当てはまる地名を入れよう。

● ㋐は県庁所在地の［　　　　］市。

● ㋑の湾の名称は、［　　　　］湾。

● ㋒の半島の名称は、［　　　　］半島。

■ 正しいものを ○ で囲もう。

名所をチェック

次の神奈川県の名所のうち、横浜市にあるものは？

①山下公園　②小田原城
③箱根温泉　④鶴岡八幡宮

名所をチェック

［？］大師は、人気初詣スポットとしても有名な金剛山金乗院平間寺の通称。［？］に入る地名は？

①平塚　②横須賀
③藤沢　④川崎

歴史をチェック

12世紀末、源頼朝はどこの地に幕府を開いた？ 現在は寺社の集まる人気観光地だよ。

①鎌倉　②厚木
③小田原　④相模原

産業をチェック

［？］工業地帯は、横浜市や川崎市を中心とした日本有数の工業地帯です。［？］に入る言葉は？

①阪神　②京浜
③中京　④東海

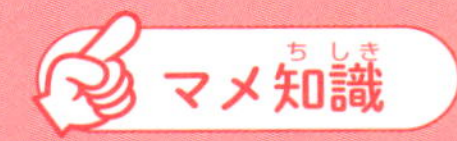

マメ知識　政令指定都市（政令で指定された人口50万以上の都市）の数が全国最多。横浜市・川崎市・相模原市の3都市が、大都市の目安となる政令指定都市となっています。

Q49 日本一の米どころ〔新潟県〕

解答 119ページ

中部地方北東部に位置する新潟県のクイズに挑戦してみよう。

新潟県データ（2022年）

- ◆**地方区分**：中部地方
- ◆**面積**：1万2584km²（5位）
- ◆**人口**：215万人（15位）
- ◆**人口密度**：171人／km²（34位）
- ◆**隣接都道府県**：山形県、福島県、群馬県、富山県、長野県

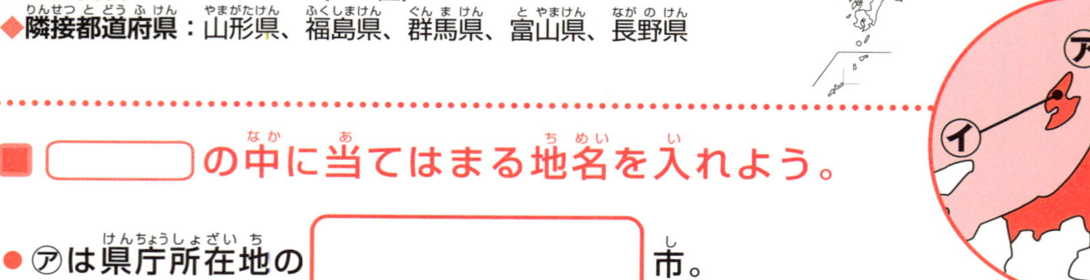

■ ［　　］の中に当てはまる地名を入れよう。

- ●㋐は県庁所在地の［　　　　］市。
- ●㋑の島の名称は、［　　　　］島。
- ●県の中北部の平野の名称は、［　　　　］平野。

■ 正しいものを◯で囲もう。

自然をチェック

新潟市で日本海に注ぐ、日本最長の川は？

①利根川　②信濃川
③北上川　④吉野川

名産をチェック

米の生産がさかんな新潟県で、とくに多くつくられている米の品種は？

①ササニシキ　②ヒノヒカリ
③コシヒカリ　④ひとめぼれ

歴史をチェック

戦国時代、越後（新潟県の旧国名）の地をおさめていた戦国大名の名は？

①伊達政宗　②北条氏康
③上杉謙信　④足利義昭

自然をチェック

佐渡島に保護センターがある、特別天然記念物の動物は？ 佐渡島は日本海最大の島だよ。

①トキ　②カモシカ
③カワウソ　④ライチョウ

マメ知識　米の生産量が多い新潟県では、米が原料となっている米菓（せんべいやあられなど）や日本酒の生産もさかんです。

Q50 大自然と豊富な水資源〔富山県〕

解答 119ページ

中部地方北部に位置する富山県のクイズに挑戦してみよう。

富山県データ（2022年）

◆地方区分：中部地方
◆面積：4248㎢（33位）
◆人口：102万人（37位）
◆人口密度：240人／㎢（25位）
◆隣接都道府県：新潟県、石川県、長野県、岐阜県

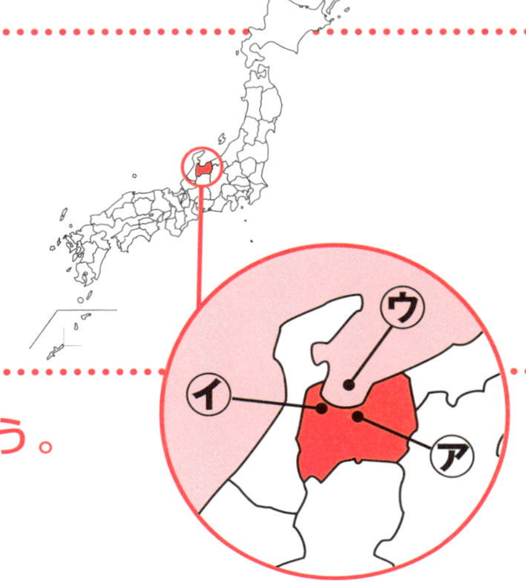

■ ［　　　］の中に当てはまる地名を入れよう。

● ㋐は県庁所在地の［　　　］市。

● ㋑の［　　　］市の人口は県内で2番目。「高岡銅器」で有名。

● ㋒の湾の名称は、［　　　］湾。

■ 正しいものを○で囲もう。

名産をチェック
富山県ではどんな花の栽培がさかん？「県の花」にもなっているよ。

①スミレ　②ヒマワリ
③アジサイ　④チューリップ

自然をチェック
「日本一深い峡谷」といわれている、富山県にある峡谷の名称は？

①白部峡谷　②黒部峡谷
③青部峡谷　④赤部峡谷

産業をチェック
富山県は、古くから何の製造がさかんだったことで知られている？

①手鏡　②竹刀
③筆　④医薬品

名所をチェック
南砺市にある、合掌造りの集落が世界遺産になっている地域の名称は？

①二箇山　②三箇山
③四箇山　④五箇山

マメ知識
富山県は豊富な水資源のおかげで水力発電が発展し、その結果、日本海側の県では珍しく、工業が発達しています。

Q51 城下町が育んだ伝統文化〔石川県〕

解答 119ページ

中部地方北西部に位置する石川県のクイズに挑戦してみよう。

石川県データ（2022年）

- 地方区分：中部地方
- 面積：4186㎢（35位）
- 人口：112万人（33位）
- 人口密度：268人／㎢（23位）
- 隣接都道府県：富山県、福井県、岐阜県

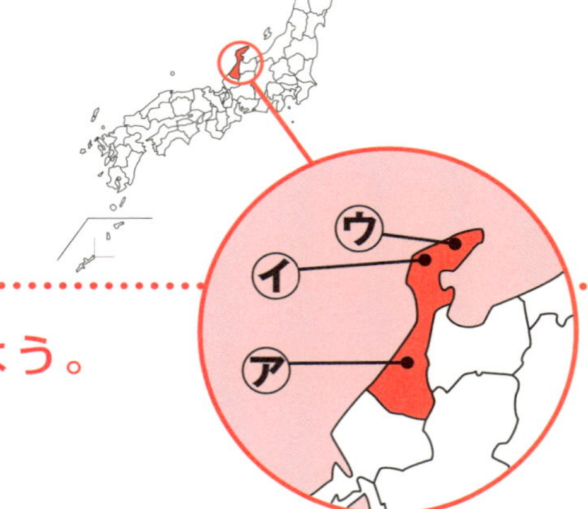

□の中に当てはまる地名を入れよう。

- ㋐は県庁所在地の□市。
- ㋑は漆器で有名な□市。
- ㋒の半島の名称は、□半島。

正しいものを○で囲もう。

歴史をチェック

金沢は江戸時代、加賀藩主・［？］家の城下町として栄えました。［？］に入る苗字は？

①島津　②毛利
③前田　④藤堂

工芸品をチェック

色絵装飾の美しさで全国的に有名な、石川県の工芸品（陶磁器）といえば？

①益子焼　②九谷焼
③大谷焼　④萩焼

名所をチェック

金沢市にある、日本三名園のひとつにもなっている日本庭園の名称は？

①六義園　②偕楽園
③後楽園　④兼六園

自然をチェック

古くから信仰の対象ともなっていた、石川県と岐阜県にまたがる山は？　日本三名山のひとつだよ。

①白山　②立山
③恐山　④聖岳

石川県には城下町として栄えた金沢を中心に、加賀友禅（染色品）、輪島塗（漆器）、金沢箔（工芸材料）など魅力的な伝統工芸が多数、今に伝わっています。

Q52 越前ガニに舌鼓〔福井県〕

解答 120ページ

中部地方西部に位置する福井県のクイズに挑戦してみよう。

福井県データ（2022年）

- ◆地方区分：中部地方
- ◆面積：4191km²（34位）
- ◆人口：75万人（43位）
- ◆人口密度：179人／km²（32位）
- ◆隣接都道府県：石川県、岐阜県、滋賀県、京都府

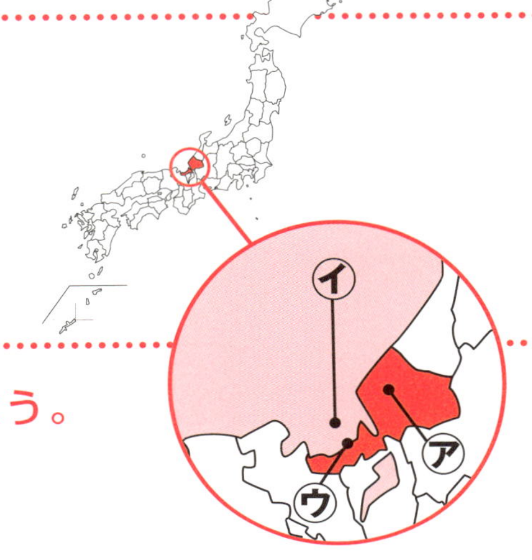

■ □の中に当てはまる地名を入れよう。

- ●㋐は県庁所在地の□市。
- ●㋑の湾の名称は、□湾。
- ●㋒の位置にある湖の総称は、□五湖。

■ 正しいものを○で囲もう。

名所をチェック 次の福井県の市のうち、白砂青松の景勝地「気比の松原」がある市は？

①福井市　②越前市
③敦賀市　④小浜市

名産をチェック 福井県の代表的な海産物である「越前ガニ」。そのカニの種類は次のうちどれ？

①毛ガニ　②ズワイガニ
③アブラガニ　④タラバガニ

産業をチェック 若狭湾沿岸は、どのような発電所が多く集まっていることで知られている？

①水力　②風力
③火力　④原子力

産業をチェック 次の福井県の市のうち、メガネフレームの生産（国内シェアの約9割を生産）で有名な市は？

①大野市　②鯖江市
③あわら市　④坂井市

福井県は「恐竜王国」として知られています。なんと日本で発掘された恐竜化石の80％以上が、福井県で見つかっているのです。

Q53 高い山々に囲まれた〔山梨県〕

解答｜120ページ

中部地方南東部に位置する山梨県のクイズに挑戦してみよう。

山梨県データ（2022年）

◆**地方区分**：中部地方
◆**面積**：4465km²（32位）
◆**人口**：80万人（41位）
◆**人口密度**：179人／km²（31位）
◆**隣接都道府県**：埼玉県、東京都、神奈川県、長野県、静岡県

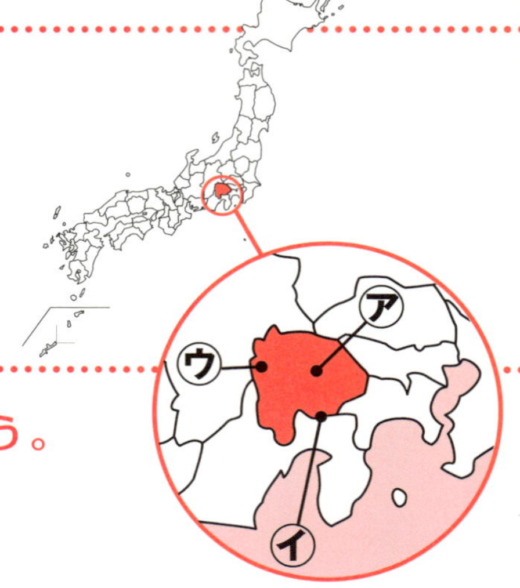

■ ［　　　］の中に当てはまる地名を入れよう。

● ㋐は県庁所在地の［　　　　］市。

● ㋑の［　　　　］山は、日本一高い山。

● ㋒の［　　　　］岳は、日本で2番目に高い山。

■ 正しいものを〇で囲もう。

自然をチェック

富士山の山梨県側のふもとにある富士五湖。その5つの湖の中で、もっとも面積が広いのは？

①山中湖　②河口湖
③西湖　④本栖湖

ワインが特産品の山梨県では、ワインの原料の生産もさかんです。それは何？

①ミカン　②ブドウ
③ライチ　④ブルーベリー

戦国時代、甲斐(山梨県の旧国名)の地をおさめていた戦国大名の名は？

①柴田勝家　②朝倉義景
③斎藤道三　④武田信玄

郷土料理をチェック

うどんに似た平べったい麺に野菜を加え、みそで煮込んだ山梨県の郷土料理は？

①ほうとう　②かるかん
③深川めし　④けんちん汁

マメ知識

「山なし県」という地名とは反対に、2000メートルから3000メートル級の高い山々にぐるっと囲まれた山の多い県です。

Q54 高原野菜の大産地〔長野県〕

解答 120ページ

中部地方中央部に位置する長野県のクイズに挑戦してみよう。

長野県データ（2022年）

◆地方区分：中部地方
◆面積：1万3562km²（4位）
◆人口：202万人（16位）
◆人口密度：149人／km²（38位）
◆隣接都道府県：群馬県、埼玉県、新潟県、富山県、山梨県、岐阜県、静岡県、愛知県

ア　イ　ウ

■ □の中に当てはまる地名を入れよう。

● ㋐は県庁所在地の□市。

● ㋑の□市には、国宝の松本城があります。

● ㋒の位置にある湖の名称は、□湖。

■ 正しいものを○で囲もう。

名産をチェック

長野県は、？・ハクサイ・セロリなどの高原野菜の生産がさかんです。？に入る野菜は？

①レタス　②ナス
③ゴボウ　④カボチャ

自然をチェック

次の山脈のうち、「日本アルプス」と呼ばれる長野県を走る3つの山脈でないのは？

①飛驒山脈　②鈴鹿山脈
③木曽山脈　④赤石山脈

名産をチェック

信州？は、全国的に知られた長野県の特産品のひとつです。？に入る調味料は？

①砂糖　②塩
③しょう油　④みそ

名所をチェック

長野市は、？の門前町として発展した歴史をもちます。？に当てはまる有名な寺は？

①本能寺　②石山本願寺
③長谷寺　④善光寺

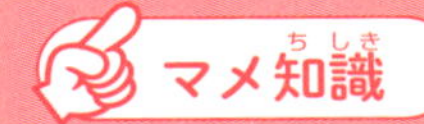

長野県の面積の大きさは全国4位。8つの県と隣接していて、この数は全国トップです。

Q55 「鵜飼」が夏の風物詩〔岐阜県〕

解答 120ページ

中部地方西部に位置する岐阜県のクイズに挑戦してみよう。

岐阜県データ（2022年）

◆地方区分：中部地方
◆面積：1万621km²（7位）
◆人口：195万人（17位）
◆人口密度：184人／km²（30位）
◆隣接都道府県：富山県、石川県、福井県、長野県、愛知県、三重県、滋賀県

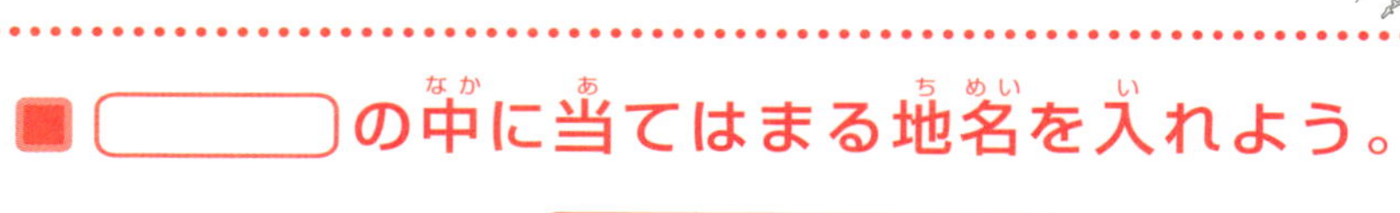

■ □の中に当てはまる地名を入れよう。

● ㋐は県庁所在地の［　　　　］市。

● 県の北部は、［　　　　］地方と呼ばれている。

● 県の南部は、［　　　　］地方と呼ばれている。

■ 正しいものを○で囲もう。

歴史をチェック

「岐阜」の地名を考えたと伝えられている戦国大名はだれ？

①織田信長　②豊臣秀吉
③徳川家康　④明智光秀

行事をチェック

「鵜飼（鳥のウを飼いならし、魚のアユなどをとらせる漁法）」で有名な川は？

①木曽川　②長良川
③揖斐川　④牧田川

名所をチェック

養老町の養老公園では、何が人気観光スポットとなっている？

①滝　②洞くつ
③沼　④タワー

産業をチェック

関市は何の製造がさかんなことで知られる？

①下駄　②ネクタイ
③刃物　④ピアノ

マメ知識　岐阜県は山が多く、林業がさかんです。また、美濃市の和紙、多治見市周辺の陶器といった工芸品も有名です。

Q56 雄大な富士山をのぞむ〔静岡県〕

解答 121ページ

中部地方南東部に位置する静岡県のクイズに挑戦してみよう。

静岡県データ（2022年）

◆地方区分：中部地方
◆面積：7777㎞²（13位）
◆人口：358万人（10位）
◆人口密度：460人／㎞²（13位）
◆隣接都道府県：神奈川県、山梨県、長野県、愛知県

■ □の中に当てはまる地名を入れよう。

● ㋐は県庁所在地の□市。

● ㋑の□市の人口は静岡県トップ。

● ㋒の湖の名称は、□湖。

■ 正しいものを◯で囲もう。

名産をチェック
静岡県は、何の生産が日本トップレベルなことで有名？

①茶　②小麦
③大麦　④コーヒー豆

名所をチェック
「□?□の松原」は、松林が美しい景勝地。ここから眺める富士山も最高です！　□?□に入る地名は？

①一保　②二保
③三保　④四保

自然をチェック
清水町を流れる柿田川の説明として、もっともふさわしい言葉はどれ？

①急流　②暴れ川
③清流　④濁流

名所をチェック
熱海市や伊東市は、何があることで観光地として栄えた？

①牧場　②サーキット場
③温泉　④巨大遊園地

浜松市と湖西市にまたがる浜名湖は、面積の広さが日本10位の湖。ウナギ・カキ・ノリなどの養殖がさかんです。

Q57 日本一のものづくり県〔愛知県〕

解答 121ページ

中部地方南西部に位置する愛知県のクイズに挑戦してみよう。

愛知県データ（2022年）

◆**地方区分**：中部地方
◆**面積**：5173㎢（27位）
◆**人口**：750万人（4位）
◆**人口密度**：1450人／㎢（5位）
◆**隣接都道府県**：長野県、岐阜県、静岡県、三重県

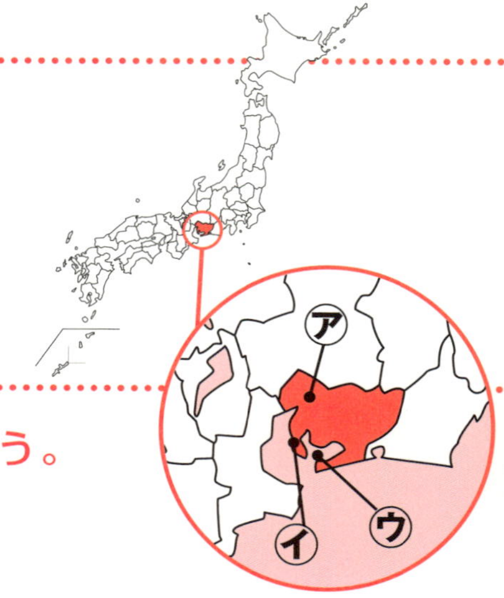

■ □ の中に当てはまる地名を入れよう。

● ㋐は県庁所在地の［　　　　］市。

● ㋑の半島の名称は、［　　　　］半島。

● ㋒の湾の名称は、［　　　　］湾。

■ 正しいものを ◯ で囲もう。

名所をチェック

名古屋城は、大天守に金の何を上げていることで有名かな？

①鳳凰　②龍
③狛犬　④しゃちほこ

産業をチェック

自動車産業が発展している愛知県は、［？］工業地帯の中心地。［？］に入る言葉は？

①阪神　②京浜
③中京　④瀬戸内

名産をチェック

愛知県が、群馬県と全国1、2の生産量を争っている農作物といえば？

①オクラ　②ワサビ
③ニンジン　④キャベツ

歴史をチェック

［？］は、現在の愛知県東部の旧国名です。［？］に入る旧国名は？

①薩摩　②越中
③三河　④丹後

工業の発展している愛知県の製造品出荷額（2020年）は、約48兆円で全国ダントツ。この額は、2位の大阪府（約17兆円）の約3倍です。

Q58 真珠の養殖がさかん〔三重県〕

解答 121ページ

近畿地方東部に位置する三重県のクイズに挑戦してみよう。

三重県データ（2022年）

◆地方区分：近畿地方
◆面積：5774㎢（25位）
◆人口：174万人（22位）
◆人口密度：301人／㎢（20位）
◆隣接都道府県：岐阜県、愛知県、滋賀県、京都府、奈良県、和歌山県

■ ［　　］の中に当てはまる地名を入れよう。

● ㋐は県庁所在地の［　　　　］市。

● ㋑の湾の名称は、［　　　　］湾。

● ㋒の半島の名称は、［　　　　］半島。

■ 正しいものを（　）で囲もう。

名所をチェック
［？］神宮は、古くからの人気観光スポット。［？］に入る三重県の旧国名は？

①伊賀　②伊勢
③志摩　④尾張

産業をチェック
松阪市近郊で肥育された［？］は、高級肉として有名。［？］に入る動物は何？

①ウシ　②ブタ
③ヒツジ　④ニワトリ

郷土料理をチェック
桑名市は、江戸時代からどんな貝の料理で全国的に有名だった？

①ツブ　②サザエ
③ホタテ　④ハマグリ

工芸品をチェック
国の「伝統的工芸品」の指定を受けている、鈴鹿市で生産されているものは何？

①すみ　②はんこ
③琴　④ちょうちん

マメ知識　三重県は水産業がさかん。志摩半島における真珠の養殖をはじめ、伊勢エビ、アワビ、カキ（貝）、ヒジキなどの産地として知られています。

Q59 琵琶湖は日本最大の湖〔滋賀県〕

解答 121ページ

近畿地方北東部に位置する滋賀県のクイズに挑戦してみよう。

滋賀県データ（2022年）

◆**地方区分**：近畿地方
◆**面積**：4017km²（38位）
◆**人口**：141万人（26位）
◆**人口密度**：351人／km²（15位）
◆**隣接都道府県**：福井県、岐阜県、三重県、京都府

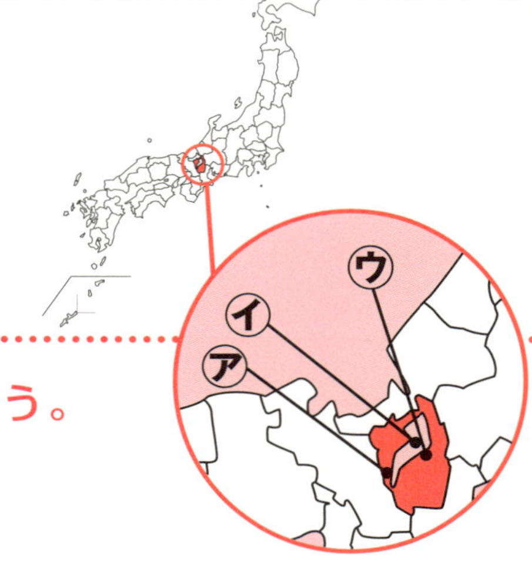

■ ［　　］の中に当てはまる地名を入れよう。

● ㋐は県庁所在地の［　　　　］市。

● ㋑の湖の名称は、［　　　　］湖。

● ㋒の［　　　　］市には、国宝の彦根城があります。

■ 正しいものを（　）で囲もう。

自然をチェック

琵琶湖は滋賀県の面積の、約何分の1を占めている？

①2分の1　②4分の1
③6分の1　④8分の1

工芸品をチェック

タヌキの置き物で有名な、主に甲賀市で産する陶器の名称は？

①楢岡焼　②信楽焼
③瀬戸焼　④備前焼

名所をチェック

大津市にある、天台宗の総本山となっている寺の名称は？

①延暦寺　②金剛峯寺
③久遠寺　④教王護国寺

歴史をチェック

江戸時代、彦根城は幕府に重用された［？］氏の居城でした。さて、［？］に入る苗字は？

①酒井　②本多
③榊原　④井伊

ことわざ「急がば回れ」は、「危険を犯して琵琶湖を舟で渡るより、遠回りでも陸路で行ったほうがよい」ということをうたった、室町時代の和歌が起源です。

Q60 観光業のさかんな古都〔京都府〕

解答 122ページ

近畿地方中北部に位置する京都府のクイズに挑戦してみよう。

京都府データ（2022年）

◆**地方区分**：近畿地方
◆**面積**：4612km²（31位）
◆**人口**：255万人（13位）
◆**人口密度**：553人／km²（10位）
◆**隣接都道府県**：福井県、三重県、滋賀県、大阪府、兵庫県、奈良県

■ ［　　］の中に当てはまる地名を入れよう。

● ㋐は府庁所在地の［　　　　］市。

● ㋑の半島の名称は、［　　　　］半島。

● 府中央部の高地の名称は、［　　　　］高地。

■ 正しいものを○で囲もう。

歴史をチェック
延暦13年（794）から明治2年（1869）まで、現在の京都市中央部に位置した都の名称は？

①飛鳥京　②藤原京
③平城京　④平安京

名所をチェック
10円硬貨にも描かれている、宇治市にある寺は？

①金閣寺　②銀閣寺
③清水寺　④平等院

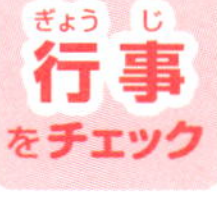

行事をチェック
次の京都市の祭りのうち、日本三大祭のひとつでもある八坂神社の祭礼はどれ？

①葵祭　②祇園祭
③時代祭　④やすらい祭

工芸品をチェック
京都の伝統工芸品として有名な、高級絹織物のことを何という？

①東陣織　②西陣織
③南陣織　④北陣織

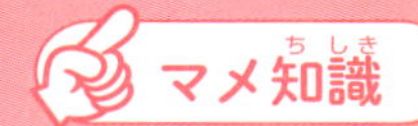

マメ知識
清水寺、金閣寺、銀閣寺、平等院、上賀茂神社、下鴨神社などの有名寺社が、「古都京都の文化財」として、ユネスコの世界文化遺産に登録されています。

Q61 西日本の経済・文化の中心〔大阪府〕

解答 122ページ

近畿地方中部に位置する大阪府のクイズに挑戦してみよう。

大阪府データ（2022年）

- ◆地方区分：近畿地方
- ◆面積：1905km²（46位）
- ◆人口：878万人（3位）
- ◆人口密度：4608人／km²（2位）
- ◆隣接都道府県：京都府、兵庫県、奈良県、和歌山県

■ ［　　］の中に当てはまる地名を入れよう。

- ㋐は府庁所在地の［　　］市。
- ㋑の湾の名称は、［　　］湾。
- ㋒に位置する空港の名称は、［　　］空港。

■ 正しいものを◯で囲もう。

歴史をチェック

江戸時代、経済の中心地として諸国の物産が多数集まったことから、何と称された？

①天下の玄関　②天下の冷蔵庫
③天下の台所　④天下のごみ箱

行事をチェック

岸和田市の祭りなどで引き回される、車のついた屋根つき屋台のことを何という？

①ねぶた　②かき山笠
③祭車　④だんじり

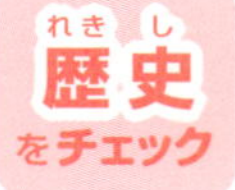

歴史をチェック

安土桃山時代、壮大な大坂城（大阪城）を築いた戦国大名はだれ？

①織田信長　②豊臣秀吉
③徳川家康　④明智光秀

名所をチェック

次の大阪府の寺のうち、大阪市にある聖徳太子の創建と伝わる寺は？

①慈眼寺　②勝尾寺
③観心寺　④四天王寺

堺市にある大山古墳（仁徳天皇陵古墳）は、日本最大の前方後円墳。全長が486メートルもある世界最大規模の墓で、世界遺産にもなっています。

Q62 姫路城は国宝&世界遺産〔兵庫県〕

解答 122ページ

近畿地方西部に位置する兵庫県のクイズに挑戦してみよう。

兵庫県データ（2022年）

◆地方区分：近畿地方
◆面積：8401㎢（12位）
◆人口：540万人（7位）
◆人口密度：643人／㎢（9位）
◆隣接都道府県(海上含む)：京都府、大阪府、鳥取県、岡山県、徳島県、香川県、和歌山県

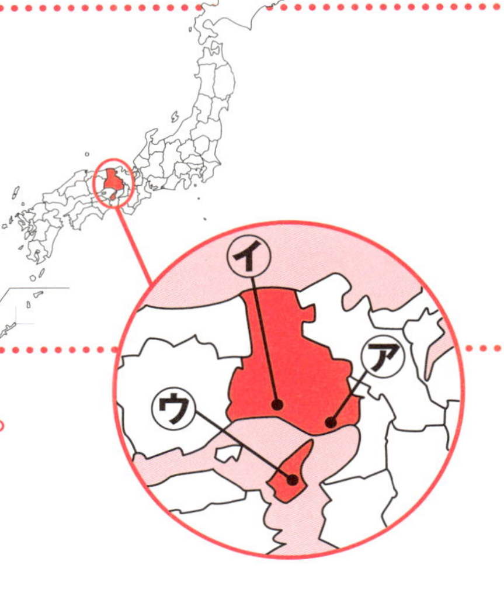

■ [ ]の中に当てはまる地名を入れよう。

● ㋐は県庁所在地の[ ]市。

● ㋑の[ ]市は商工業・観光業がさかん。

● ㋒の島の名称は、[ ]島。

■ 正しいものを○で囲もう。

名所をチェック
次の兵庫県の名所のうち、神戸市にあるのは？

① 姫路城　② 甲子園球場
③ 有馬温泉　④ 宝塚大劇場

郷土料理をチェック
兵庫県の郷土料理のひとつである「ぼたん鍋」は、どんな動物の肉を使った料理？

① クジラ　② イノシシ
③ ヒツジ　④ ワニ

自然をチェック
兵庫県南東部に位置する山地の名称で正しいのは？

① 二甲山地　② 四甲山地
③ 六甲山地　④ 八甲山地

名産をチェック
水産業がさかんな明石市。ノリの養殖や、おいしいタイや何がとれることでとくに有名？

① タコ　② イカ
③ エビ　④ カニ

マメ知識 幕末に開港した神戸港は、その後、日本有数の貿易港となり、神戸市は異国情緒あふれる工業都市として発展しました。

Q63 国宝建造物数、日本最多〔奈良県〕

解答 122ページ

近畿地方中南部に位置する奈良県のクイズに挑戦してみよう。

奈良県データ（2022年）

- ◆地方区分：近畿地方
- ◆面積：3691㎢（40位）
- ◆人口：131万人（28位）
- ◆人口密度：355人／㎢（14位）
- ◆隣接都道府県：三重県、京都府、大阪府、和歌山県

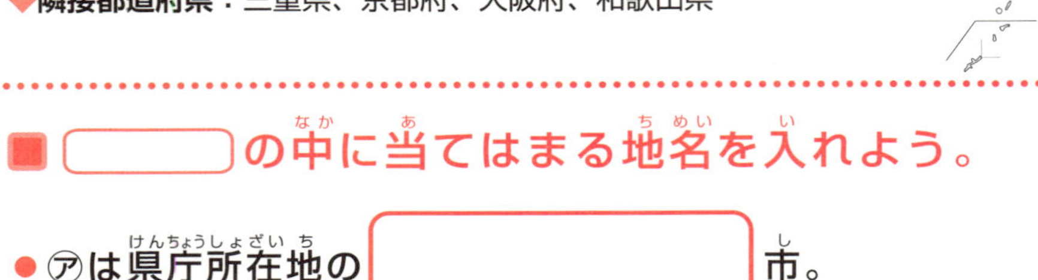

■ ［　　］の中に当てはまる地名を入れよう。

- ●㋐は県庁所在地の［　　　　］市。
- ●㋐周辺の盆地の名称は、［　　　　］盆地。
- ●県中部にある［　　　　］山は、サクラの名所。

■ 正しいものを〇で囲もう。

名所をチェック

奈良市にある広大な奈良公園では、どんな動物が放し飼いにされている？

①シカ　②ウサギ
③サル　④キツネ

次の奈良県の有名な寺のうち、巨大な「奈良の大仏」で知られる寺は？

①法隆寺　②飛鳥寺
③薬師寺　④東大寺

明日香村にある石舞台古墳は、だれの墓だといわれている？

①小野妹子　②蘇我馬子
③物部守屋　④推古天皇

大和郡山市は、どんな魚の養殖地として有名？

①メダカ　②キンギョ
③ドジョウ　④グッピー

東大寺・春日大社・薬師寺・唐招提寺などの寺社や、平城宮跡、春日山原始林が、「古都奈良の文化財」としてユネスコの世界文化遺産に登録されています。

Q64 くだものの生産がさかん〔和歌山県〕

解答 123ページ

近畿地方南部に位置する和歌山県のクイズに挑戦してみよう。

和歌山県データ（2022年）

◆地方区分：近畿地方
◆面積：4725㎞²（30位）
◆人口：90万人（40位）
◆人口密度：190人／㎞²（29位）
◆隣接都道府県（海上含む）：三重県、大阪府、奈良県、徳島県、兵庫県

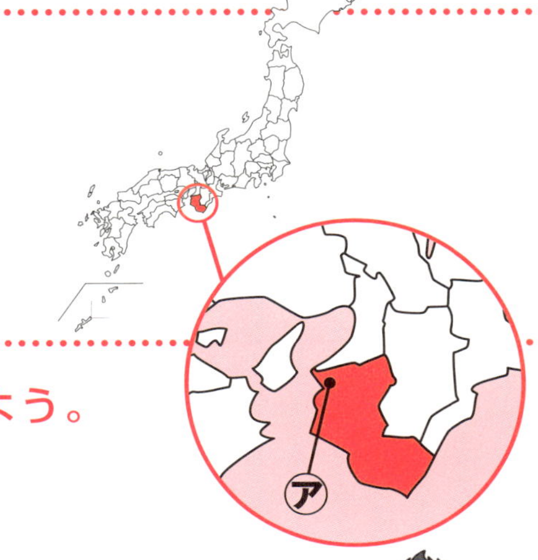

■ ［　　］の中に当てはまる地名を入れよう。

● ㋐は県庁所在地の［　　　　］市。

● ［　　　　］は、和歌山県南部と三重県南部をさす地域名。

● 和歌山県は［　　　　］半島の西側に位置する。

■ 正しいものを〇で囲もう。

次のうち、和歌山県が生産量日本一の農作物は？ 全国生産量の50%以上を占めているよ。

①ウメ　②チンゲンサイ
③ナス　④シュンギク

行事をチェック

「那智の［？］祭り」は、熊野那智大社の有名な祭礼です。［？］に当てはまる文字は？

①風　②水
③火　④土

自然をチェック

紀伊半島の南に位置する、本州でもっとも南にある岬の名称は？

①潮岬　②宗谷岬
③室戸岬　④都井岬

次の夏に重宝する品物のうち、和歌山県がダントツ日本一の産地となっているものは？

①水着　②麦わら帽子
③扇風機　④蚊取り線香

和歌山県は、くだものの生産がさかん。ミカン、カキ、ハッサクの生産量は、全国トップです。

Q65 ナシと大きな砂丘で有名〔鳥取県〕

解答｜123ページ

中国地方北東部に位置する鳥取県のクイズに挑戦してみよう。

鳥取県データ（2022年）

◆地方区分：中国地方
◆面積：3507㎞²（41位）
◆人口：54万人（47位）
◆人口密度：154人／㎞²（37位）
◆隣接都道府県：兵庫県、島根県、岡山県、広島県

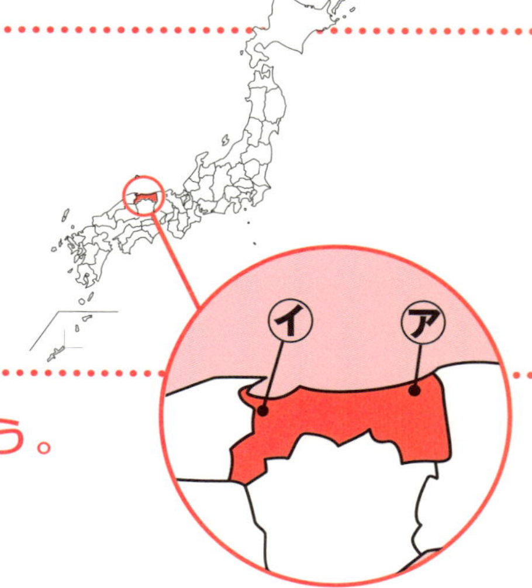

■ □の中に当てはまる地名を入れよう。

● ㋐は県庁所在地の□市。

● ㋑の□市は、江戸時代、商業都市として栄えた地。

● 鳥取県は、□海に面する県です。

■ 正しいものを  で囲もう。

名産をチェック
鳥取県が全国有数の産地となっているナシの品種名は？

① 幸水　② ラ・フランス
③ 豊水　④ 二十世紀

自然をチェック
日本最大級の大きさをほこる「鳥取砂丘」。その東西の長さは？

① 約160メートル　② 約1.6キロメートル
③ 約16キロメートル　④ 約160キロメートル

歴史をチェック
現在の鳥取県東部の旧国名は、次のうちどれ？

① 因幡　② 羽前
③ 美濃　④ 安芸

名所をチェック
境港市の観光名所「水木しげるロード」には、何のブロンズ像がたくさん並んでいる？

① 動物　② 戦国武将
③ 昆虫　④ 妖怪

「鳥取」の地名は、昔、この地に鳥を捕らえて暮らす狩猟民族がいたことに由来するといわれています。

Q66 出雲大社に神々が集結〔島根県〕

解答 123ページ

中国地方北西部に位置する島根県のクイズに挑戦してみよう。

島根県データ（2022年）

- ◆地方区分：中国地方
- ◆面積：6708㎞²（19位）
- ◆人口：66万人（46位）
- ◆人口密度：98人／㎞²（43位）
- ◆隣接都道府県：鳥取県、広島県、山口県

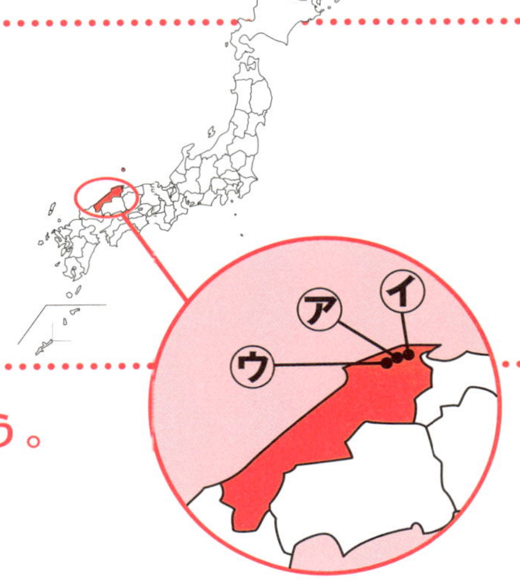

■ □の中に当てはまる地名を入れよう。

- ●㋐は県庁所在地の□市。
- ●㋑の位置の湖の名称は、□海。
- ●㋒の位置の湖の名称は、□湖。

■ 正しいものを○で囲もう。

名所をチェック

世界遺産にも登録された、歴史的価値の高い「石見 ？ 遺跡」。？ に当てはまる言葉は？

①油田　②炭鉱
③銀山　④海底

名所をチェック

出雲市にある出雲大社は、何の神様として有名な神社かな？

①建築　②縁結び
③お金　④スポーツ

名産をチェック

宍道湖は、何の漁獲高が日本一なことで知られる？

①真珠　②ワカメ
③シジミ　④コンブ

歴史をチェック

承久3年（1221）、鎌倉幕府を倒すため兵をあげたが敗れ、隠岐諸島に流された人物の名は？

①俊寛　②足利尊氏
③源義経　④後鳥羽上皇

マメ知識 出雲大社は日本最古の神社のひとつ。神無月（旧暦の10月）には、出雲大社に全国の神々が集まるとされています。

Q67 日本三名園のひとつがある〔岡山県〕

解答 123ページ

中国地方南東部に位置する岡山県のクイズに挑戦してみよう。

岡山県データ（2022年）

- ◆**地方区分**：中国地方
- ◆**面積**：7115㎢（17位）
- ◆**人口**：186万人（20位）
- ◆**人口密度**：261人／㎢（24位）
- ◆**隣接都道府県（海上含む）**：兵庫県、鳥取県、広島県、香川県

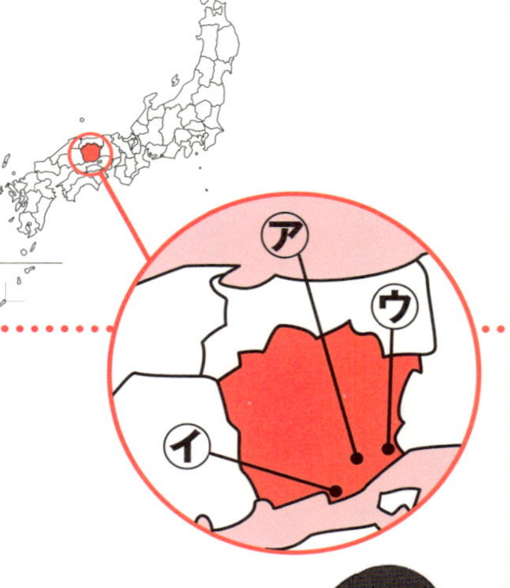

■ （　　）の中に当てはまる地名を入れよう。

- ●㋐は県庁所在地の（　　　）市。
- ●㋑の（　　　）市の人口は県内で2番目。工業がさかん。
- ●㋒の（　　　）市は陶器の「備前焼」で有名。

■ 正しいものを○で囲もう。

名所をチェック
江戸時代初期に造営された、岡山市にある有名な日本庭園は？日本三名園のひとつだよ。

①兼六園　②偕楽園
③後楽園　④養翠園

行事をチェック
8月に岡山市でおこなわれる祭りは、岡山県が舞台とされる、どんな昔話にちなんだ祭り？

①『金太郎』　②『浦島太郎』
③『桃太郎』　④『ものぐさ太郎』

郷土料理をチェック
具がたくさん入った、岡山県の郷土料理となっているちらし寿司の名称は？

①さら寿司　②ぼら寿司
③ばら寿司　④たら寿司

歴史をチェック
安土桃山時代、岡山城主となり、豊臣秀吉の政権を支えた戦国大名は？

①今川義元　②宇喜多秀家
③毛利元就　④大友宗麟

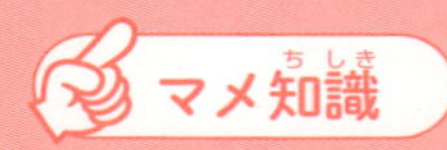

瀬戸大橋は、本州と四国をつなぐ重要な橋。岡山県倉敷市（本州側）と香川県坂出市（四国側）を結んでいます。

Q68 2つの世界文化遺産〔広島県〕

解答 124ページ

中国地方のほぼ中央部に位置する広島県のクイズに挑戦してみよう。

広島県データ（2022年）

◆地方区分：中国地方
◆面積：8479㎢（11位）
◆人口：276万人（12位）
◆人口密度：326人／㎢（17位）
◆隣接都道府県(海上含む)：鳥取県、島根県、岡山県、山口県、香川県、愛媛県

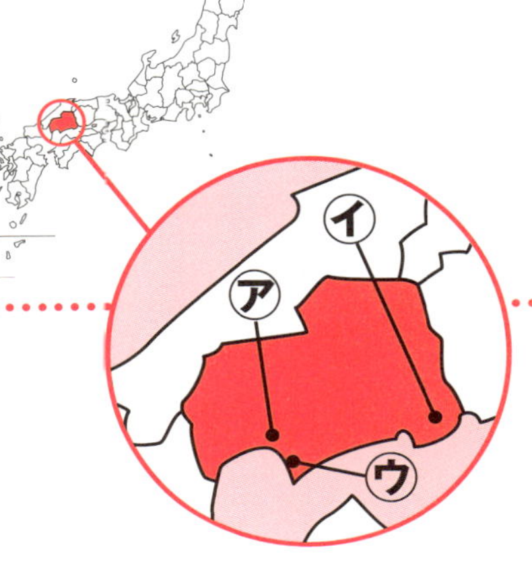

■ [　　] の中に当てはまる地名を入れよう。

- ㋐は県庁所在地の [　　　　] 市。
- ㋑の [　　　　] 市の人口は県内で2番目。
- ㋒は造船業で有名な [　　　　] 市。

■ 正しいものを ◯ で囲もう。

名産をチェック　広島県は、どんな貝の生産量が日本一なことで有名？

①カキ　②アサリ
③ハマグリ　④ホタテ

名所をチェック　世界文化遺産の厳島神社がある厳島。その島の通称は次のうちどれ？

①松島　②父島
③宮島　④大島

歴史をチェック　昭和20年(1945)、原爆を投下された日は？ 現在、この日に平和祈念式典がおこなわれている。

①8月2日　②8月6日
③8月15日　④8月23日

郷土料理をチェック　広島県の人気名物料理といえば？

①たい焼き　②たこ焼き
③お好み焼き　④もんじゃ焼き

広島市にある「原爆ドーム」は、戦争の悲惨さを伝える建造物として、ユネスコの世界文化遺産に登録されています。

Q69 総理大臣が多数輩出〔山口県〕

解答 124ページ

中国地方西端に位置する山口県のクイズに挑戦してみよう。

山口県データ（2022年）

◆地方区分：中国地方
◆面積：6113㎢（23位）
◆人口：131万人（27位）
◆人口密度：214人／㎢（28位）
◆隣接都道府県（海上含む）：広島県、島根県、福岡県、愛媛県、大分県

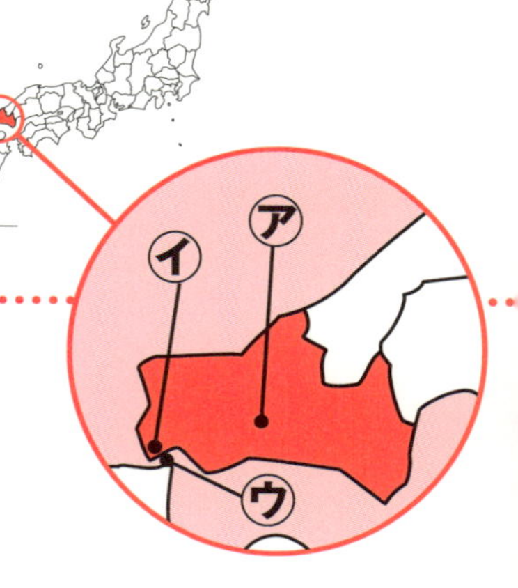

■ [　　　] の中に当てはまる地名を入れよう。

● ㋐は県庁所在地の [　　　　] 市。

● ㋑の [　　　　] 市の人口は山口県トップ。

● ㋒の海峡の名称は、[　　　　] 海峡。

■ 正しいものを ◯ で囲もう。

名所をチェック
山口県にある日本最大規模の鍾乳洞の名称は？

① 春芳洞　② 夏芳洞
③ 秋芳洞　④ 冬芳洞

工芸品をチェック
山口県の伝統的な工芸品として有名な陶器は？

① 萩焼　② 織部焼
③ 信楽焼　④ 伊万里焼

郷土料理をチェック
山口県はどんな魚の料理で有名かな？

① サンマ　② フグ
③ ナマズ　④ タイ

歴史をチェック
寿永4年(1185)、源氏が平氏を滅亡させた戦いの舞台である、下関周辺の海域の名称は？

① 壇ノ浦　② 若狭湾
③ 対島海峡　④ 相模灘

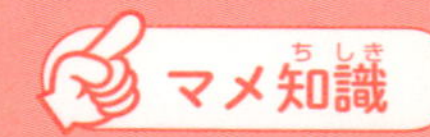

山口県からは伊藤博文、山県有朋、桂太郎、岸信介、佐藤栄作など、9人もの内閣総理大臣が誕生しています（出生地もしくは選挙区）。この数は全国最多です。

Q70 日本一有名な盆踊り〔徳島県〕

解答 124ページ

四国地方東部に位置する徳島県のクイズに挑戦してみよう。

徳島県データ（2022年）

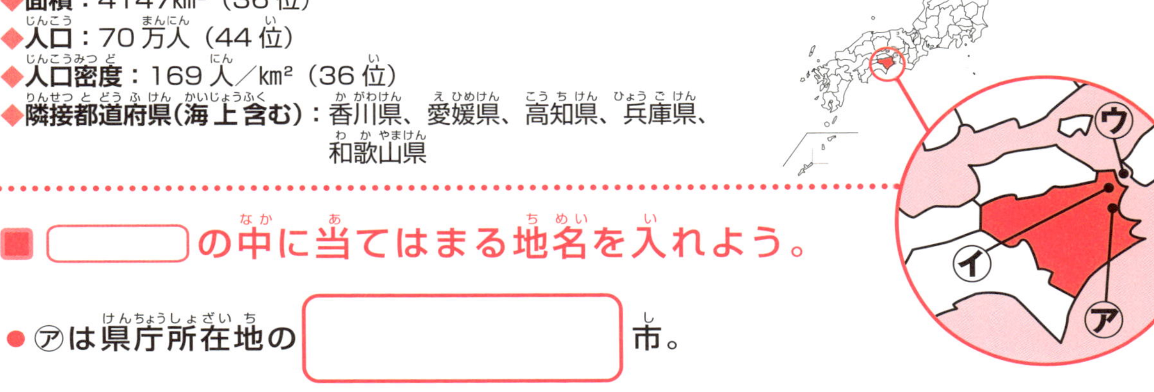

- 地方区分：四国地方
- 面積：4147km²（36位）
- 人口：70万人（44位）
- 人口密度：169人／km²（36位）
- 隣接都道府県(海上含む)：香川県、愛媛県、高知県、兵庫県、和歌山県

■ ［　　　］の中に当てはまる地名を入れよう。

- ㋐は県庁所在地の［　　　　　］市。
- ㋑の［　　　　　］市は交通の要所として発展。
- ㋒の海峡の名称は、［　　　　　］海峡。

■ 正しいものを（　）で囲もう。

名産をチェック

徳島県が生産量ダントツとなっている、徳島県原産のくだものは？

①ユズ　②カボス
③スダチ　④キンカン

400年の歴史をもつ盆踊り「［？］おどり」。［？］に入る、徳島県の旧国名は？

①大和　②越後
③武蔵　④阿波

徳島県にある四国で2番目に高い山（1番目は愛媛県の石鎚山）の名称は？

①剣山　②二ノ森
③瓶ケ森　④天狗塚

徳島県で、生産がさかんな野菜といえば？

①ニンジン　②ハクサイ
③ダイコン　④ピーマン

高知県北部・徳島県北部を流れる吉野川は、関東地方を流れる利根川、九州地方を流れる筑後川とともに、日本三大暴れ川のひとつに数えられています。

Q71 小さくても魅力は大〔香川県〕

解答 124ページ

四国地方北東部に位置する香川県のクイズに挑戦してみよう。

香川県データ（2022年）

- ◆地方区分：四国地方
- ◆面積：1877㎢（47位）
- ◆人口：93万人（38位）
- ◆人口密度：495人／㎢（11位）
- ◆隣接都道府県(海上含む)：徳島県、愛媛県、兵庫県、広島県、岡山県

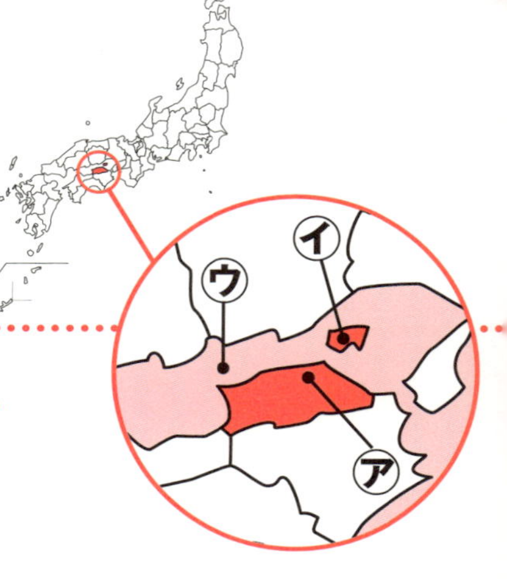

■ の中に当てはまる地名を入れよう。

- ●㋐は県庁所在地の［　　　　］市。
- ●㋑の島の名称は、［　　　　］島。
- ●㋒は日本最大の内海・［　　　　］内海。

■正しいものを〇で囲もう。

名産をチェック

「県の木」、「県の花」にもなっている、香川県で栽培がさかんな植物は？

①ナツメグ　②シナモン
③オリーブ　④トウガラシ

郷土料理をチェック

香川県の名物である「［？］うどん」。［？］に入る、香川県の旧国名は？

①摂津　②讃岐
③筑後　④丹波

歴史をチェック

現在の香川県で生まれた、「弘法大師」の名でも知られる、平安時代の有名な僧の名は？

①一休　②親鸞
③法然　④空海

産業をチェック

香川県が生産量全国トップの製品はどれ？

①手袋　②バット
③パソコン　④和紙

以前は日本で2番目に面積のせまい都道府県でしたが、昭和63年(1988)に国土地理院が算定方法を見直した結果、もっとも面積のせまい都道府県となりました。

Q72 ミカンだけじゃない〔愛媛県〕

解答 125ページ

四国地方北西部に位置する愛媛県のクイズに挑戦してみよう。

愛媛県データ（2022年）

◆地方区分：四国地方
◆面積：5676㎞²（26位）
◆人口：131万人（29位）
◆人口密度：231人／㎞²（27位）
◆隣接都道府県(海上含む)：徳島県、香川県、高知県、広島県、山口県、大分県

■ ［　　］の中に当てはまる地名を入れよう。

● ㋐は県庁所在地の［　　　　］市。

● ㋑は海運業、せんい工業がさかんな［　　　　］市。

● ㋒の海域の名称は、［　　　　］海。真珠やハマチの養殖がさかん。

■ 正しいものを（　）で囲もう。

名産をチェック
ミカン・イヨカン・ハッサク同様、生産量が全国トップクラスのくだものは？

①アセロラ　②ドリアン
③バナナ　④キウイフルーツ

歴史をチェック
松山市が舞台となっている、明治39年(1906)に発表された夏目漱石の小説は？

①『三四郎』　②『それから』
③『坊っちゃん』　④『吾輩は猫である』

名所をチェック
次の愛媛県の温泉のうち、3000年以上の歴史をもつといわれている松山市の温泉は？

①道後温泉　②本谷温泉
③鈍川温泉　④湯ノ浦温泉

産業をチェック
今治市は、何の生産が全国生産高の約5割を占めることで有名？

①くつ　②タオル
③時計　④プラモデル

ミカンの花（県の花）、マツ（県の木）、コマドリ（県の鳥）、ニホンカワウソ（県の獣）、マダイ（県の魚）が愛媛県のシンボルになっています。

Q73 美しい自然が自慢〔高知県〕

解答 125ページ

四国地方南部に位置する高知県のクイズに挑戦してみよう。

高知県データ（2022年）

- ◆地方区分：四国地方
- ◆面積：7103km²（18位）
- ◆人口：68万人（45位）
- ◆人口密度：96人／km²（44位）
- ◆隣接都道府県：徳島県、愛媛県

■ □の中に当てはまる地名を入れよう。

- ● ㋐は県庁所在地の□市。
- ● ㋑の海岸は観光名所でもある□浜。
- ● ㋒の湾の名称は、□湾。

■ 正しいものを○で囲もう。

名産をチェック
高知県が全国トップクラスの生産量をほこる農作物は？

①ナス　②ダイコン
③メロン　④サヤインゲン

歴史をチェック
江戸時代末期、日本の政治制度を大きく変えることに尽力した高知出身の人物は？

①勝海舟　②伊藤博文
③坂本龍馬　④福沢諭吉

行事をチェック
高知市で8月におこなわれる祭りの名称は？ 大勢で踊って盛り上がるよ。

①こよいさ祭り　②いこいよ祭り
③よいこさ祭り　④よさこい祭り

自然をチェック
県西部を流れる、四国でもっとも長い川の名称は？

①二万十川　②三万十川
③四万十川　④五万十川

マメ知識　「いごっそう」は、高知県男性の気質をあらわす言葉。意味は「かんたんに信念を曲げない頑固者」。

Q74 九州経済を引っ張る〔福岡県〕

解答｜125ページ

九州地方北部に位置する福岡県のクイズに挑戦してみよう。

福岡県データ（2022年）

- ◆地方区分：九州地方
- ◆面積：4988km²（29位）
- ◆人口：512万人（9位）
- ◆人口密度：1027人／km²（7位）
- ◆隣接都道府県（海上含む）：佐賀県、熊本県、大分県、長崎県、山口県

■ [　　] の中に当てはまる地名を入れよう。

- ●㋐は県庁所在地の [　　　　] 市。
- ●㋑の [　　　　] 市は、九州では㋐の市に次いで人口が多い。
- ●㋒の海域の名称は、[　　　　] 灘。

■ 正しいものを（　）で囲もう。

名所をチェック

太宰府天満宮でまつられている平安時代の貴族・菅原道真は、何の神様として有名？

①学問　②健康
③戦い　④恋

世界遺産にもなっている、北九州市にある有名な製鉄所の名称は？

①六幡製鉄所　②七幡製鉄所
③八幡製鉄所　④九幡製鉄所

自然をチェック

福岡県南部と佐賀県東部一帯に広がる、九州地方最大の平野の名称は？

①八代平野　②宇佐平野
③国分平野　④筑紫平野

行事をチェック

5月3日・4日におこなわれる、福岡市の有名な祭りの名称は？

①博多たんどく　②博多くどたん
③博多どんたく　④博多たくどん

イチゴの生産量（1位は栃木県）、小麦の生産量（1位は北海道）はともに全国で2番目です。

Q75 日本有数の陶磁器の産地〔佐賀県〕

解答｜125ページ

九州地方北西部に位置する佐賀県のクイズに挑戦してみよう。

佐賀県データ（2022年）

- ◆地方区分：九州地方
- ◆面積：2441km²（42位）
- ◆人口：80万人（42位）
- ◆人口密度：328人／km²（16位）
- ◆隣接都道府県：福岡県、長崎県

■ □の中に当てはまる地名を入れよう。

- ㋐は県庁所在地の［　　　　］市。
- ㋑は陶器やイカで有名な［　　　　］市。
- ㋒の海域の名称は、［　　　　］海。

■ 正しいものを◯で囲もう。

名所をチェック

吉野ヶ里遺跡は、何時代の大きな集落跡があることで有名？

①縄文時代　②弥生時代
③奈良時代　④平安時代

工芸品をチェック

細かく美しい模様が特徴的な、佐賀県の代表的な工芸品である磁器の名称は？

①笠間焼　②赤津焼
③砥部焼　④有田・伊万里焼

名産をチェック

次のうち、佐賀県が生産量日本一として知られる、海産物はどれ？

①コンブ　②ワカメ
③ヒジキ　④ノリ

名所をチェック

唐津市にある、海岸線の美しい林で知られる「虹の［？］原」。［？］に当てはまる木は何？

①松　②梅
③桜　④杉

マメ知識　佐賀県の有名な陶器に「唐津焼」があります。唐津焼は、主に佐賀県北西に位置する唐津市周辺でつくられた陶器の総称です。

Q76 島の数は日本でいちばん！〔長崎県〕

解答 126ページ

九州地方西端部に位置する長崎県のクイズに挑戦してみよう。

長崎県データ（2022年）

◆地方区分：九州地方
◆面積：4131km²（37位）
◆人口：128万人（30位）
◆人口密度：310人／km²（19位）
◆隣接都道府県（海上含む）：佐賀県、福岡県、熊本県

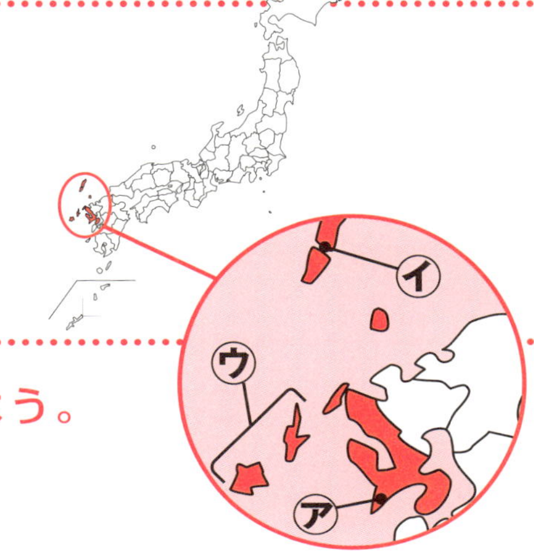

■ の中に当てはまる地名を入れよう。

● ㋐は県庁所在地の［　　　　］市。

● ㋑の島の名称は［　　　　］。

● ㋒の周辺島々の名称は、［　　　　］列島。

■正しいものを○で囲もう。

名産をチェック
室町時代末期にポルトガル人が伝え、現在長崎の名物となっている菓子は？

①シュークリーム　②カステラ
③バウムクーヘン　④エクレア

名所をチェック
長崎市にある浦上天主堂は何教の建築物？

①仏教　②キリスト教
③イスラム教　④ヒンズー教

歴史をチェック
江戸時代、日本唯一の貿易地・出島では、どこの国と貿易がおこなわれていた？

①イギリス　②イタリア
③デンマーク　④オランダ

産業をチェック
県内では長崎市に次いで人口の多い佐世保市。どんな工業がさかんなことでとくに有名？

①印刷業　②自動車工業
③造船業　④石油化学工業

長崎県は島の数が日本でいちばん。国土地理院の2023年の調査によると、その数は全部で1479もあります。

Q77 スイカの生産量全国トップ〔熊本県〕

解答 126ページ

九州地方中西部に位置する熊本県のクイズに挑戦してみよう。

熊本県データ（2022年）

◆地方区分：九州地方
◆面積：7409㎞²（15位）
◆人口：172万人（23位）
◆人口密度：232人／㎞²（26位）
◆隣接都道府県（海上含む）：福岡県、大分県、宮崎県、鹿児島県、長崎県

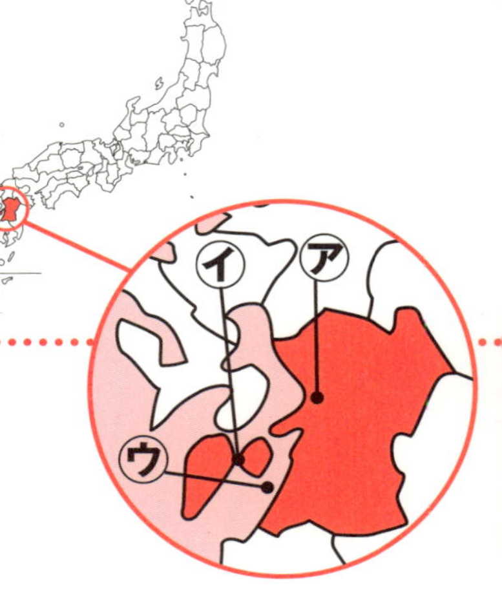

■ ＿＿の中に当てはまる地名を入れよう。

● ㋐は県庁所在地の＿＿＿＿市。
● ㋑の周辺島々の名称は、＿＿＿＿諸島。
● ㋒の海の名称は、＿＿＿＿海。

■ 正しいものを○で囲もう。

名産をチェック
次のうち、スイカとともに熊本県が生産量日本一となっている農作物は？

①キュウリ　②洋ナシ
③カボチャ　④トマト

自然をチェック
大きなカルデラ（火山の中心にできた大きな円形状のくぼ地）で知られる山の名称は？

①阿蘇山　②栗生岳
③大船山　④国見岳

名産をチェック
熊本県が日本一の産地となっている、たたみの材料に使われている植物とは？

①コウゾ　②竹
③ミツマタ　④イグサ

歴史をチェック
日本三名城のひとつ「熊本城」。この城を築いた戦国武将の名は？

①福島正則　②石田三成
③加藤清正　④黒田官兵衛

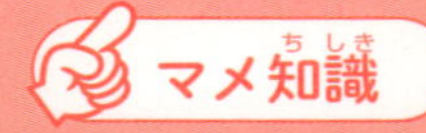

熊本県は農業がさかんで、スイカ、トマトの生産量が全国トップ。ほかにもメロン、イチゴ、ナスなどの生産量が、全国トップクラスです。

Q78 温泉の源泉数日本一〔大分県〕

解答 126ページ

九州地方北東部に位置する大分県のクイズに挑戦してみよう。

大分県データ（2022年）

◆地方区分：九州地方
◆面積：6341km²（22位）
◆人口：111万人（34位）
◆人口密度：175人／km²（33位）
◆隣接都道府県（海上含む）：福岡県、熊本県、宮崎県、山口県、愛媛県

■ の中に当てはまる地名を入れよう。

● ㋐は県庁所在地の［　　　　］市。

● ㋑の半島の名称は、［　　　　］半島。

● ㋒の湾の名称は、［　　　　］湾。

■ 正しいものを〇で囲もう。

自然をチェック 中津市にある奇岩の連なった峡谷の名称は？ 景勝地として有名だよ。

①馬仙峡　②耶馬渓
③竜神峡　④面河渓

名所をチェック 源泉数と湧出量が、ともに日本一である大分県の温泉地は？

①別府温泉　②下呂温泉
③白浜温泉　④鬼怒川温泉

名産をチェック 大分県での生産が多い農産物といえば？

①ゴボウ　②ニンニク
③乾シイタケ　④モロヘイヤ

工芸品をチェック 国の「伝統的工芸品」に指定されている大分県別府市の工芸品は？

①漆器　②鉄器
③和紙　④竹細工

温泉の源泉数とは「水がわき出てくる場所の数」のこと、温泉の湧出量とは「地中からわき出る水の量」のこと。大分県はいずれも全国トップです。

Q79 南国気分を味わうなら〔宮崎県〕

解答 126ページ

九州地方南東部に位置する宮崎県のクイズに挑戦してみよう。

宮崎県データ（2022年）

◆地方区分：九州地方
◆面積：7734㎢（14位）
◆人口：105万人（35位）
◆人口密度：136人／㎢（39位）
◆隣接都道府県：熊本県、大分県、鹿児島県

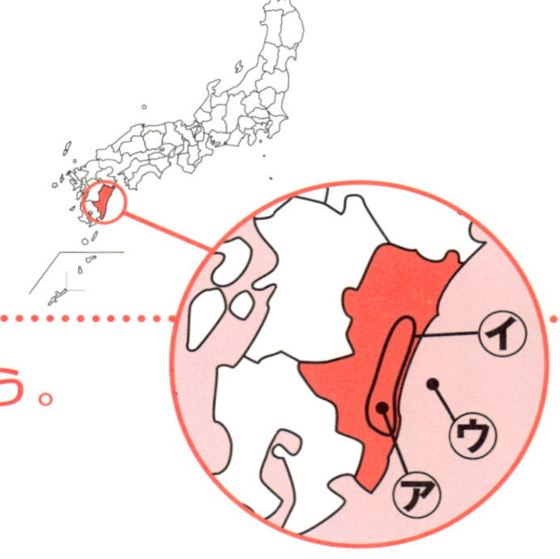

■ ［　　］の中に当てはまる地名を入れよう。

● ㋐は県庁所在地の［　　　　］市。

● ㋑の平野の名称は、［　　　　］平野。

● ㋒の海域の名称は、［　　　　］灘。

■ 正しいものを◯で囲もう。

名産をチェック
宮崎県が、キュウリとともに全国トップクラスの生産量をほこっている野菜は？

①レンコン　②ハクサイ
③セロリ　④ピーマン

自然をチェック
串間市の都井岬は、野生のどんな動物が生息していることで有名？

①ウマ　②シカ
③クマ　④ヒツジ

郷土料理をチェック
「チキン南蛮」は、何の肉を使った延岡市発祥の料理？

①ニワトリ　②ブタ
③ウシ　④ヒツジ

産業をチェック
次のうち、宮崎県でとくに発展している産業といえば？

①印刷業　②建設業
③畜産業　④医薬品製造業

温暖な気候と豊かな自然、宮崎県は南国情緒あふれる県として人気です。まだ海外旅行が珍しかった1960年代から1970年代には、定番の新婚旅行先でした。

Q80 豊かな自然と食文化〔鹿児島県〕

解答｜127ページ

九州地方南部に位置する鹿児島県のクイズに挑戦してみよう。

鹿児島県データ（2022年）

◆**地方区分**：九州地方
◆**面積**：9186km²（10位）
◆**人口**：156万人（24位）
◆**人口密度**：170人／km²（35位）
◆**隣接都道府県(海上含む)**：熊本県、宮崎県、沖縄県

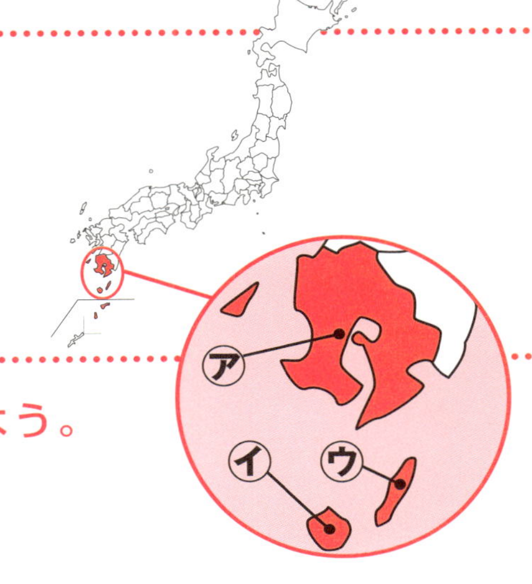

■ ［　　］の中に当てはまる地名を入れよう。

● ㋐は県庁所在地の［　　　　］市。

● ㋑の島の名称は、［　　　　］島。

● ㋒の島の名称は、［　　　　］島。

■ 正しいものを（　）で囲もう。

名産をチェック
鹿児島県が生産量日本一をほこる農作物は？

①カブ　②ネギ
③ナス　④サツマイモ

自然をチェック
世界自然遺産にもなっている屋久島。どんな木が多く自生していることでとくに有名？

①スギ　②マツ
③ウルシ　④クスノキ

自然をチェック
県本土の約6割を占める、火山の噴出物である火山灰や軽石からなる台地を何という？

①グラス台地　②シラス台地
③カラス台地　④タラス台地

歴史をチェック
天文12年（1543）、種子島にポルトガル船が漂着し、日本に何が伝わった？

①仏教　②眼鏡
③鉄砲　④電球

県の代表的な自然のひとつに、桜島があります。桜島は、鹿児島湾にある火山島。かつては島でしたが、大正時代の噴火で、大隅半島と陸続きになりました。

Q81 独自の琉球文化が発展〔沖縄県〕

解答 127ページ

日本列島の南西端に位置する沖縄県のクイズに挑戦してみよう。

沖縄県データ（2022年）

◆**地方区分**：九州地方
◆**面積**：2282㎢（44位）
◆**人口**：147万人（25位）
◆**人口密度**：644人／㎢（8位）
◆**隣接都道府県（海上含む）**：鹿児島県

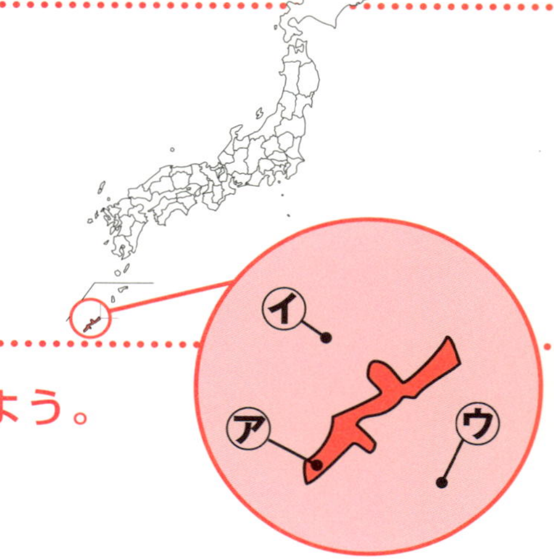

■ [　　] の中に当てはまる地名を入れよう。

● ㋐は県庁所在地の［　　　　］市。

● ㋑の海の名称は、［　　　　］海。

● ㋒の海の名称は、［　　　　］洋。

■ 正しいものを〇で囲もう。

名産をチェック

沖縄県が生産量全国1位となっている農作物は？

①モモ　②パイナップル
③メロン　④トウモロコシ

名所をチェック

現在の那覇市にかつて存在した、琉球王朝の王城の名称は？

①五稜郭　②安土城
③島原城　④首里城

行事をチェック

沖縄の伝統的な盆踊りで、観光イベントとしても人気が高い芸能の名称は？

①アイサー　②ウイサー
③エイサー　④オイサー

歴史をチェック

第2次世界大戦後、アメリカの統治下にあった沖縄が、日本に返還された年は？

①1952年　②1962年
③1972年　④1982年

マメ知識　沖縄県は、沖縄島（沖縄本島）、西表島、石垣島、宮古島などの島から成り立っています。

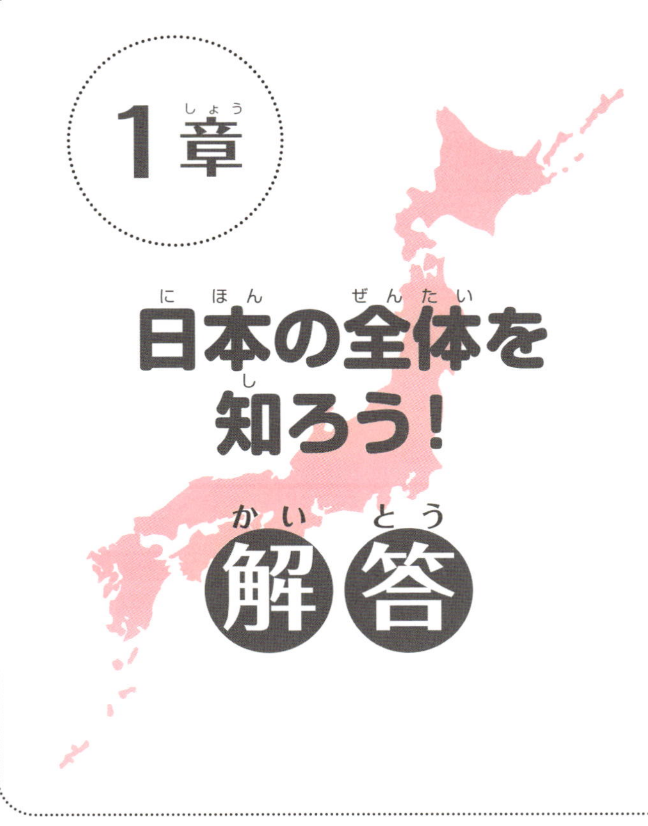

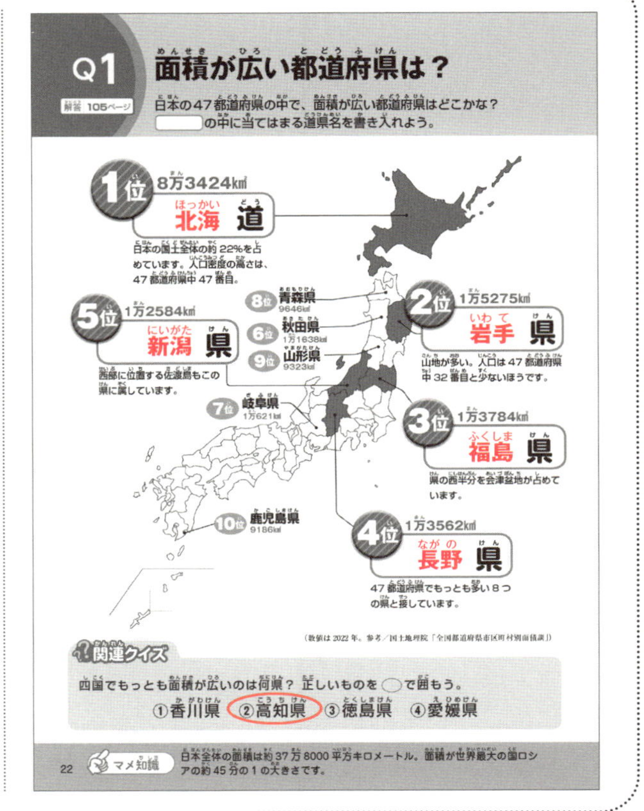

Q1 面積が広い都道府県は？

解答 105ページ

日本の47都道府県の中で、面積が広い都道府県はどこかな？
　　の中に当てはまる道県名を書き入れよう。

1位 8万3424㎢ 北海道
日本の国土全体の約 22%を占めています。人口密度の高さは、47 都道府県中 47 番目。

2位 1万5275㎢ 岩手県
山地が多い。人口は 47 都道府県中 32 番目と少ないほうです。

3位 1万3784㎢ 福島県
県の西半分を会津盆地が占めています。

4位 1万3562㎢ 長野県
47 都道府県でもっとも多い 8 つの県と接しています。

5位 1万2584㎢ 新潟県
西部に位置する佐渡島もこの県に属しています。

6位 秋田県 1万1638㎢
7位 岐阜県 1万621㎢
8位 青森県 9646㎢
9位 山形県 9323㎢
10位 鹿児島県 9186㎢

（数値は 2022 年。参考／国土地理院「全国都道府県市区町村別面積調」）

関連クイズ

四国でもっとも面積が広いのは何県？ 正しいものを ◯ で囲もう。

①香川県 ②高知県 ③徳島県 ④愛媛県

マメ知識 日本全体の面積は約 37 万 8000 平方キロメートル。面積が世界最大の国ロシアの約 45 分の 1 の大きさです。

22

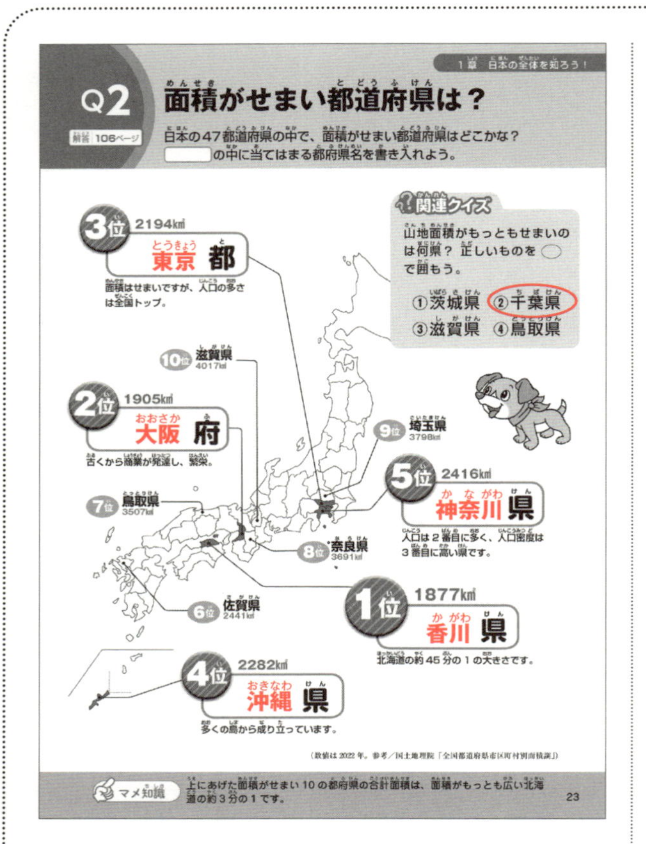

1章 日本の全体を知ろう！

Q2 面積がせまい都道府県は？

解答 106ページ

日本の47都道府県の中で、面積がせまい都道府県はどこかな？
□の中に当てはまる都府県名を書き入れよう。

3位 2194㎢ 東京都
面積はせまいですが、人口の多さは全国トップ。

関連クイズ
山地面積がもっともせまいのは何県？ 正しいものを○で囲もう。
①茨城県 ②千葉県 ③滋賀県 ④鳥取県

10位 滋賀県 4017㎢

2位 1905㎢ 大阪府
古くから商業が発達し、繁栄。

9位 埼玉県 3798㎢

7位 鳥取県 3507㎢

5位 2416㎢ 神奈川県
人口は2番目に多く、人口密度は3番目に高い県です。

8位 奈良県 3691㎢

6位 佐賀県 2441㎢

1位 1877㎢ 香川県
北海道の約45分の1の大きさです。

4位 2282㎢ 沖縄県
多くの島から成り立っています。

（数値は2022年。参考／国土地理院「全国都道府県市区町村別面積調」）

マメ知識 上にあげた面積がせまい10の都府県の合計面積は、面積がもっとも広い北海道の約3分の1です。 23

Q3 人口が多い都道府県は？

解答 106ページ

日本の47都道府県の中で、人口の多い都道府県はどこかな？
□の中に当てはまる都府県名を書き入れよう。

1位 1404万人 東京都
日本の人口の約1割が暮らしています。

8位 北海道 514万人

3位 878万人 大阪府
人口密度の高さは2番目です。

5位 734万人 埼玉県
東京都で働く人が大勢住んでいます。

7位 兵庫県 540万人

9位 福岡県 512万人

6位 千葉県 627万人

10位 静岡県 358万人

2位 923万人 神奈川県
2006年に3位から2位に上がりました。

4位 750万人 愛知県
工業が発達している県です。

（数値は2022年。参考／総務省統計局「人口推計」）

関連クイズ
日本の市でもっとも人口が多いのは？ 正しいものを○で囲もう。
①札幌市 ②横浜市 ③名古屋市 ④大阪市

24 マメ知識 日本の総人口は1億2495万人（2022年）。世界で11番目に人口の多い国です。

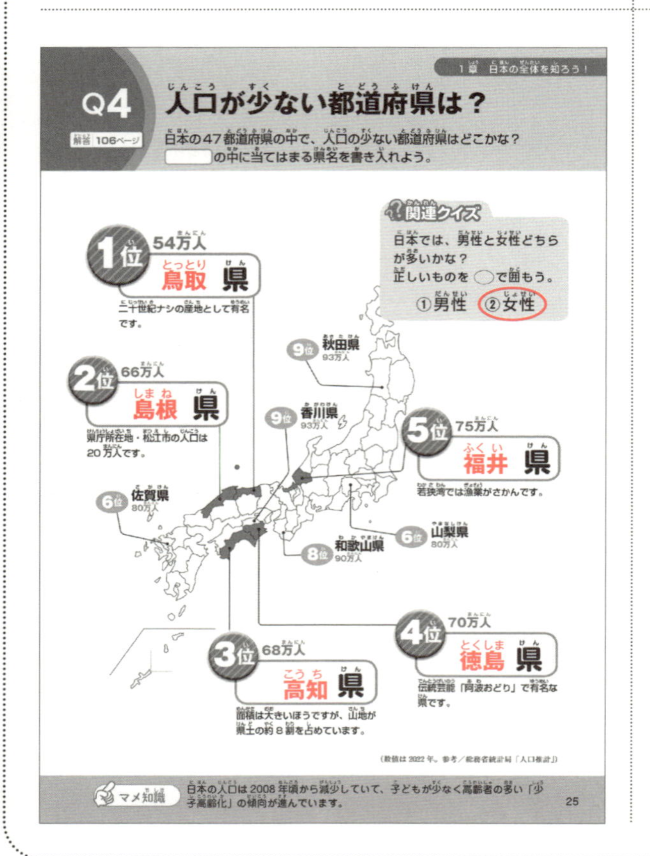

1章 日本の全体を知ろう！

Q4 人口が少ない都道府県は？

解答 106ページ

日本の47都道府県の中で、人口の少ない都道府県はどこかな？
□の中に当てはまる県名を書き入れよう。

関連クイズ
日本では、男性と女性どちらが多いかな？
正しいものを○で囲もう。
①男性 ②女性

1位 54万人 鳥取県
二十世紀ナシの産地として有名です。

9位 秋田県 93万人

2位 66万人 島根県
県庁所在地・松江市の人口は20万人です。

9位 香川県 93万人

5位 75万人 福井県
若狭湾では漁業がさかんです。

6位 佐賀県 80万人

6位 山梨県 80万人

8位 和歌山県 90万人

4位 70万人 徳島県
伝統芸能「阿波おどり」で有名な県です。

3位 68万人 高知県
面積は大きいほうですが、山地が県土の約8割を占めています。

（数値は2022年。参考／総務省統計局「人口推計」）

マメ知識 日本の人口は2008年頃から減少していて、子どもが少なく高齢者の多い「少子高齢化」の傾向が進んでいます。 25

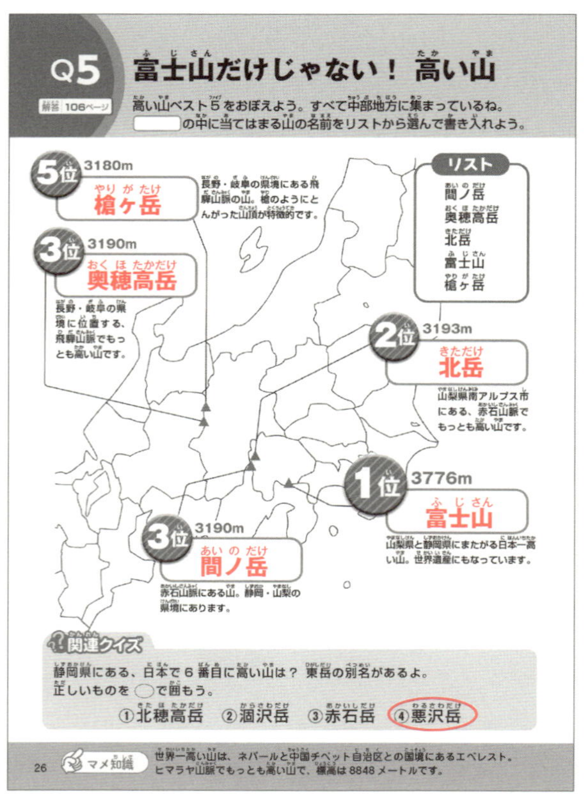

Q5 富士山だけじゃない！ 高い山

解答 106ページ

高い山ベスト5をおぼえよう。すべて中部地方に集まっているね。
□の中に当てはまる山の名前をリストから選んで書き入れよう。

5位 3180m 槍ヶ岳
長野・岐阜の県境にある飛騨山脈の山。槍のようにとんがった山頂が特徴的です。

リスト
間ノ岳
奥穂高岳
北岳
富士山
槍ヶ岳

3位 3190m 奥穂高岳
長野・岐阜の県境に位置する、飛騨山脈でもっとも高い山です。

2位 3193m 北岳
山梨県南アルプス市にある、赤石山脈でもっとも高い山です。

1位 3776m 富士山
山梨県と静岡県にまたがる日本一高い山。世界遺産にもなっています。

3位 3190m 間ノ岳
赤石山脈にある山。静岡・山梨の県境にあります。

関連クイズ
静岡県にある、日本で6番目に高い山は？ 東岳の別名があるよ。
正しいものを○で囲もう。
①北穂高岳 ②涸沢岳 ③赤石岳 ④悪沢岳

26 マメ知識 世界一高い山は、ネパールと中国チベット自治区との国境にあるエベレスト。ヒマラヤ山脈でもっとも高い山で、標高は8848メートルです。

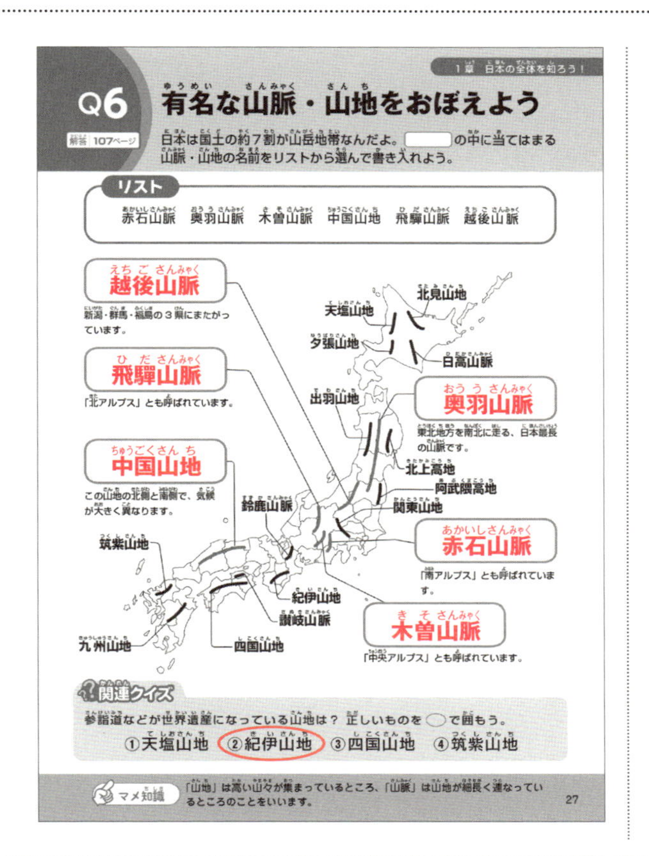
1章 日本の全体を知ろう！

Q6 有名な山脈・山地をおぼえよう

解答 107ページ

日本は国土の約７割が山岳地帯なんだよ。□の中に当てはまる山脈・山地の名前をリストから選んで書き入れよう。

リスト
赤石山脈 奥羽山脈 木曽山脈 中国山地 飛騨山脈 越後山脈

越後山脈
新潟・群馬・福島の３県にまたがっています。

飛騨山脈
「北アルプス」とも呼ばれています。

中国山地
この山地の北側と南側で、気候が大きく異なります。

奥羽山脈
東北地方を南北に走る、日本最長の山脈です。

赤石山脈
「南アルプス」とも呼ばれています。

木曽山脈
「中央アルプス」とも呼ばれています。

関連クイズ
参詣道などが世界遺産になっている山地は？ 正しいものを○で囲もう。
①天塩山地 ②紀伊山地 ③四国山地 ④筑紫山地

マメ知識 「山地」は高い山々が集まっているところ、「山脈」は山地が細長く連なっているところのことをいいます。 27

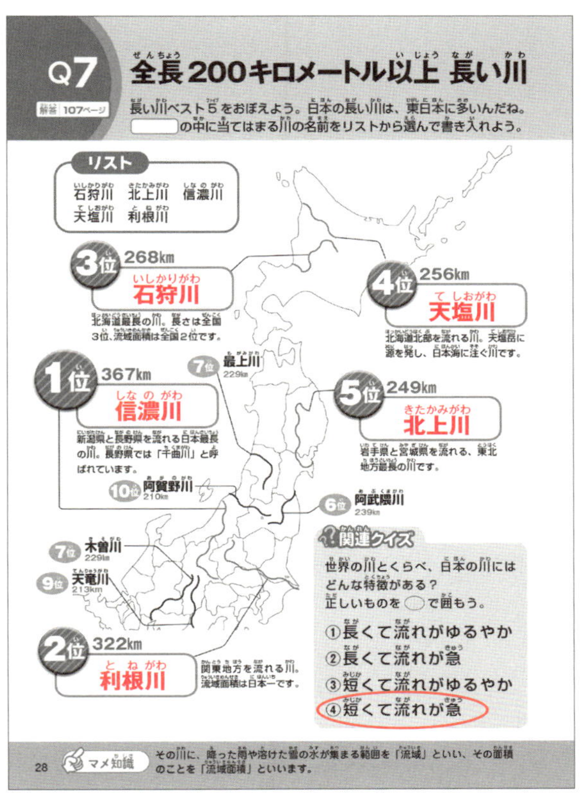
Q7 全長200キロメートル以上 長い川

解答 107ページ

長い川ベスト５をおぼえよう。日本の長い川は、東日本に多いんだね。□の中に当てはまる川の名前をリストから選んで書き入れよう。

リスト
石狩川 北上川 信濃川
天塩川 利根川

3位 268km 石狩川
北海道最長の川。長さは全国3位、流域面積は全国2位です。

4位 256km 天塩川
北海道北部を流れる川。天塩岳に源を発し、日本海に注ぐ川です。

1位 367km 信濃川
新潟県と長野県を流れる日本最長の川。長野県では「千曲川」と呼ばれています。

5位 249km 北上川
岩手県と宮城県を流れる、東北地方最長の川です。

2位 322km 利根川
関東地方を流れる川。流域面積は日本一です。

関連クイズ
世界の川とくらべ、日本の川にはどんな特徴がある？
正しいものを○で囲もう。
①長くて流れがゆるやか
②長くて流れが急
③短くて流れがゆるやか
④短くて流れが急

28 マメ知識 その川に、降った雨や溶けた雪の水が集まる範囲を「流域」といい、その面積のことを「流域面積」といいます。

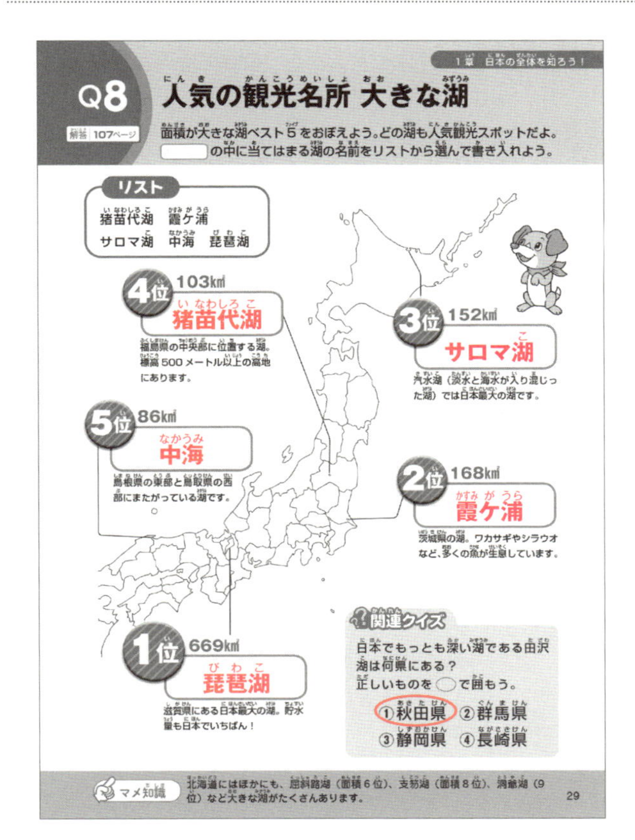
1章 日本の全体を知ろう！

Q8 人気の観光名所 大きな湖

解答 107ページ

面積が大きな湖ベスト５をおぼえよう。どの湖も人気観光スポットだよ。□の中に当てはまる湖の名前をリストから選んで書き入れよう。

リスト
猪苗代湖 霞ケ浦
サロマ湖 中海 琵琶湖

4位 103㎢ 猪苗代湖
福島県の中央部に位置する湖。標高500メートル以上の高地にあります。

3位 152㎢ サロマ湖
汽水湖（淡水と海水が入り混じった湖）では日本最大の湖です。

5位 86㎢ 中海
島根県の東部と鳥取県の西部にまたがっている湖です。

2位 168㎢ 霞ケ浦
茨城県の湖。ワカサギやシラウオなど、多くの魚が生息しています。

1位 669㎢ 琵琶湖
滋賀県にある日本最大の湖。貯水量も日本でいちばん！

関連クイズ
日本でもっとも深い湖である田沢湖は何県にある？
正しいものを○で囲もう。
①秋田県 ②群馬県
③静岡県 ④長崎県

マメ知識 北海道にはほかにも、屈斜路湖（面積６位）、支笏湖（面積８位）、洞爺湖（９位）など大きな湖がたくさんあります。 29

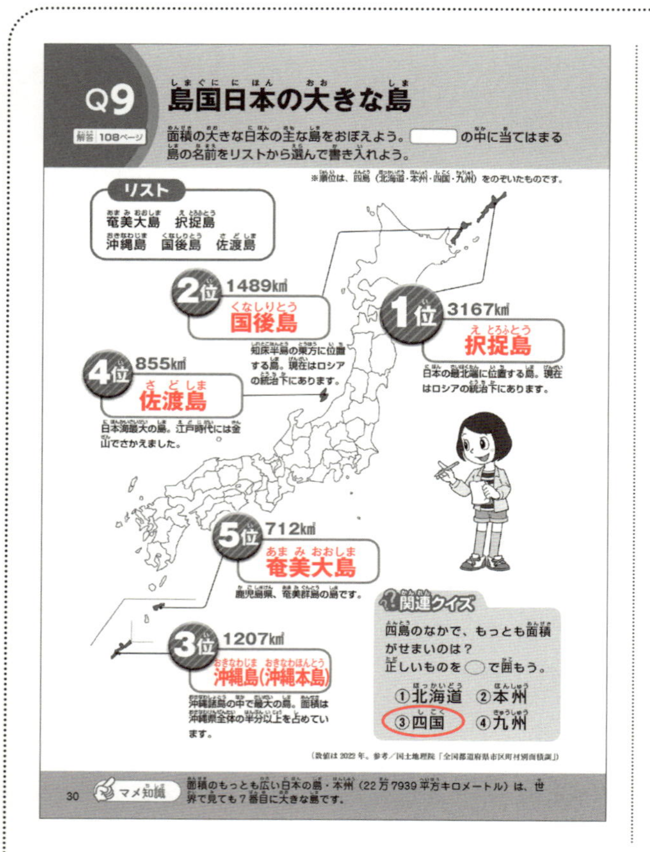

Q9 島国日本の大きな島

解答 108ページ

面積の大きな日本の主な島をおぼえよう。□の中に当てはまる島の名前をリストから選んで書き入れよう。

※順位は、四島（北海道・本州・四国・九州）をのぞいたものです。

リスト
奄美大島　択捉島
沖縄島　国後島　佐渡島

- **1位** 3167㎢ **択捉島**
  日本の最北端に位置する島。現在はロシアの統治下にあります。
- **2位** 1489㎢ **国後島**
  知床半島の東方に位置する島。現在はロシアの統治下にあります。
- **3位** 1207㎢ **沖縄島(沖縄本島)**
  沖縄諸島の中で最大の島。面積は沖縄県全体の半分以上を占めています。
- **4位** 855㎢ **佐渡島**
  日本海最大の島。江戸時代には金山でさかえました。
- **5位** 712㎢ **奄美大島**
  鹿児島県、奄美群島の島です。

関連クイズ
四島のなかで、もっとも面積がせまいのは？
正しいものを◯で囲もう。
①北海道　②本州
③四国（正解）　④九州

〔数値は 2022 年。参考／国土地理院「全国都道府県市区町村別面積調」〕

30　マメ知識　面積のもっとも広い日本の島・本州（22 万 7939 平方キロメートル）は、世界で見ても 7 番目に大きな島です。

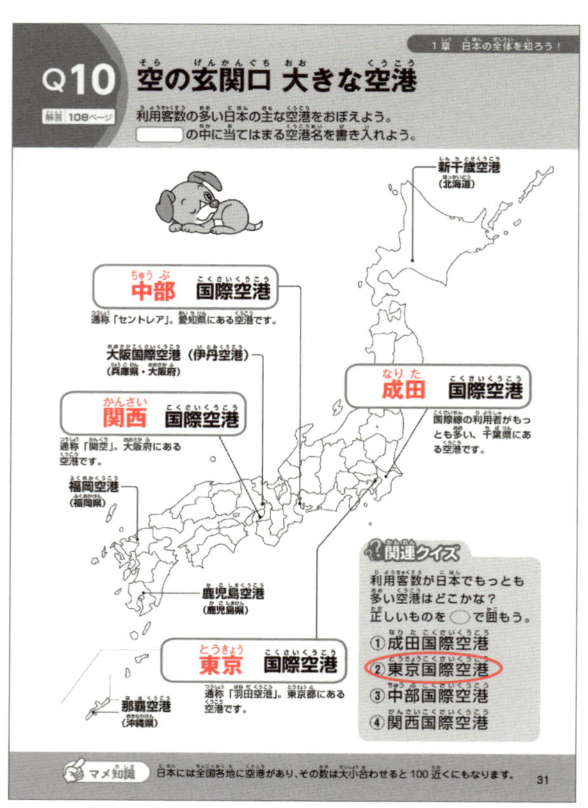

1章　日本の全体を知ろう！

Q10 空の玄関口 大きな空港

解答 108ページ

利用客数の多い日本の主な空港をおぼえよう。□の中に当てはまる空港名を書き入れよう。

- 新千歳空港（北海道）
- **中部** 国際空港
  通称「セントレア」。愛知県にある空港です。
- 大阪国際空港（伊丹空港）（兵庫県・大阪府）
- **関西** 国際空港
  通称「関空」。大阪府にある空港です。
- 福岡空港（福岡県）
- 鹿児島空港（鹿児島県）
- 那覇空港（沖縄県）
- **成田** 国際空港
  国際線の利用者がもっとも多い、千葉県にある空港です。
- **東京** 国際空港
  通称「羽田空港」。東京都にある空港です。

関連クイズ
利用客数が日本でもっとも多い空港はどこかな？
正しいものを◯で囲もう。
①成田国際空港
②東京国際空港（正解）
③中部国際空港
④関西国際空港

マメ知識　日本には全国各地に空港があり、その数は大小合わせると 100 近くにもなります。　31

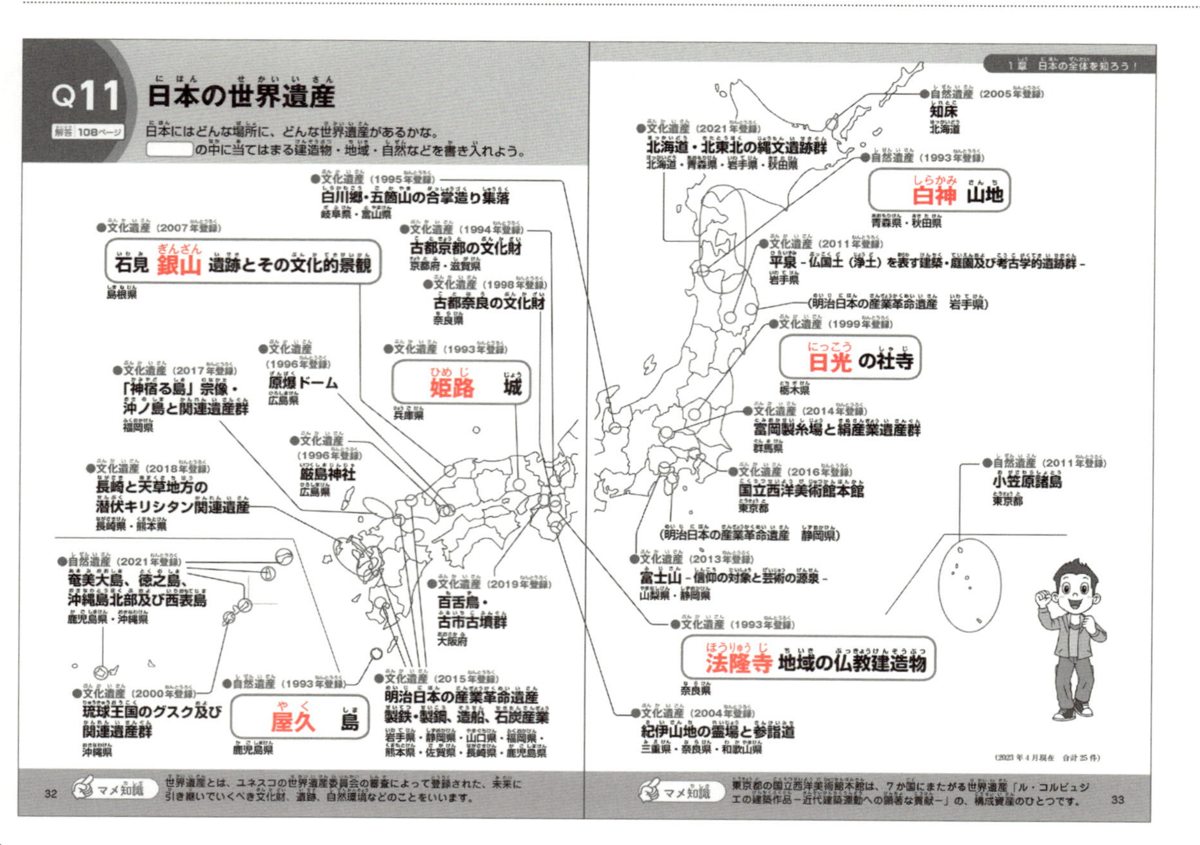

Q11 日本の世界遺産

解答 108ページ

日本にはどんな場所に、どんな世界遺産があるかな。□の中に当てはまる建造物・地域・自然などを書き入れよう。

1章　日本の全体を知ろう！

- ●文化遺産（1995 年登録）白川郷・五箇山の合掌造り集落　岐阜県・富山県
- ●文化遺産（2007 年登録）石見 **銀山** 遺跡とその文化的景観　島根県
- ●文化遺産（1994 年登録）古都京都の文化財　京都府・滋賀県
- ●文化遺産（1998 年登録）古都奈良の文化財　奈良県
- ●文化遺産（1993 年登録）**姫路** 城　兵庫県
- ●文化遺産（1996 年登録）原爆ドーム　広島県
- ●文化遺産（2017 年登録）「神宿る島」宗像・沖ノ島と関連遺産群　福岡県
- ●文化遺産（1996 年登録）厳島神社　広島県
- ●文化遺産（2018 年登録）長崎と天草地方の潜伏キリシタン関連遺産　長崎県・熊本県
- ●自然遺産（2021 年登録）奄美大島、徳之島、沖縄島北部及び西表島　鹿児島県・沖縄県
- ●文化遺産（2019 年登録）百舌鳥・古市古墳群　大阪府
- ●文化遺産（2000 年登録）琉球王国のグスク及び関連遺産群　沖縄県
- ●自然遺産（1993 年登録）**屋久** 島　鹿児島県
- ●文化遺産（2015 年登録）明治日本の産業革命遺産 製鉄・製鋼、造船、石炭産業　岩手県・静岡県・山口県・福岡県・熊本県・佐賀県・長崎県・鹿児島県
- ●自然遺産（2005 年登録）知床　北海道
- ●文化遺産（2021 年登録）北海道・北東北の縄文遺跡群　北海道・青森県・岩手県・秋田県
- ●自然遺産（1993 年登録）**白神** 山地　青森県・秋田県
- ●文化遺産（2011 年登録）平泉 − 仏国土（浄土）を表す建築・庭園及び考古学的遺跡群 −　岩手県
- （明治日本の産業革命遺産　岩手県）
- ●文化遺産（1999 年登録）**日光** の社寺　栃木県
- ●文化遺産（2014 年登録）富岡製糸場と絹産業遺産群　群馬県
- ●文化遺産（2016 年登録）国立西洋美術館本館　東京都
- （明治日本の産業革命遺産　静岡県）
- ●自然遺産（2011 年登録）小笠原諸島　東京都
- ●文化遺産（2013 年登録）富士山 − 信仰の対象と芸術の源泉 −　山梨県・静岡県
- ●文化遺産（1993 年登録）**法隆寺** 地域の仏教建造物　奈良県
- ●文化遺産（2004 年登録）紀伊山地の霊場と参詣道　三重県・奈良県・和歌山県

（2023 年 4 月現在　合計 25 件）

32　マメ知識　世界遺産とは、ユネスコの世界遺産委員会の審査によって登録された、未来に引き継いでいくべき文化財、遺跡、自然環境などのことをいいます。

マメ知識　東京都の国立西洋美術館本館は、7 か国にまたがる世界遺産「ル・コルビュジエの建築作品−近代建築運動への顕著な貢献−」の、構成資産のひとつです。　33

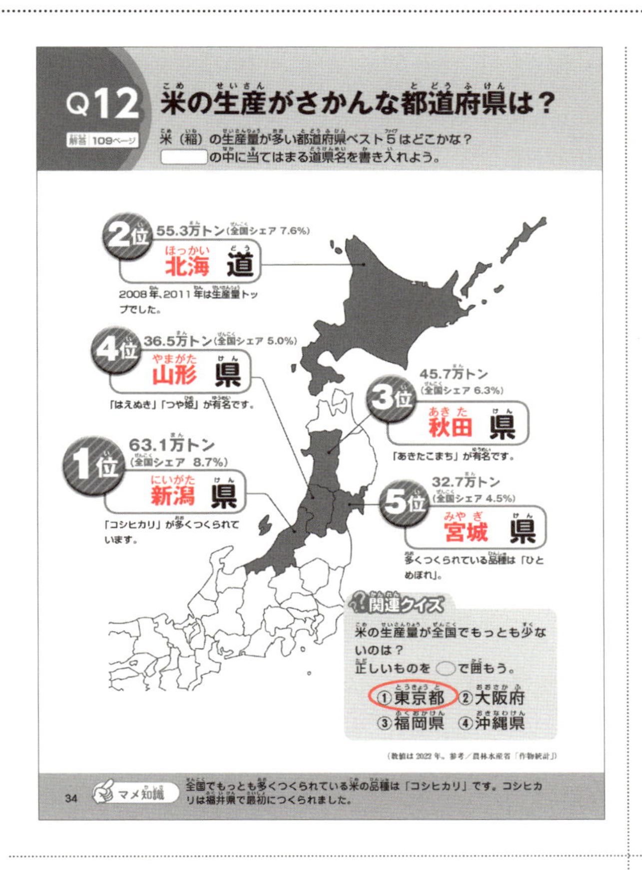

Q12 米の生産がさかんな都道府県は？

解答 109ページ

米（稲）の生産量が多い都道府県ベスト５はどこかな？
□の中に当てはまる道県名を書き入れよう。

関連クイズ

米の生産量が全国でもっとも少ないのは？
正しいものを○で囲もう。

①東京都（○） ②大阪府
③福岡県 ④沖縄県

（数値は 2022 年。参考／農林水産省「作物統計」）

マメ知識　全国でもっとも多くつくられている米の品種は「コシヒカリ」です。コシヒカリは福井県で最初につくられました。

34

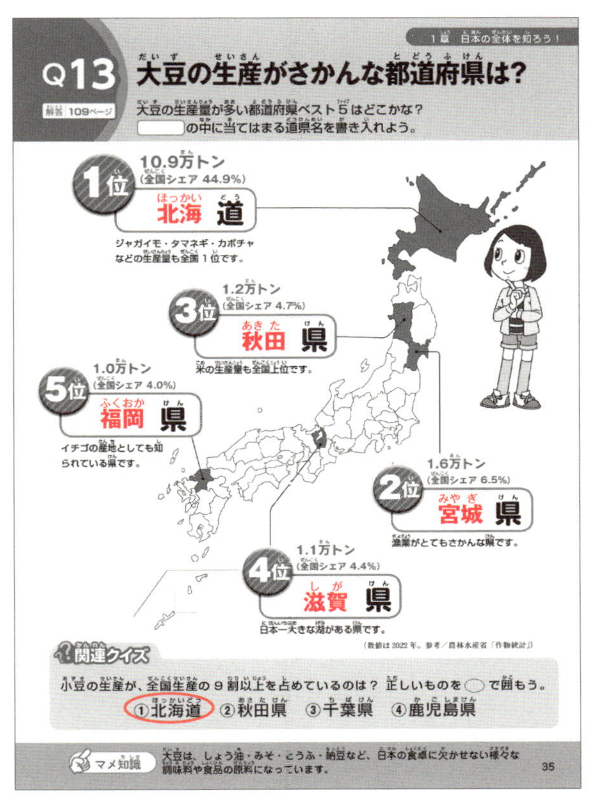

1章 日本の全体を知ろう！

Q13 大豆の生産がさかんな都道府県は？

解答 109ページ

大豆の生産量が多い都道府県ベスト５はどこかな？
□の中に当てはまる道県名を書き入れよう。

（数値は 2022 年。参考／農林水産省「作物統計」）

関連クイズ

小豆の生産が、全国生産の９割以上を占めているのは？ 正しいものを○で囲もう。

①北海道（○） ②秋田県 ③千葉県 ④鹿児島県

マメ知識　大豆は、しょう油・みそ・とうふ・納豆など、日本の食卓に欠かせない様々な調味料や食品の原料になっています。

35

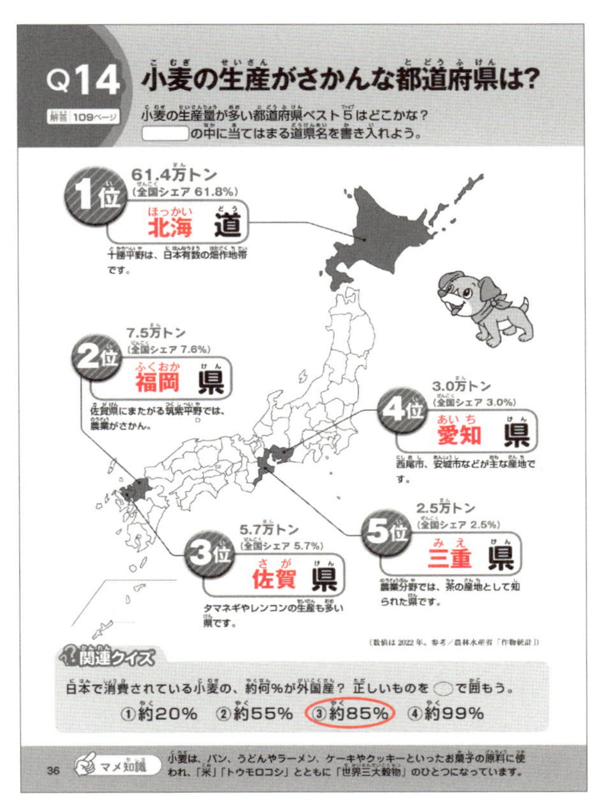

Q14 小麦の生産がさかんな都道府県は？

解答 109ページ

小麦の生産量が多い都道府県ベスト５はどこかな？
□の中に当てはまる道県名を書き入れよう。

（数値は 2022 年。参考／農林水産省「作物統計」）

関連クイズ

日本で消費されている小麦の、約何%が外国産？ 正しいものを○で囲もう。

①約20% ②約55% ③約85%（○） ④約99%

マメ知識　小麦は、パン、うどんやラーメン、ケーキやクッキーといったお菓子の原料に使われ、「米」「トウモロコシ」とともに「世界三大穀物」のひとつになっています。

36

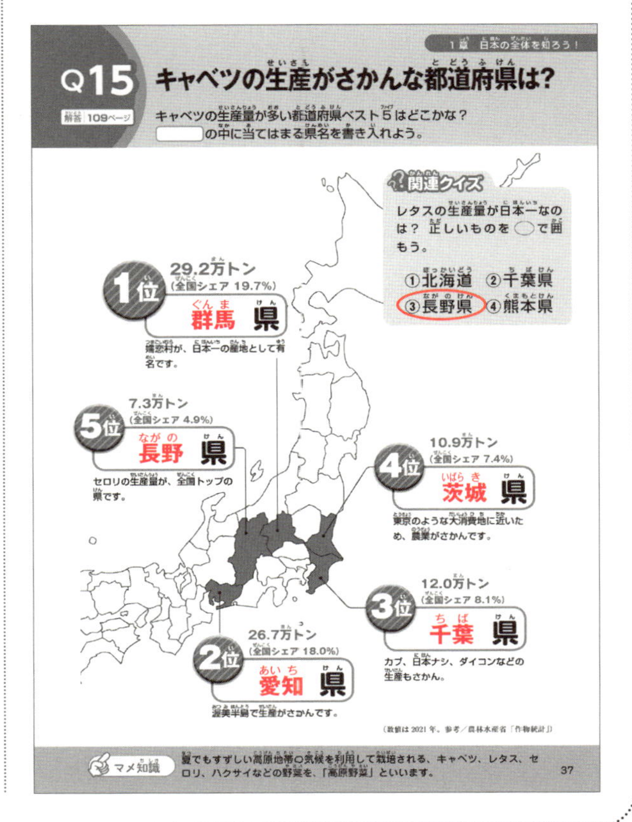

1章 日本の全体を知ろう！

Q15 キャベツの生産がさかんな都道府県は？

解答 109ページ

キャベツの生産量が多い都道府県ベスト５はどこかな？
□の中に当てはまる県名を書き入れよう。

関連クイズ

レタスの生産量が日本一なのは？ 正しいものを○で囲もう。

①北海道 ②千葉県
③長野県（○） ④熊本県

（数値は 2021 年。参考／農林水産省「作物統計」）

マメ知識　夏でもすずしい高原地帯の気候を利用して栽培される、キャベツ、レタス、セロリ、ハクサイなどの野菜を、「高原野菜」といいます。

37

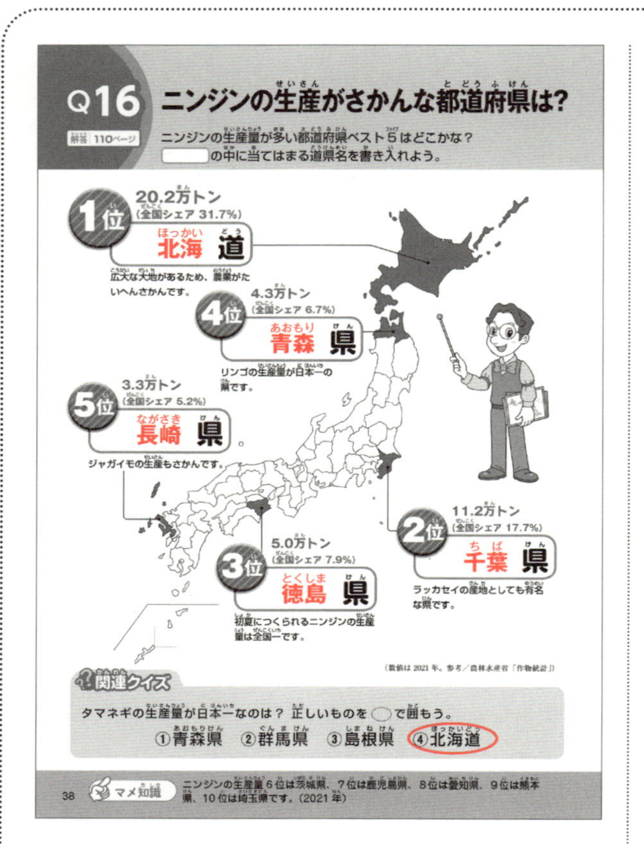

Q16 ニンジンの生産がさかんな都道府県は？

解答 110ページ

ニンジンの生産量が多い都道府県ベスト５はどこかな？
□の中に当てはまる道県名を書き入れよう。

1位 20.2万トン（全国シェア 31.7%） 北海 道
広大な大地があるため、農業がたいへんさかんです。

2位 11.2万トン（全国シェア 17.7%） 千葉 県
ラッカセイの産地としても有名な県です。

3位 5.0万トン（全国シェア 7.9%） 徳島 県
初夏につくられるニンジンの生産量は全国一です。

4位 4.3万トン（全国シェア 6.7%） 青森 県
リンゴの生産量が日本一の県です。

5位 3.3万トン（全国シェア 5.2%） 長崎 県
ジャガイモの生産もさかんです。

（数値は 2021 年。参考／農林水産省「作物統計」）

関連クイズ
タマネギの生産量が日本一なのは？ 正しいものを○で囲もう。
①青森県 ②群馬県 ③島根県 ④北海道（○）

マメ知識 ニンジンの生産量６位は茨城県、７位は鹿児島県、８位は愛知県、９位は熊本県、10位は埼玉県です。（2021 年）

38

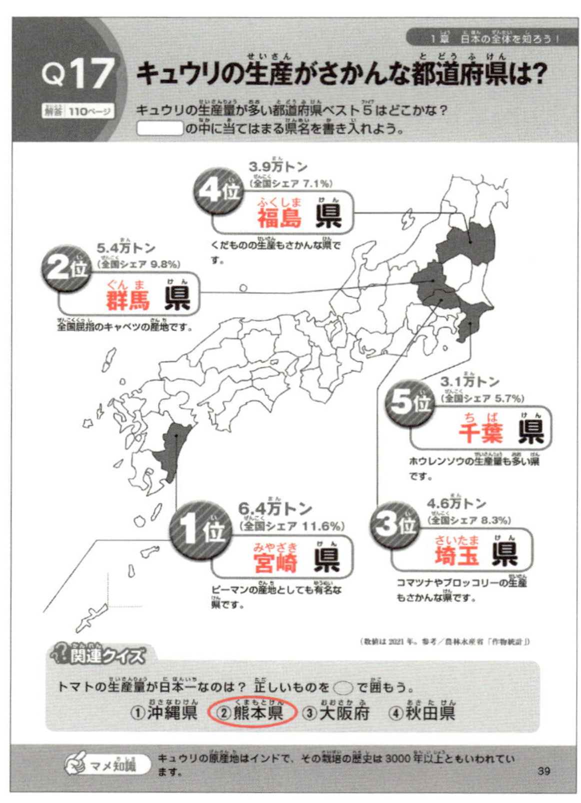

1章 日本の全体を知ろう！

Q17 キュウリの生産がさかんな都道府県は？

解答 110ページ

キュウリの生産量が多い都道府県ベスト５はどこかな？
□の中に当てはまる県名を書き入れよう。

1位 6.4万トン（全国シェア 11.6%） 宮崎 県
ピーマンの産地としても有名な県です。

2位 5.4万トン（全国シェア 9.8%） 群馬 県
全国屈指のキャベツの産地です。

3位 4.6万トン（全国シェア 8.3%） 埼玉 県
コマツナやブロッコリーの生産もさかんな県です。

4位 3.9万トン（全国シェア 7.1%） 福島 県
くだものの生産もさかんな県です。

5位 3.1万トン（全国シェア 5.7%） 千葉 県
ホウレンソウの生産量も多い県です。

（数値は 2021 年。参考／農林水産省「作物統計」）

関連クイズ
トマトの生産量が日本一なのは？ 正しいものを○で囲もう。
①沖縄県 ②熊本県（○） ③大阪府 ④秋田県

マメ知識 キュウリの原産地はインドで、その栽培の歴史は 3000 年以上ともいわれています。

39

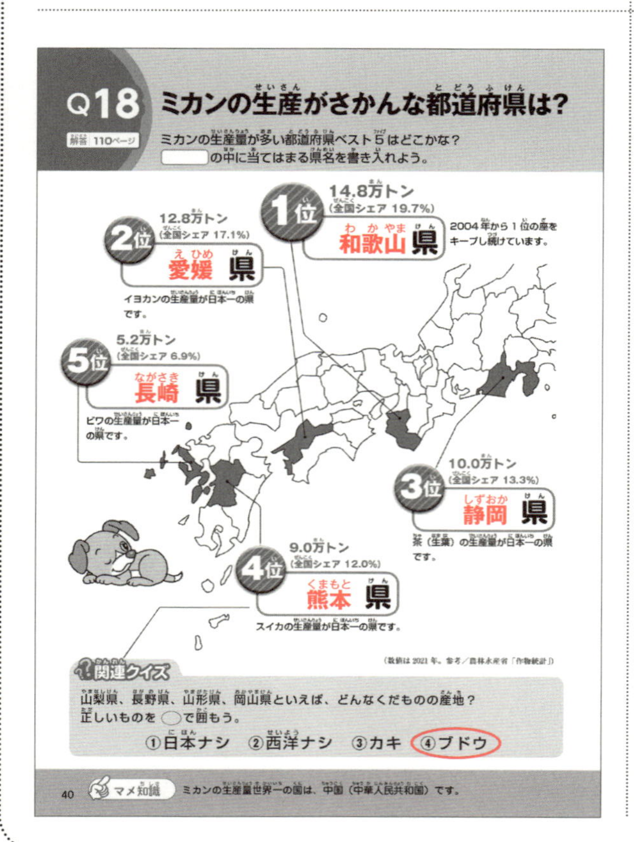

Q18 ミカンの生産がさかんな都道府県は？

解答 110ページ

ミカンの生産量が多い都道府県ベスト５はどこかな？
□の中に当てはまる県名を書き入れよう。

1位 14.8万トン（全国シェア 19.7%） 和歌山 県
2004年から１位の座をキープし続けています。

2位 12.8万トン（全国シェア 17.1%） 愛媛 県
イヨカンの生産量が日本一の県です。

3位 10.0万トン（全国シェア 13.3%） 静岡 県
茶（生葉）の生産量が日本一の県です。

4位 9.0万トン（全国シェア 12.0%） 熊本 県
スイカの生産量が日本一の県です。

5位 5.2万トン（全国シェア 6.9%） 長崎 県
ビワの生産量が日本一の県です。

（数値は 2021 年。参考／農林水産省「作物統計」）

関連クイズ
山梨県、長野県、山形県、岡山県といえば、どんなくだものの産地？
正しいものを○で囲もう。
①日本ナシ ②西洋ナシ ③カキ ④ブドウ（○）

マメ知識 ミカンの生産量世界一の国は、中国（中華人民共和国）です。

40

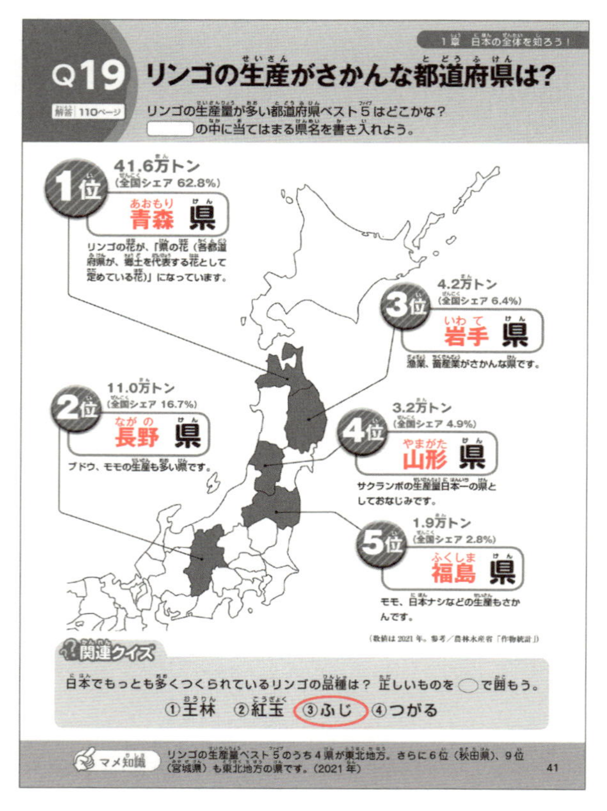

1章 日本の全体を知ろう！

Q19 リンゴの生産がさかんな都道府県は？

解答 110ページ

リンゴの生産量が多い都道府県ベスト５はどこかな？
□の中に当てはまる県名を書き入れよう。

1位 41.6万トン（全国シェア 62.8%） 青森 県
リンゴの花が、「県の花（各都道府県が、郷土を代表する花として定めている花）」になっています。

2位 11.0万トン（全国シェア 16.7%） 長野 県
ブドウ、モモの生産も多い県です。

3位 4.2万トン（全国シェア 6.4%） 岩手 県
漁業、畜産業がさかんな県です。

4位 3.2万トン（全国シェア 4.9%） 山形 県
サクランボの生産量日本一の県としておなじみです。

5位 1.9万トン（全国シェア 2.8%） 福島 県
モモ、日本ナシなどの生産もさかんです。

（数値は 2021 年。参考／農林水産省「作物統計」）

関連クイズ
日本でもっとも多くつくられているリンゴの品種は？ 正しいものを○で囲もう。
①王林 ②紅玉 ③ふじ（○） ④つがる

マメ知識 リンゴの生産量ベスト５のうち４県が東北地方。さらに６位（秋田県）、９位（宮城県）も東北地方の県です。（2021 年）

41

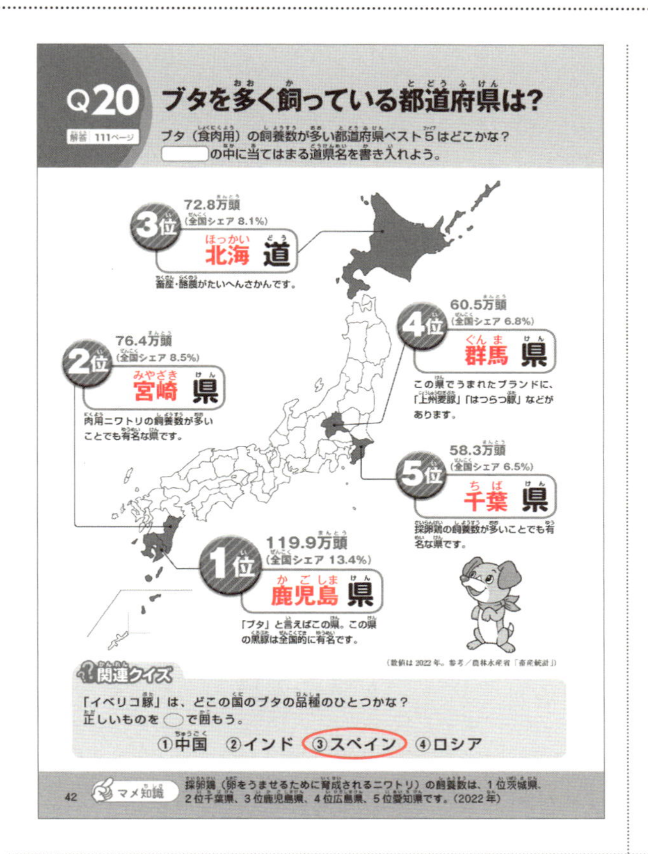
Q20 ブタを多く飼っている都道府県は？

解答 111ページ

ブタ（食肉用）の飼養数が多い都道府県ベスト5はどこかな？
　　の中に当てはまる道県名を書き入れよう。

（数値は 2022 年。参考／農林水産省「畜産統計」）

関連クイズ

「イベリコ豚」は、どこの国のブタの品種のひとつかな？
正しいものを◯で囲もう。

①中国　②インド　③スペイン　④ロシア

マメ知識　採卵鶏（卵をうませるために育成されるニワトリ）の飼養数は、1位茨城県、2位千葉県、3位鹿児島県、4位広島県、5位愛知県です。（2022年）

42

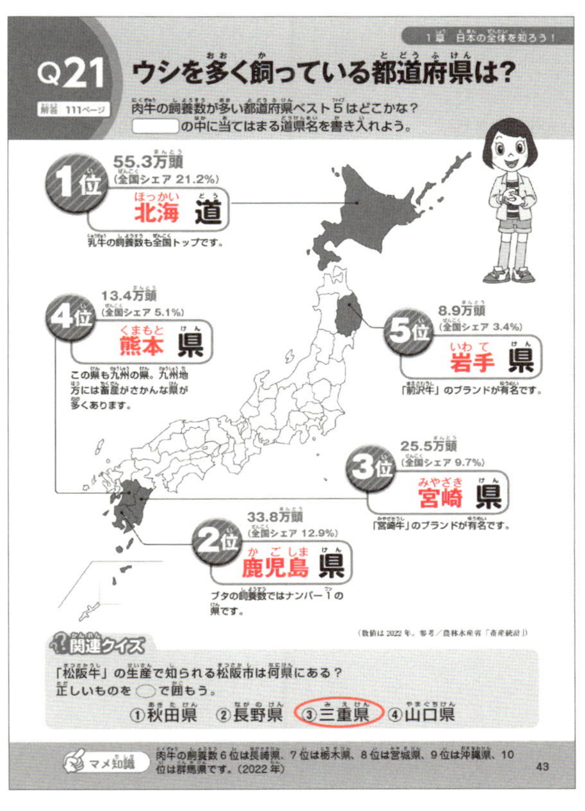
1章 日本の全体を知ろう！

Q21 ウシを多く飼っている都道府県は？

解答 111ページ

肉牛の飼養数が多い都道府県ベスト5はどこかな？
　　の中に当てはまる道県名を書き入れよう。

（数値は 2022 年。参考／農林水産省「畜産統計」）

関連クイズ

「松阪牛」の生産で知られる松阪市は何県にある？
正しいものを◯で囲もう。

①秋田県　②長野県　③三重県　④山口県

マメ知識　肉牛の飼養数6位は長崎県、7位は栃木県、8位は宮城県、9位は沖縄県、10位は群馬県です。（2022年）

43

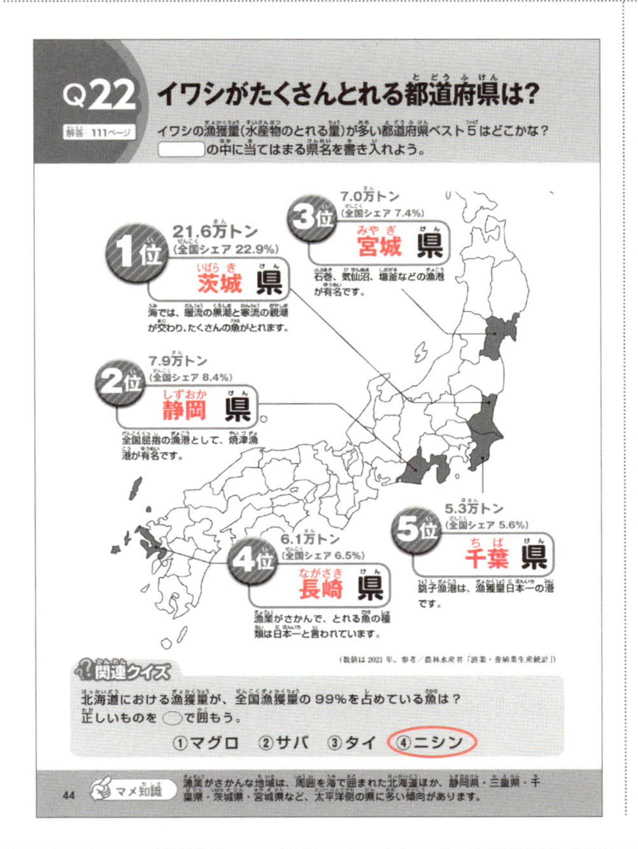
Q22 イワシがたくさんとれる都道府県は？

解答 111ページ

イワシの漁獲量（水産物のとれる量）が多い都道府県ベスト5はどこかな？
　　の中に当てはまる県名を書き入れよう。

3位 7.0万トン（全国シェア 7.4%）
宮城県
石巻、気仙沼、塩釜などの漁港が有名です。
1位 21.6万トン（全国シェア 22.9%）
茨城県
海では、暖流の黒潮と寒流の親潮が交わり、たくさんの魚がとれます。
2位 7.9万トン（全国シェア 8.4%）
静岡県
全国屈指の漁港として、焼津漁港が有名です。
5位 5.3万トン（全国シェア 5.6%）
千葉県
銚子漁港は、漁獲量日本一の港です。
4位 6.1万トン（全国シェア 6.5%）
長崎県
漁業がさかんで、とれる魚の種類は日本一と言われています。

（数値は 2021 年。参考／農林水産省「漁業・養殖業生産統計」）

関連クイズ

北海道における漁獲量が、全国漁獲量の 99% を占めている魚は？
正しいものを◯で囲もう。

①マグロ　②サバ　③タイ　④ニシン

マメ知識　漁業がさかんな地域は、周囲を海で囲まれた北海道ほか、静岡県・三重県・千葉県・茨城県・宮城県など、太平洋側の県に多い傾向があります。

44

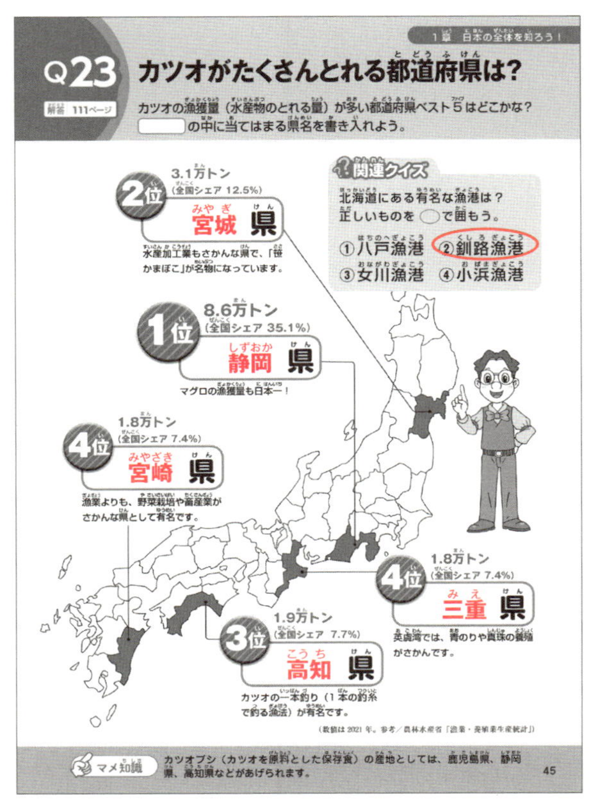
1章 日本の全体を知ろう！

Q23 カツオがたくさんとれる都道府県は？

解答 111ページ

カツオの漁獲量（水産物のとれる量）が多い都道府県ベスト5はどこかな？
　　の中に当てはまる県名を書き入れよう。

関連クイズ

北海道にある有名な漁港は？
正しいものを◯で囲もう。

①八戸漁港　②釧路漁港
③女川漁港　④小浜漁港

（数値は 2021 年。参考／農林水産省「漁業・養殖業生産統計」）

マメ知識　カツオブシ（カツオを原料とした保存食）の産地としては、鹿児島県、静岡県、高知県などがあげられます。

45

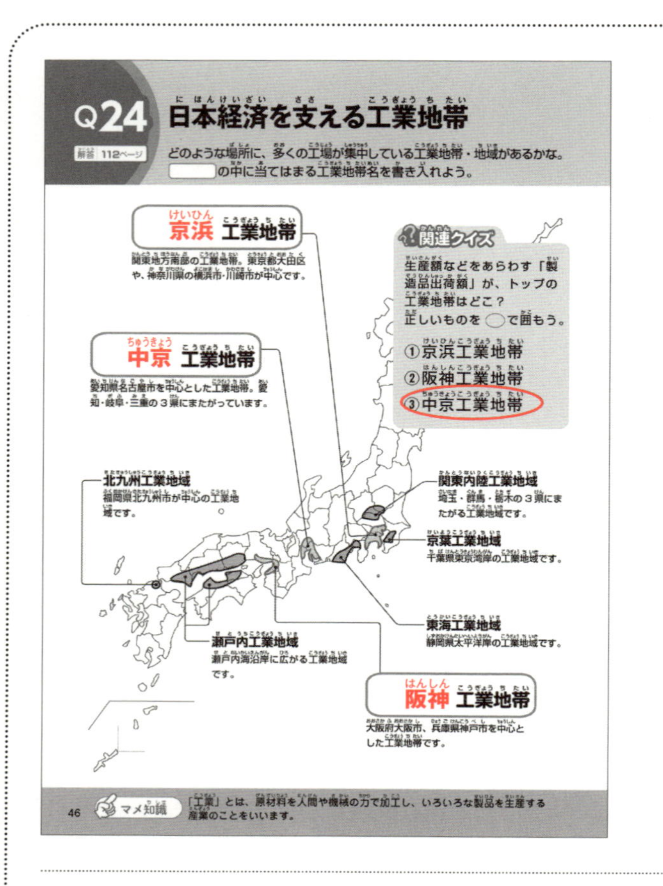
Q24 日本経済を支える工業地帯

解答 112ページ

どのような場所に、多くの工場が集中している工業地帯・地域があるかな。
[　　]の中に当てはまる工業地帯名を書き入れよう。

関連クイズ
生産額などをあらわす「製造品出荷額」が、トップの工業地帯はどこ？
正しいものを◯で囲もう。
①京浜工業地帯
②阪神工業地帯
③中京工業地帯

46 マメ知識 「工業」とは、原材料を人間や機械の力で加工し、いろいろな製品を生産する産業のことをいいます。

中京工業地帯の中でとくに工業がさかんな都市には、豊田市（愛知県）、名古屋市（愛知県）、四日市市（三重県）などがあるワン！

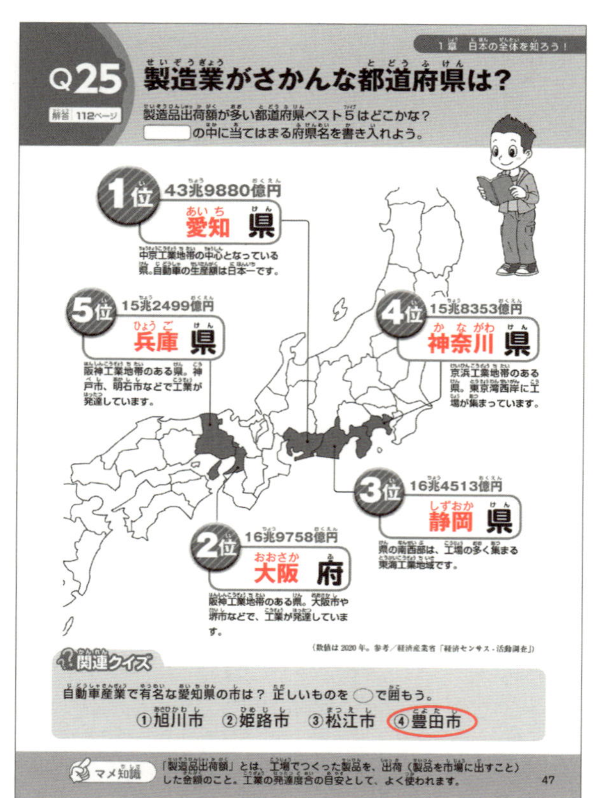
1章 日本の全体を知ろう！

Q25 製造業がさかんな都道府県は？

解答 112ページ

製造品出荷額が多い都道府県ベスト５はどこかな？
[　　]の中に当てはまる府県名を書き入れよう。

（数値は 2020 年。参考／経済産業省「経済センサス-活動調査」）

関連クイズ
自動車産業で有名な愛知県の市は？ 正しいものを◯で囲もう。
①旭川市 ②姫路市 ③松江市 ④豊田市

マメ知識 「製造品出荷額」とは、工場でつくった製品を、出荷（製品を市場に出すこと）した金額のこと。工業の発達度合の目安として、よく使われます。 47

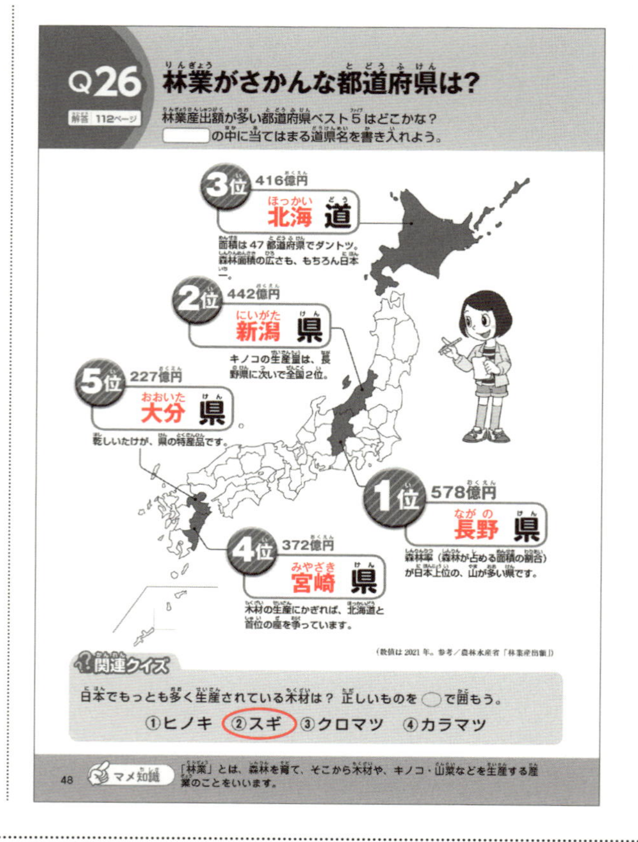
Q26 林業がさかんな都道府県は？

解答 112ページ

林業産出額が多い都道府県ベスト５はどこかな？
[　　]の中に当てはまる道県名を書き入れよう。

（数値は 2021 年。参考／農林水産省「林業産出額」）

関連クイズ
日本でもっとも多く生産されている木材は？ 正しいものを◯で囲もう。
①ヒノキ ②スギ ③クロマツ ④カラマツ

48 マメ知識 「林業」とは、森林を育て、そこから木材や、キノコ・山菜などを生産する産業のことをいいます。

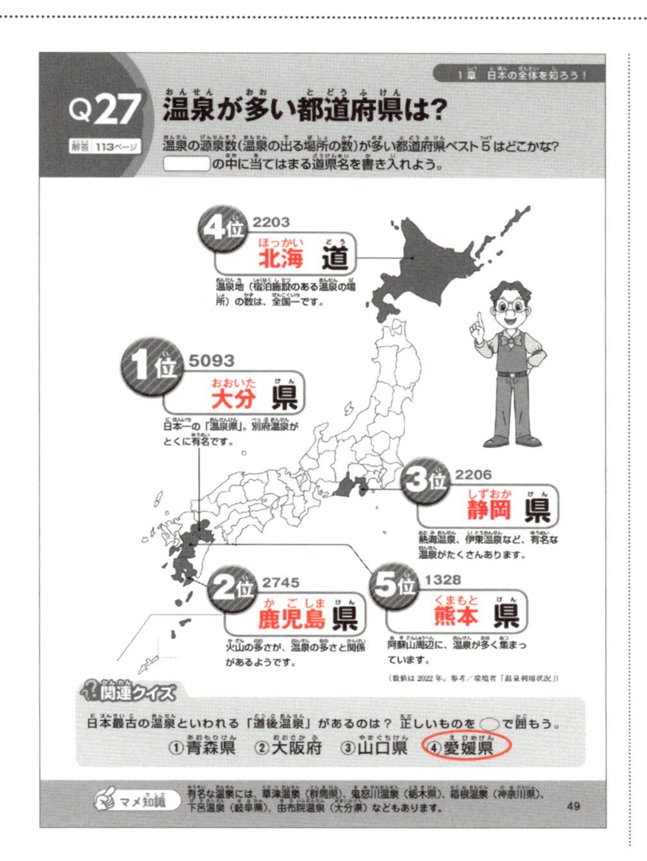

1章 日本の全体を知ろう！

Q27 温泉が多い都道府県は？

解答 113ページ

温泉の源泉数（温泉の出る場所の数）が多い都道府県ベスト5はどこかな？
［　］の中に当てはまる道県名を書き入れよう。

1位 5093 大分県
日本一の「温泉県」。別府温泉がとくに有名です。

2位 2745 鹿児島県
火山の多さが、温泉の多さと関係があるようです。

3位 2206 静岡県
熱海温泉、伊東温泉など、有名な温泉がたくさんあります。

4位 2203 北海道
温泉地（宿泊施設のある温泉の場所）の数は、全国一です。

5位 1328 熊本県
阿蘇山周辺に、温泉が多く集まっています。

（数値は2022年。参考／環境省「温泉利用状況」）

関連クイズ
日本最古の温泉といわれる「道後温泉」があるのは？ 正しいものを◯で囲もう。
①青森県 ②大阪府 ③山口県 ④愛媛県（正解：④愛媛県）

マメ知識 有名な温泉には、草津温泉（群馬県）、鬼怒川温泉（栃木県）、箱根温泉（神奈川県）、下呂温泉（岐阜県）、由布院温泉（大分県）などもあります。

49

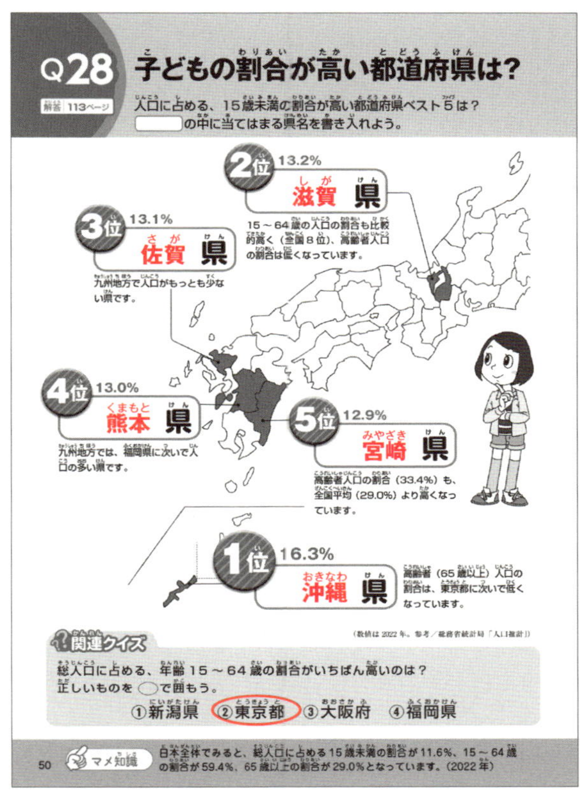

Q28 子どもの割合が高い都道府県は？

解答 113ページ

人口に占める、15歳未満の割合が高い都道府県ベスト5は？
［　］の中に当てはまる県名を書き入れよう。

1位 16.3% 沖縄県
高齢者（65歳以上）人口の割合は、東京都に次いで低くなっています。

2位 13.2% 滋賀県
15～64歳の人口の割合も比較的高く（全国8位）、高齢者人口の割合は低くなっています。

3位 13.1% 佐賀県
九州地方で人口がもっとも少ない県です。

4位 13.0% 熊本県
九州地方では、福岡県に次いで人口の多い県です。

5位 12.9% 宮崎県
高齢者人口の割合（33.4%）も、全国平均（29.0%）より高くなっています。

（数値は2022年。参考／総務省統計局「人口推計」）

関連クイズ
総人口に占める、年齢15～64歳の割合がいちばん高いのは？
正しいものを◯で囲もう。
①新潟県 ②東京都 ③大阪府 ④福岡県（正解：②東京都）

50

マメ知識 日本全体でみると、総人口に占める15歳未満の割合が11.6%、15～64歳の割合が59.4%、65歳以上の割合が29.0%となっています。（2022年）

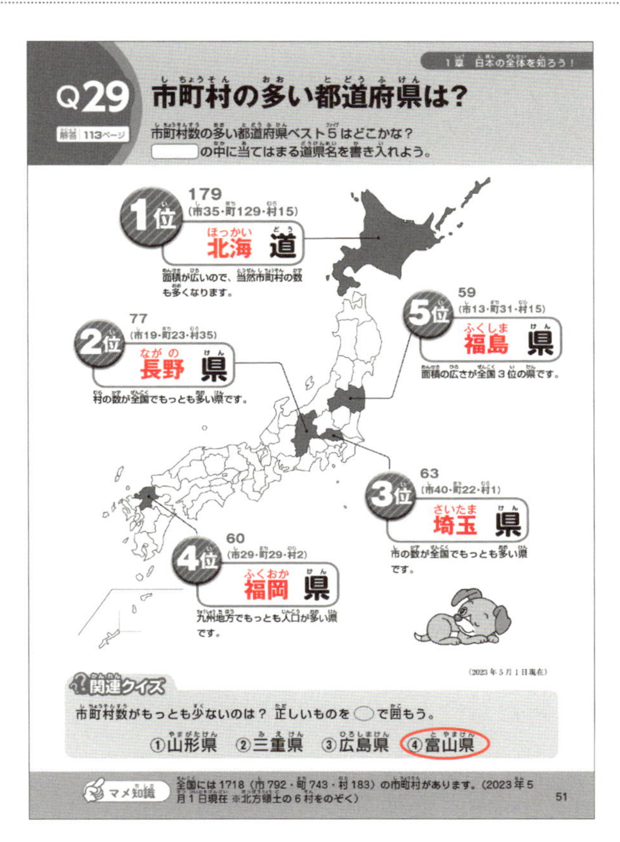

1章 日本の全体を知ろう！

Q29 市町村の多い都道府県は？

解答 113ページ

市町村数の多い都道府県ベスト5はどこかな？
［　］の中に当てはまる道県名を書き入れよう。

1位 179（市35・町129・村15）北海道
面積が広いので、当然市町村の数も多くなります。

2位 77（市19・町23・村35）長野県
村の数が全国でもっとも多い県です。

3位 63（市40・町22・村1）埼玉県
市の数が全国でもっとも多い県です。

4位 60（市29・町29・村2）福岡県
九州地方でもっとも人口が多い県です。

5位 59（市13・町31・村15）福島県
面積の広さが全国3位の県です。

（2023年5月1日現在）

関連クイズ
市町村数がもっとも少ないのは？ 正しいものを◯で囲もう。
①山形県 ②三重県 ③広島県 ④富山県（正解：④富山県）

マメ知識 全国には1718（市792・町743・村183）の市町村があります。（2023年5月1日現在 ※北方領土の6村をのぞく）

51

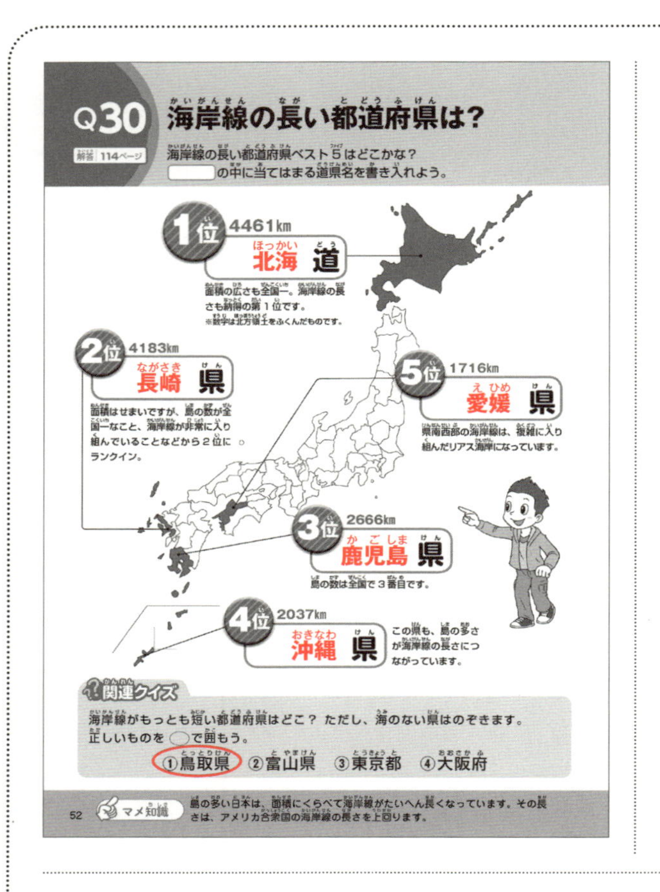

Q30 海岸線の長い都道府県は？

解答 114ページ

海岸線の長い都道府県ベスト５はどこかな？
［　　］の中に当てはまる道県名を書き入れよう。

1位 4461km 北海道
面積の広さも全国一。海岸線の長さも断然の第１位です。
※数字は北方領土をふくんだものです。

2位 4183km 長崎県
面積はせまいですが、島の数が全国一なこと、海岸線が非常に入り組んでいることなどから２位にランクイン。

5位 1716km 愛媛県
県南西部の海岸線は、複雑に入り組んだリアス海岸になっています。

3位 2666km 鹿児島県
島の数は全国で３番目です。

4位 2037km 沖縄県
この県も、島の多さが海岸線の長さにつながっています。

関連クイズ
海岸線がもっとも短い都道府県はどこ？　ただし、海のない県はのぞきます。
正しいものを◯で囲もう。
①鳥取県　②富山県　③東京都　④大阪府

52　マメ知識　島の多い日本は、面積にくらべて海岸線がたいへん長くなっています。その長さは、アメリカ合衆国の海岸線の長さを上回ります。

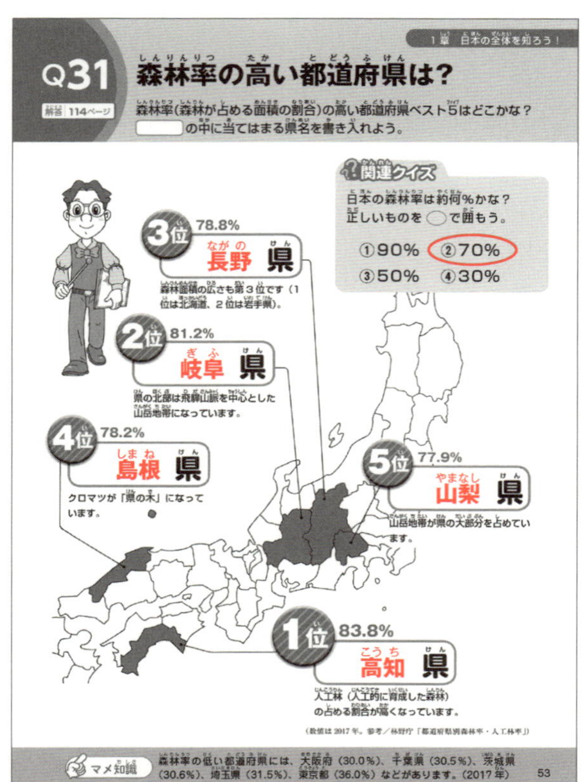

1章 日本の全体を知ろう！

Q31 森林率の高い都道府県は？

解答 114ページ

森林率（森林が占める面積の割合）の高い都道府県ベスト５はどこかな？
［　　］の中に当てはまる県名を書き入れよう。

関連クイズ
日本の森林率は約何％かな？
正しいものを◯で囲もう。
①90%　②70%
③50%　④30%

3位 78.8% 長野県
森林面積の広さも第３位です（１位は北海道、２位は岩手県）。

2位 81.2% 岐阜県
県の北部は飛騨山脈を中心とした山岳地帯になっています。

4位 78.2% 島根県
クロマツが「県の木」になっています。

5位 77.9% 山梨県
山岳地帯が県の大部分を占めています。

1位 83.8% 高知県
人工林（人工的に育成した森林）の占める割合が高くなっています。

（数値は 2017 年。参考／林野庁「都道府県別森林率・人工林率」）

マメ知識　森林率の低い都道府県には、大阪府（30.0％）、千葉県（30.5％）、茨城県（30.6％）、埼玉県（31.5％）、東京都（36.0％）などがあります。（2017 年）　53

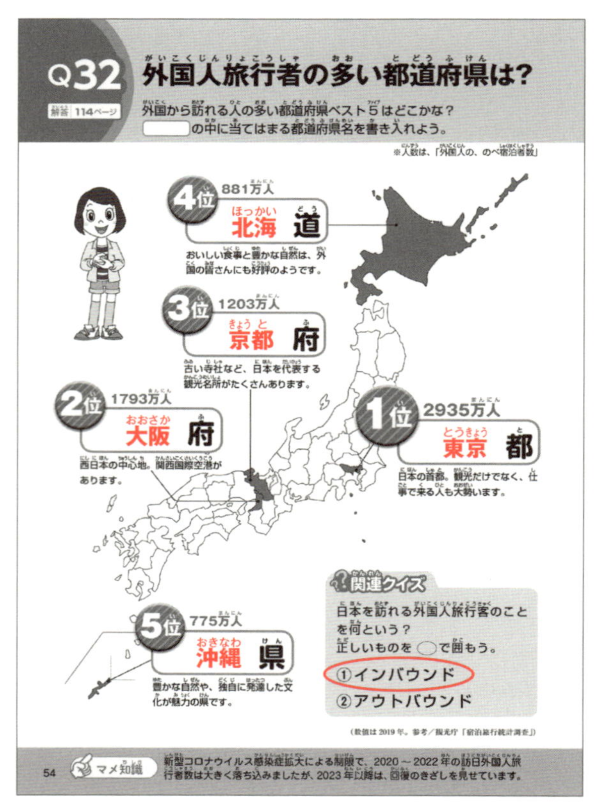

Q32 外国人旅行者の多い都道府県は？

解答 114ページ

外国から訪れる人の多い都道府県ベスト５はどこかな？
［　　］の中に当てはまる都道府県名を書き入れよう。

※人数は、「外国人の、のべ宿泊者数」

4位 881万人 北海道
おいしい食事と豊かな自然は、外国の皆さんにも好評のようです。

3位 1203万人 京都府
古い寺社など、日本を代表する観光名所がたくさんあります。

2位 1793万人 大阪府
西日本の中心地。関西国際空港があります。

1位 2935万人 東京都
日本の首都。観光だけでなく、仕事で来る人も大勢います。

関連クイズ
日本を訪れる外国人旅行客のことを何という？
正しいものを◯で囲もう。
①インバウンド
②アウトバウンド

5位 775万人 沖縄県
豊かな自然や、独自に発達した文化が魅力の県です。

（数値は 2019 年。参考／観光庁「宿泊旅行統計調査」）

54　マメ知識　新型コロナウイルス感染症拡大による制限で、2020～2022 年の訪日外国人旅行者数は大きく落ち込みましたが、2023 年以降は、回復のきざしを見せています。

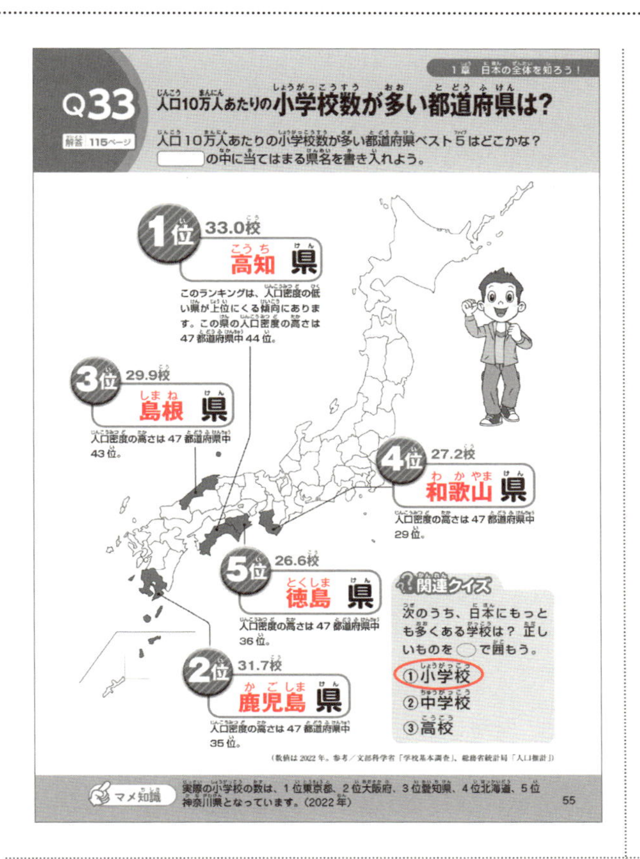

1章 日本の全体を知ろう！

Q33 人口10万人あたりの小学校数が多い都道府県は？

解答 115ページ

人口10万人あたりの小学校数が多い都道府県ベスト5はどこかな？
　の中に当てはまる県名を書き入れよう。

1位 33.0校 高知 県
このランキングは、人口密度の低い県が上位にくる傾向にあります。この県の人口密度の高さは47都道府県中44位。

3位 29.9校 島根 県
人口密度の高さは47都道府県中43位。

4位 27.2校 和歌山 県
人口密度の高さは47都道府県中29位。

5位 26.6校 徳島 県
人口密度の高さは47都道府県中36位。

2位 31.7校 鹿児島 県
人口密度の高さは47都道府県中35位。

関連クイズ
次のうち、日本にもっとも多くある学校は？ 正しいものを○で囲もう。
①小学校
②中学校
③高校

（数値は2022年。参考／文部科学省「学校基本調査」、総務省統計局「人口推計」）

マメ知識 実際の小学校の数は、1位東京都、2位大阪府、3位愛知県、4位北海道、5位神奈川県となっています。（2022年）

55

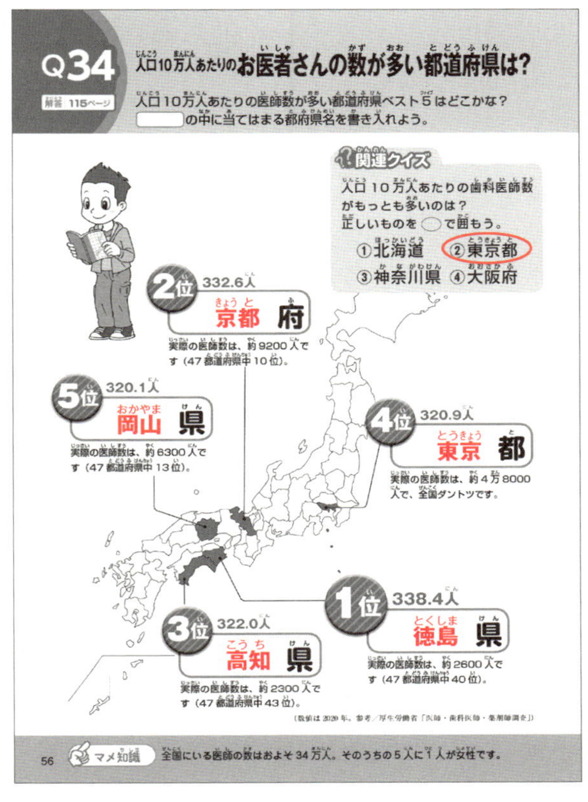

Q34 人口10万人あたりのお医者さんの数が多い都道府県は？

解答 115ページ

人口10万人あたりの医師数が多い都道府県ベスト5はどこかな？
　の中に当てはまる都府県名を書き入れよう。

関連クイズ
人口10万人あたりの歯科医師数がもっとも多いのは？
正しいものを○で囲もう。
①北海道 ②東京都
③神奈川県 ④大阪府

2位 332.6人 京都 府
実際の医師数は、約9200人です（47都道府県中10位）。

5位 320.1人 岡山 県
実際の医師数は、約6300人です（47都道府県中13位）。

4位 320.9人 東京 都
実際の医師数は、約4万8000人で、全国ダントツです。

1位 338.4人 徳島 県
実際の医師数は、約2600人です（47都道府県中40位）。

3位 322.0人 高知 県
実際の医師数は、約2300人です（47都道府県中43位）。

（数値は2020年。参考／厚生労働省「医師・歯科医師・薬剤師調査」）

56 マメ知識 全国にいる医師の数はおよそ34万人。そのうちの5人に1人が女性です。

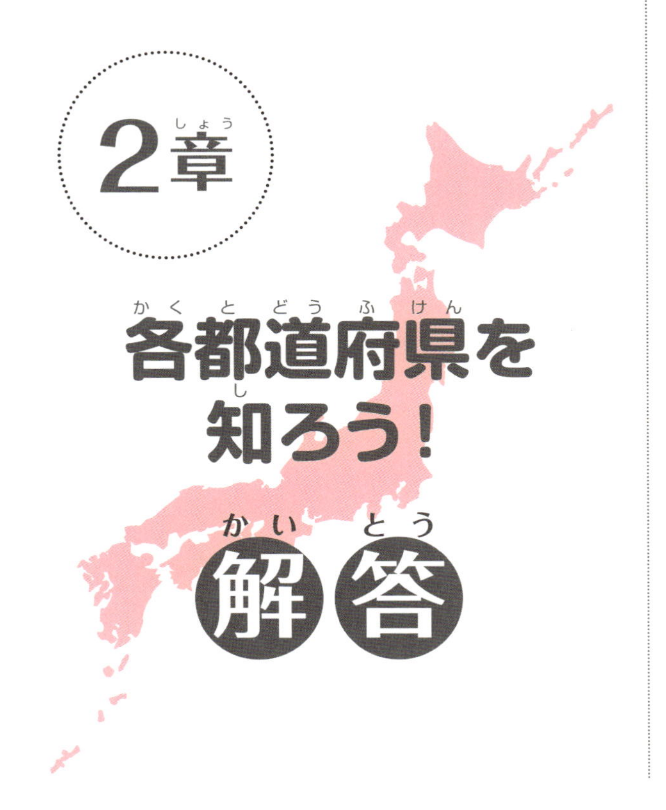

2章

各都道府県を知ろう！

解答

Q35 農業生産額はダントツ〔北海道〕

解答 115ページ

日本の最北端に位置する北海道のクイズに挑戦してみよう。

北海道データ（2022年）
◆地方区分：北海道地方
◆面積：8万3424km²（1位）
◆人口：514万人（8位）
◆人口密度：62人／km²（47位）
◆隣接都道府県（海上含む）：青森県

■ の中に当てはまる地名を入れよう。
●㋐は道庁所在地の 札幌 市。
●㋑の平野の名称は、十勝 平野。
●㋒の半島の名称は、知床 半島。

■正しいものを○で囲もう。

産業をチェック 北海道はどんな動物の飼養頭数が日本一？
①ブタ ②採卵鶏
③乳牛 ④肉用鶏

自然をチェック 次の北海道の湖のうち、マリモの生育地として有名な湖は？
①サロマ湖 ②支笏湖
③阿寒湖 ④摩周湖

名所をチェック 日本初の西洋式城郭で知られる、函館市の城跡「五稜郭」。上から見るとどんな形に見える？
①星形 ②ひし形
③だ円形 ④ハート形

郷土料理をチェック 次の北海道で多くとれる魚のうち、石狩地方の郷土料理「石狩鍋」に欠かせない魚といえば？
①サケ ②ニシン
③タラ ④ホッケ

58 マメ知識 北海道は多くの農産物や海産物の生産が日本一。農産物ではジャガイモ・タマネギ・小麦・テンサイ・トウモロコシ・ソバなどが、圧倒的な全国シェアを占めています。

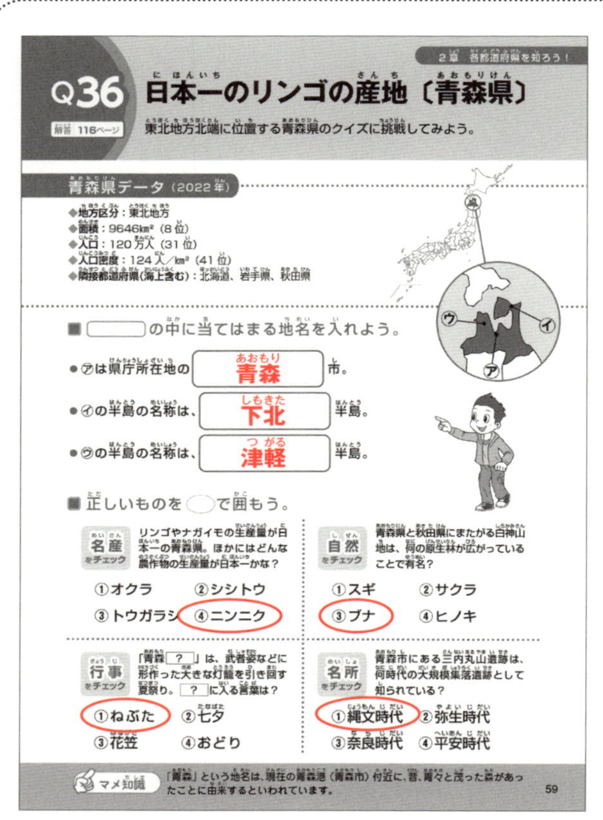

2章 各都道府県を知ろう！

Q36 日本一のリンゴの産地〔青森県〕

解答 116ページ

東北地方北端に位置する青森県のクイズに挑戦してみよう。

青森県データ（2022年）

- ◆地方区分：東北地方
- ◆面積：9646km²（8位）
- ◆人口：120万人（31位）
- ◆人口密度：124人／km²（41位）
- ◆隣接都道府県(海上含む)：北海道、岩手県、秋田県

■ ＿＿の中に当てはまる地名を入れよう。

- ㋐は県庁所在地の［青森］市。
- ㋑の半島の名称は、［下北］半島。
- ㋒の半島の名称は、［津軽］半島。

■ 正しいものを○で囲もう。

名産をチェック リンゴやナガイモの生産量が日本一の青森県。ほかにはどんな農作物の生産量が日本一かな？
①オクラ ②シシトウ ③トウガラシ ④ニンニク（正解：④）

自然をチェック 青森県と秋田県にまたがる白神山地は、何の原生林が広がっていることで有名？
①スギ ②サクラ ③ブナ ④ヒノキ（正解：③）

行事をチェック 「青森［？］」は、武者姿などに形作った大きな灯籠を引き回す夏祭り。［？］に入る言葉は？
①ねぶた ②七夕 ③花笠 ④おどり（正解：①）

名所をチェック 青森市にある三内丸山遺跡は、何時代の大規模集落遺跡として知られている？
①縄文時代 ②弥生時代 ③奈良時代 ④平安時代（正解：①）

マメ知識 「青森」という地名は、現在の青森港（青森市）付近に、昔、青々と茂った森があったことに由来するといわれています。

59

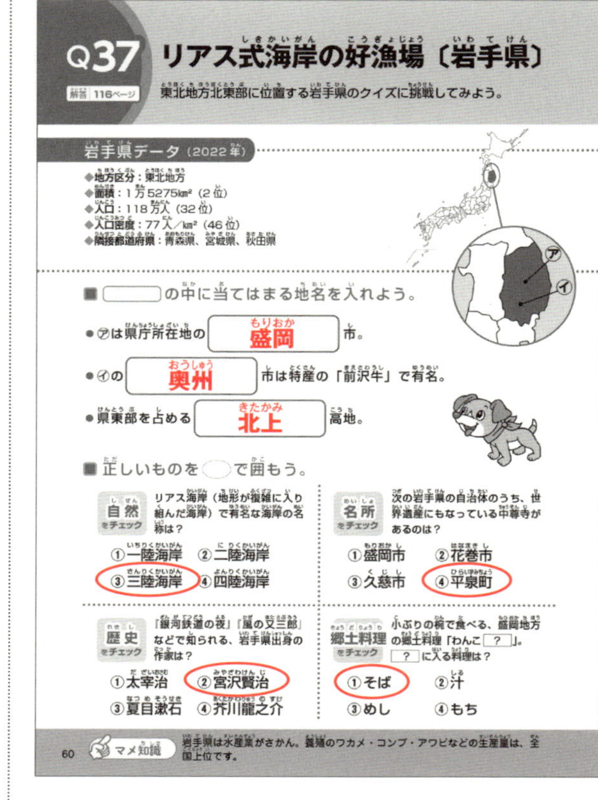

Q37 リアス式海岸の好漁場〔岩手県〕

解答 116ページ

東北地方北東部に位置する岩手県のクイズに挑戦してみよう。

岩手県データ（2022年）

- ◆地方区分：東北地方
- ◆面積：1万5275km²（2位）
- ◆人口：118万人（32位）
- ◆人口密度：77人／km²（46位）
- ◆隣接都道府県：青森県、宮城県、秋田県

■ ＿＿の中に当てはまる地名を入れよう。

- ㋐は県庁所在地の［盛岡］市。
- ㋑の［奥州］市は特産の「前沢牛」で有名。
- 県東部を占める［北上］高地。

■ 正しいものを○で囲もう。

自然をチェック リアス海岸（地形が複雑に入り組んだ海岸）で有名な海岸の名称は？
①一陸海岸 ②二陸海岸 ③三陸海岸 ④四陸海岸（正解：③）

名所をチェック 次の岩手県の自治体のうち、世界遺産にもなっている中尊寺があるのは？
①盛岡市 ②花巻市 ③久慈市 ④平泉町（正解：④）

歴史をチェック 『銀河鉄道の夜』『風の又三郎』などで知られる、岩手県出身の作家は？
①太宰治 ②宮沢賢治 ③夏目漱石 ④芥川龍之介（正解：②）

郷土料理をチェック 小ぶりの椀で食べる、盛岡地方の郷土料理「わんこ［？］」。［？］に入る料理は？
①そば ②汁 ③めし ④もち（正解：①）

60 マメ知識 岩手県は水産業がさかん。養殖のワカメ・コンブ・アワビなどの生産量は、全国上位です。

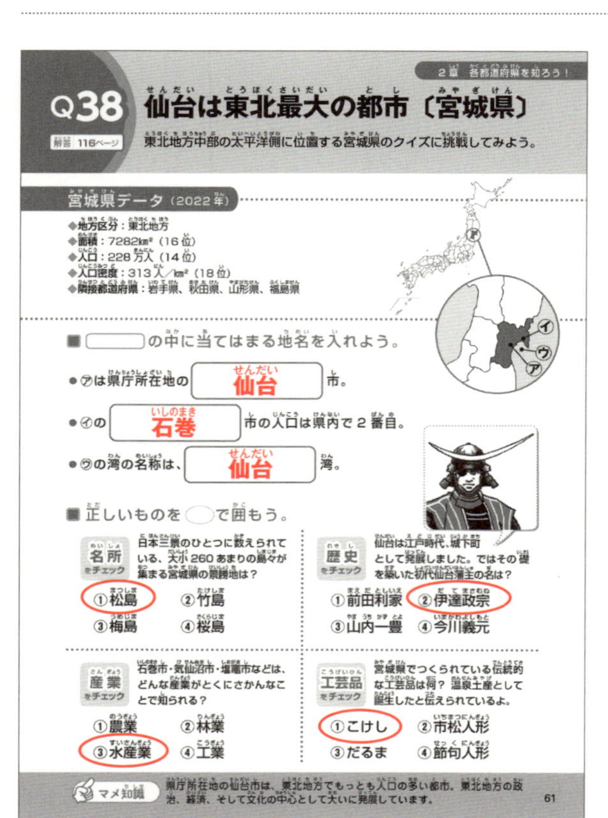

2章 各都道府県を知ろう！

Q38 仙台は東北最大の都市〔宮城県〕

解答 116ページ

東北地方中部の太平洋側に位置する宮城県のクイズに挑戦してみよう。

宮城県データ（2022年）

- ◆地方区分：東北地方
- ◆面積：7282km²（16位）
- ◆人口：228万人（14位）
- ◆人口密度：313人／km²（18位）
- ◆隣接都道府県：岩手県、秋田県、山形県、福島県

■ ＿＿の中に当てはまる地名を入れよう。

- ㋐は県庁所在地の［仙台］市。
- ㋑の［石巻］市の人口は県内で2番目。
- ㋒の湾の名称は、［仙台］湾。

■ 正しいものを○で囲もう。

名所をチェック 日本三景のひとつに数えられている、大小260あまりの島々が集まる宮城県の景勝地は？
①松島 ②竹島 ③梅島 ④桜島（正解：①）

歴史をチェック 仙台は江戸時代、城下町として発展しました。ではその礎を築いた初代仙台藩主の名は？
①前田利家 ②伊達政宗 ③山内一豊 ④今川義元（正解：②）

産業をチェック 石巻市・気仙沼市・塩竈市などは、どんな産業がとくにさかんなことで知られる？
①農業 ②林業 ③水産業 ④工業（正解：③）

工芸品をチェック 宮城県でつくられている伝統的な工芸品は何？ 温泉土産として誕生したと伝えられているよ。
①こけし ②市松人形 ③だるま ④節句人形（正解：①）

マメ知識 県庁所在地の仙台市は、東北地方でもっとも人口の多い都市。東北地方の政治、経済、そして文化の中心として大いに発展しています。

61

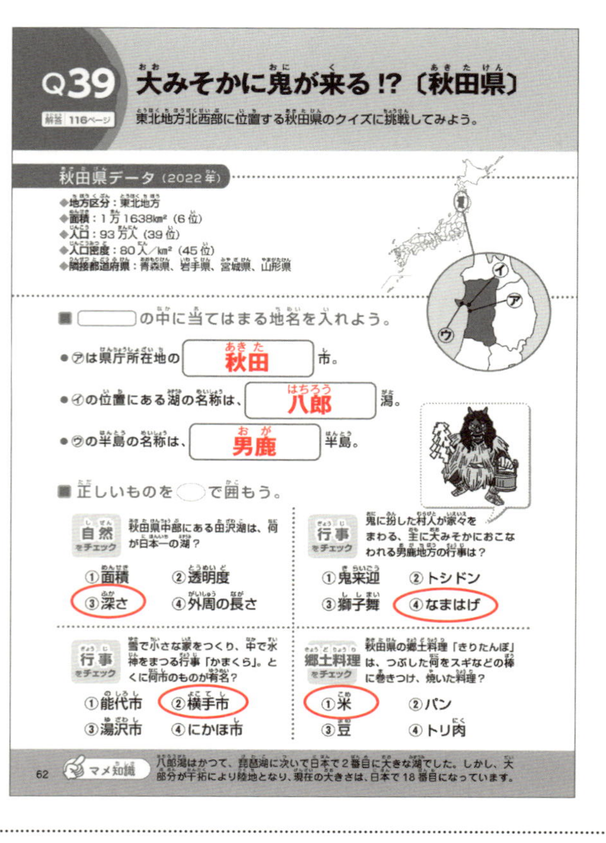

Q39 大みそかに鬼が来る!?〔秋田県〕

解答 116ページ

東北地方北西部に位置する秋田県のクイズに挑戦してみよう。

秋田県データ（2022年）

- ◆地方区分：東北地方
- ◆面積：1万1638km²（6位）
- ◆人口：93万人（39位）
- ◆人口密度：80人／km²（45位）
- ◆隣接都道府県：青森県、岩手県、宮城県、山形県

■ ＿＿の中に当てはまる地名を入れよう。

- ㋐は県庁所在地の［秋田］市。
- ㋑の位置にある湖の名称は、［八郎］潟。
- ㋒の半島の名称は、［男鹿］半島。

■ 正しいものを○で囲もう。

自然をチェック 秋田県中部にある田沢湖は、何が日本一の湖？
①面積 ②透明度 ③深さ ④外周の長さ（正解：③）

行事をチェック 鬼に扮した村人が家々をまわる、主に大みそかにおこなわれる男鹿地方の行事は？
①鬼来迎 ②トシドン ③獅子舞 ④なまはげ（正解：④）

行事をチェック 雪で小さな家をつくり、中で水神をまつる行事「かまくら」。とくに何市のものが有名？
①能代市 ②横手市 ③湯沢市 ④にかほ市（正解：②）

郷土料理をチェック 秋田県の郷土料理「きりたんぽ」は、つぶした何をスギなどの棒に巻きつけ、焼いた料理？
①米 ②パン ③豆 ④トリ肉（正解：①）

62 マメ知識 八郎潟はかつて、琵琶湖に次いで日本で2番目に大きな湖でした。しかし、大部分が干拓により陸地となり、現在の大きさは、日本で18番目になっています。

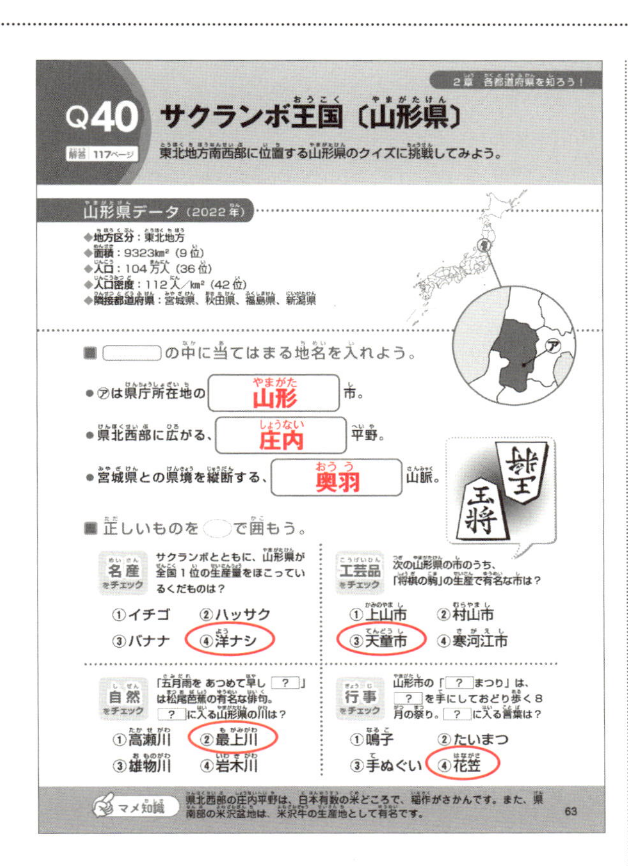

2章 各都道府県を知ろう！

Q40 サクランボ王国〔山形県〕

解答 117ページ

東北地方南西部に位置する山形県のクイズに挑戦してみよう。

山形県データ（2022年）

- ◆地方区分：東北地方
- ◆面積：9323km²（9位）
- ◆人口：104万人（36位）
- ◆人口密度：112人/km²（42位）
- ◆隣接都道府県：宮城県、秋田県、福島県、新潟県

■ □の中に当てはまる地名を入れよう。

- ●㋐は県庁所在地の［山形］市。
- ●県北西部に広がる、［庄内］平野。
- ●宮城県との県境を縦断する、［奥羽］山脈。

■ 正しいものを◯で囲もう。

名産をチェック　サクランボとともに、山形県が全国1位の生産量をほこっているくだものは？
①イチゴ　②ハッサク　③バナナ　**④洋ナシ**

工芸品をチェック　次の山形県の市のうち、「将棋の駒」の生産で有名な市は？
①上山市　②村山市　**③天童市**　④寒河江市

自然をチェック　「五月雨をあつめて早し［?］」は松尾芭蕉の有名な俳句。［?］に入る山形県の川は？
①高瀬川　**②最上川**　③雄物川　④岩木川

行事をチェック　山形市の「［?］まつり」は、［?］を手にしておどり歩く8月の祭り。［?］に入る言葉は？
①鳴子　②たいまつ　③手ぬぐい　**④花笠**

マメ知識　県北西部の庄内平野は、日本有数の米どころで、稲作がさかんです。また、県南部の米沢盆地は、米沢牛の生産地として有名です。

63

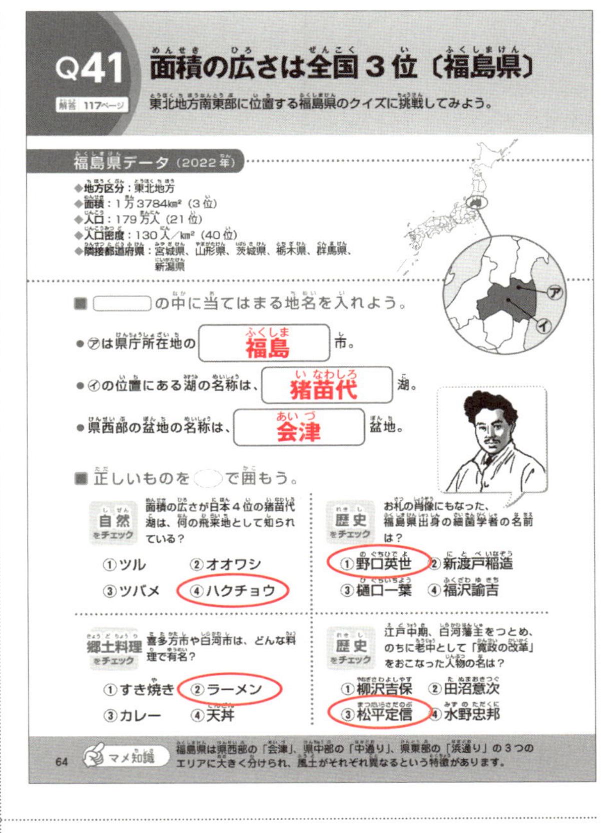

Q41 面積の広さは全国3位〔福島県〕

解答 117ページ

東北地方南東部に位置する福島県のクイズに挑戦してみよう。

福島県データ（2022年）

- ◆地方区分：東北地方
- ◆面積：1万3784km²（3位）
- ◆人口：179万人（21位）
- ◆人口密度：130人/km²（40位）
- ◆隣接都道府県：宮城県、山形県、茨城県、栃木県、群馬県、新潟県

■ □の中に当てはまる地名を入れよう。

- ●㋐は県庁所在地の［福島］市。
- ●㋑の位置にある湖の名称は、［猪苗代］湖。
- ●県西部の盆地の名称は、［会津］盆地。

■ 正しいものを◯で囲もう。

自然をチェック　面積の広さが日本4位の猪苗代湖は、何の飛来地として知られている？
①ツル　②オオワシ　③ツバメ　**④ハクチョウ**

歴史をチェック　お札の肖像にもなった、福島県出身の細菌学者の名前は？
①野口英世　②新渡戸稲造　③樋口一葉　④福沢諭吉

郷土料理をチェック　喜多方市や白河市は、どんな料理で有名？
①すき焼き　**②ラーメン**　③カレー　④天丼

歴史をチェック　江戸中期、白河藩主をつとめ、のちに老中として「寛政の改革」をおこなった人物の名は？
①柳沢吉保　②田沼意次　**③松平定信**　④水野忠邦

64　マメ知識　福島県は県西部の「会津」、県中部の「中通り」、県東部の「浜通り」の3つのエリアに大きく分けられ、風土がそれぞれ異なるという特徴があります。

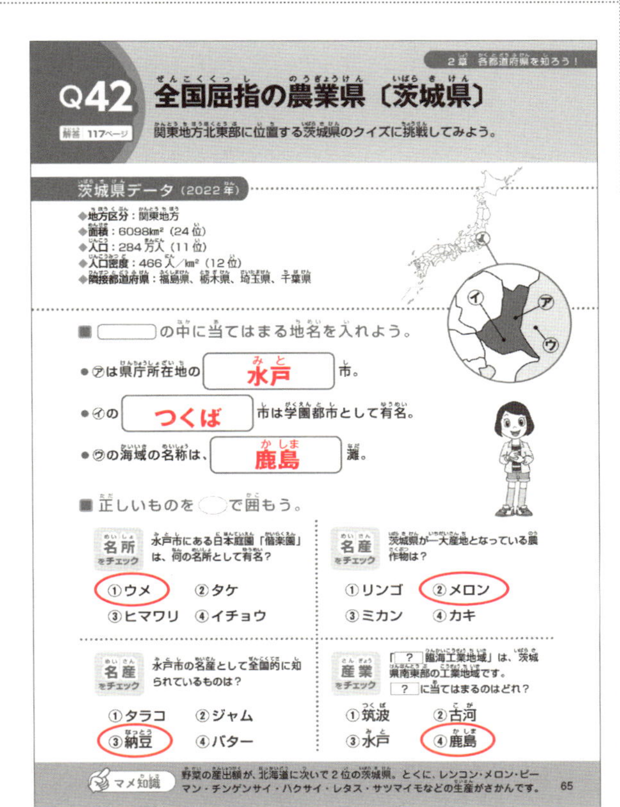

2章 各都道府県を知ろう！

Q42 全国屈指の農業県〔茨城県〕

解答 117ページ

関東地方北東部に位置する茨城県のクイズに挑戦してみよう。

茨城県データ（2022年）

- ◆地方区分：関東地方
- ◆面積：6098km²（24位）
- ◆人口：284万人（11位）
- ◆人口密度：466人/km²（12位）
- ◆隣接都道府県：福島県、栃木県、埼玉県、千葉県

■ □の中に当てはまる地名を入れよう。

- ●㋐は県庁所在地の［水戸］市。
- ●㋑の［つくば］市は学園都市として有名。
- ●㋒の海域の名称は、［鹿島］灘。

■ 正しいものを◯で囲もう。

名所をチェック　水戸市にある日本庭園「偕楽園」は、何の名所として有名？
①ウメ　②タケ　③ヒマワリ　④イチョウ

名産をチェック　茨城県が一大産地となっている農作物は？
①リンゴ　**②メロン**　③ミカン　④カキ

名産をチェック　水戸市の名産として全国的に知られているものは？
①タラコ　②ジャム　**③納豆**　④バター

産業をチェック　「［?］臨海工業地域」は、茨城県南東部の工業地域です。［?］に当てはまるのはどれ？
①筑波　②古河　③水戸　**④鹿島**

マメ知識　野菜の産出額が、北海道に次いで2位の茨城県。とくに、レンコン・メロン・ピーマン・チンゲンサイ・ハクサイ・レタス・サツマイモなどの生産がさかんです。

65

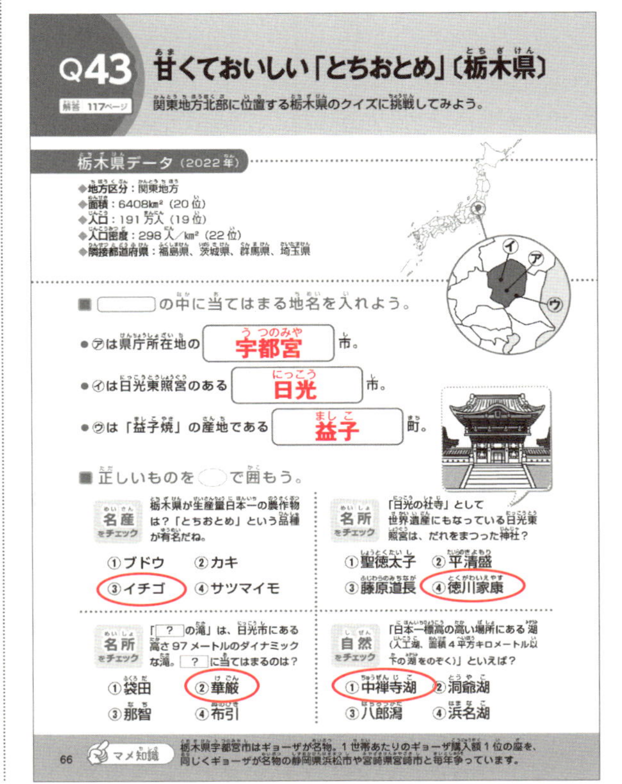

Q43 甘くておいしい「とちおとめ」〔栃木県〕

解答 117ページ

関東地方北部に位置する栃木県のクイズに挑戦してみよう。

栃木県データ（2022年）

- ◆地方区分：関東地方
- ◆面積：6408km²（20位）
- ◆人口：191万人（19位）
- ◆人口密度：298人/km²（22位）
- ◆隣接都道府県：福島県、茨城県、群馬県、埼玉県

■ □の中に当てはまる地名を入れよう。

- ●㋐は県庁所在地の［宇都宮］市。
- ●㋑は日光東照宮のある［日光］市。
- ●㋒は「益子焼」の産地である［益子］町。

■ 正しいものを◯で囲もう。

名産をチェック　栃木県が生産量日本一の農作物は？「とちおとめ」という品種が有名だね。
①ブドウ　②カキ　**③イチゴ**　④サツマイモ

名所をチェック　「日光の社寺」として世界遺産にもなっている日光東照宮は、だれをまつった神社？
①聖徳太子　②平清盛　③藤原道長　**④徳川家康**

名所をチェック　「［?］の滝」は、日光市にある高さ97メートルのダイナミックな滝。［?］に当てはまるのは？
①袋田　**②華厳**　③那智　④布引

自然をチェック　「日本一標高の高い場所にある湖（人工湖、面積4平方キロメートル以下の湖をのぞく）」といえば？
①中禅寺湖　②洞爺湖　③八郎潟　④浜名湖

66　マメ知識　栃木県宇都宮市はギョーザが名物。1世帯あたりのギョーザ購入額1位の座を、同じくギョーザが名物の静岡県浜松市や宮崎県宮崎市と毎年争っています。

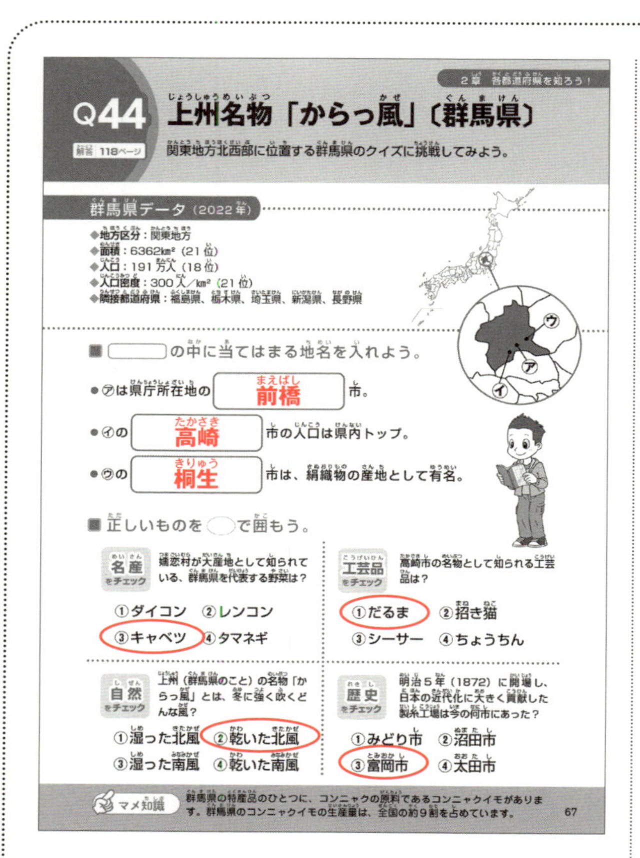

Q44 上州名物「からっ風」〔群馬県〕

解答 118ページ

関東地方北西部に位置する群馬県のクイズに挑戦してみよう。

群馬県データ（2022年）

- 地方区分：関東地方
- 面積：6362km²（21位）
- 人口：191万人（18位）
- 人口密度：300人/km²（21位）
- 隣接都道府県：福島県、栃木県、埼玉県、新潟県、長野県

■ □の中に当てはまる地名を入れよう。

- ㋐は県庁所在地の 前橋 市。
- ㋑の 高崎 市の人口は県内トップ。
- ㋒の 桐生 市は、絹織物の産地として有名。

■ 正しいものを○で囲もう。

名産をチェック 嬬恋村が大産地として知られている、群馬県を代表する野菜は？
①ダイコン ②レンコン ③キャベツ ④タマネギ

工芸品をチェック 高崎市の名物として知られる工芸品は？
①だるま ②招き猫 ③シーサー ④ちょうちん

自然をチェック 上州（群馬県のこと）の名物「からっ風」とは、冬に強く吹くどんな風？
①湿った北風 ②乾いた北風 ③湿った南風 ④乾いた南風

歴史をチェック 明治5年（1872）に開場し、日本の近代化に大きく貢献した製糸工場は今の何市にあった？
①みどり市 ②沼田市 ③富岡市 ④太田市

マメ知識 群馬県の特産品のひとつに、コンニャクの原料であるコンニャクイモがあります。群馬県のコンニャクイモの生産量は、全国の約9割を占めています。

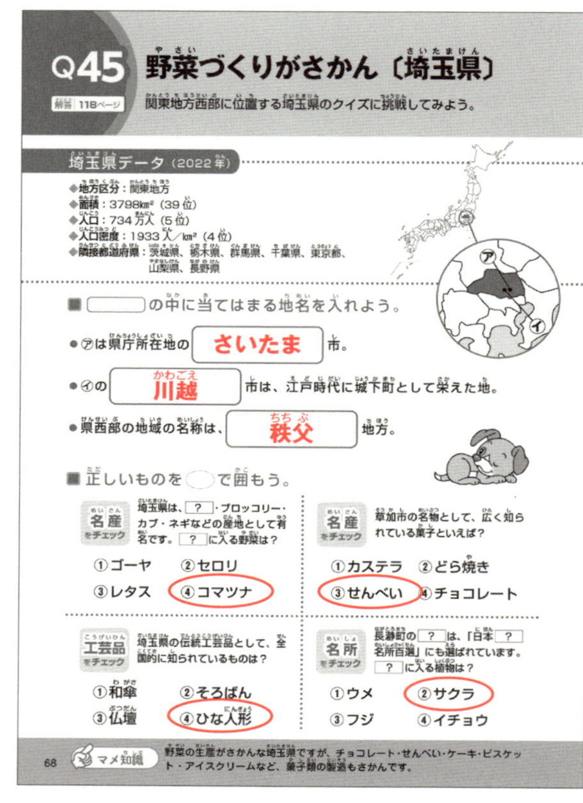

Q45 野菜づくりがさかん〔埼玉県〕

解答 118ページ

関東地方西部に位置する埼玉県のクイズに挑戦してみよう。

埼玉県データ（2022年）

- 地方区分：関東地方
- 面積：3798km²（39位）
- 人口：734万人（5位）
- 人口密度：1933人/km²（4位）
- 隣接都道府県：茨城県、栃木県、群馬県、千葉県、東京都、山梨県、長野県

■ □の中に当てはまる地名を入れよう。

- ㋐は県庁所在地の さいたま 市。
- ㋑の 川越 市は、江戸時代に城下町として栄えた地。
- 県西部の地域の名称は、 秩父 地方。

■ 正しいものを○で囲もう。

名産をチェック 埼玉県は、？・ブロッコリー・カブ・ネギなどの産地として有名です。？に入る野菜は？
①ゴーヤ ②セロリ ③レタス ④コマツナ

名産をチェック 草加市の名物として、広く知られている菓子といえば？
①カステラ ②どら焼き ③せんべい ④チョコレート

工芸品をチェック 埼玉県の伝統工芸品として、全国的に知られているものは？
①和傘 ②そろばん ③仏壇 ④ひな人形

名所をチェック 長瀞町の？は、「日本？名所百選」にも選ばれています。？に入る植物は？
①ウメ ②サクラ ③フジ ④イチョウ

マメ知識 野菜の生産がさかんな埼玉県ですが、チョコレート・せんべい・ケーキ・ビスケット・アイスクリームなど、菓子類の製造もさかんです。

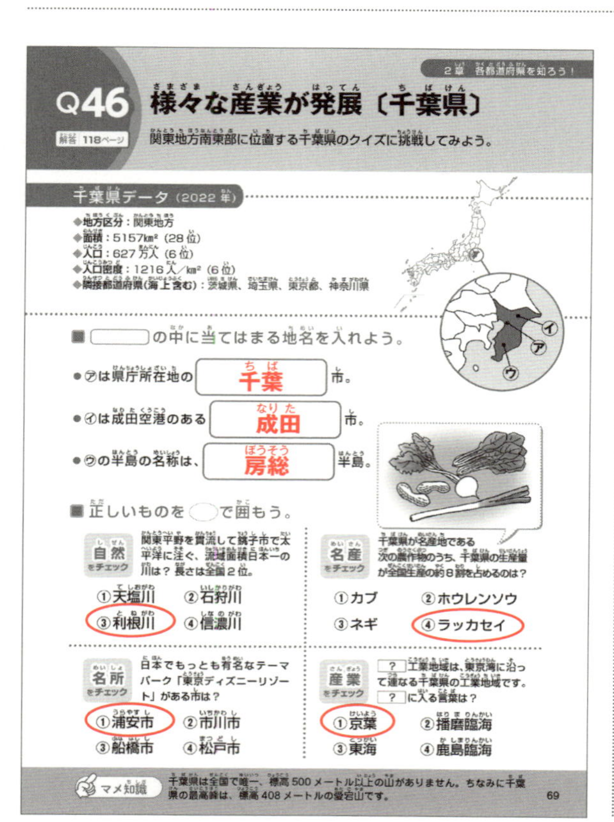

Q46 様々な産業が発展〔千葉県〕

解答 118ページ

関東地方南東部に位置する千葉県のクイズに挑戦してみよう。

千葉県データ（2022年）

- 地方区分：関東地方
- 面積：5157km²（28位）
- 人口：627万人（6位）
- 人口密度：1216人/km²（6位）
- 隣接都道府県（海上含む）：茨城県、埼玉県、東京都、神奈川県

■ □の中に当てはまる地名を入れよう。

- ㋐は県庁所在地の 千葉 市。
- ㋑は成田空港のある 成田 市。
- ㋒の半島の名称は、 房総 半島。

■ 正しいものを○で囲もう。

自然をチェック 関東平野を貫流して銚子市で太平洋に注ぐ、流域面積日本一の川は？ 長さは全国2位。
①天塩川 ②石狩川 ③利根川 ④信濃川

名産をチェック 千葉県が名産地である次の農作物のうち、千葉県の生産量が全国生産量の約8割を占めるのは？
①カブ ②ホウレンソウ ③ネギ ④ラッカセイ

名所をチェック 日本でもっとも有名なテーマパーク「東京ディズニーリゾート」がある市は？
①浦安市 ②市川市 ③船橋市 ④松戸市

産業をチェック ？工業地域は、東京湾に沿って連なる千葉県の工業地域です。？に入る言葉は？
①京葉 ②播磨臨海 ③東海 ④鹿島臨海

マメ知識 千葉県は全国で唯一、標高500メートル以上の山がありません。ちなみに千葉県の最高峰は、標高408メートルの愛宕山です。

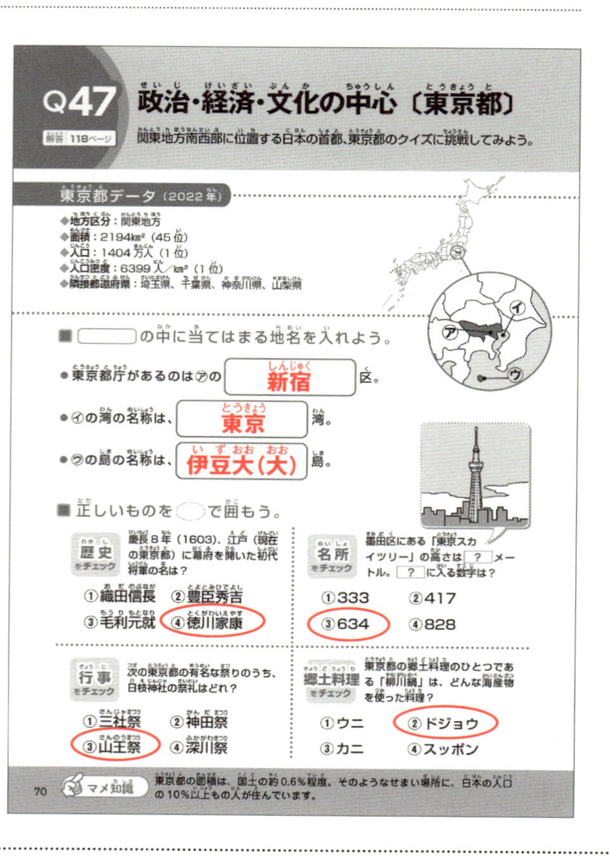

Q47 政治・経済・文化の中心〔東京都〕

解答 118ページ

関東地方南西部に位置する日本の首都、東京都のクイズに挑戦してみよう。

東京都データ（2022年）

- 地方区分：関東地方
- 面積：2194km²（45位）
- 人口：1404万人（1位）
- 人口密度：6399人/km²（1位）
- 隣接都道府県：埼玉県、千葉県、神奈川県、山梨県

■ □の中に当てはまる地名を入れよう。

- 東京都庁があるのは㋐の 新宿 区。
- ㋑の湾の名称は、 東京 湾。
- ㋒の島の名称は、 伊豆大（大） 島。

■ 正しいものを○で囲もう。

歴史をチェック 慶長8年（1603）、江戸（現在の東京都）に幕府を開いた初代将軍の名は？
①織田信長 ②豊臣秀吉 ③毛利元就 ④徳川家康

名所をチェック 墨田区にある「東京スカイツリー」の高さは？メートル。？に入る数字は？
①333 ②417 ③634 ④828

行事をチェック 次の東京都の有名な祭りのうち、日枝神社の祭礼はどれ？
①三社祭 ②神田祭 ③山王祭 ④深川祭

郷土料理をチェック 東京都の郷土料理のひとつである「柳川鍋」は、どんな淡水魚を使った料理？
①ウニ ②ドジョウ ③カニ ④スッポン

マメ知識 東京都の面積は、国土の約0.6％程度。そのようなせまい場所に、日本の人口の10％以上もの人が住んでいます。

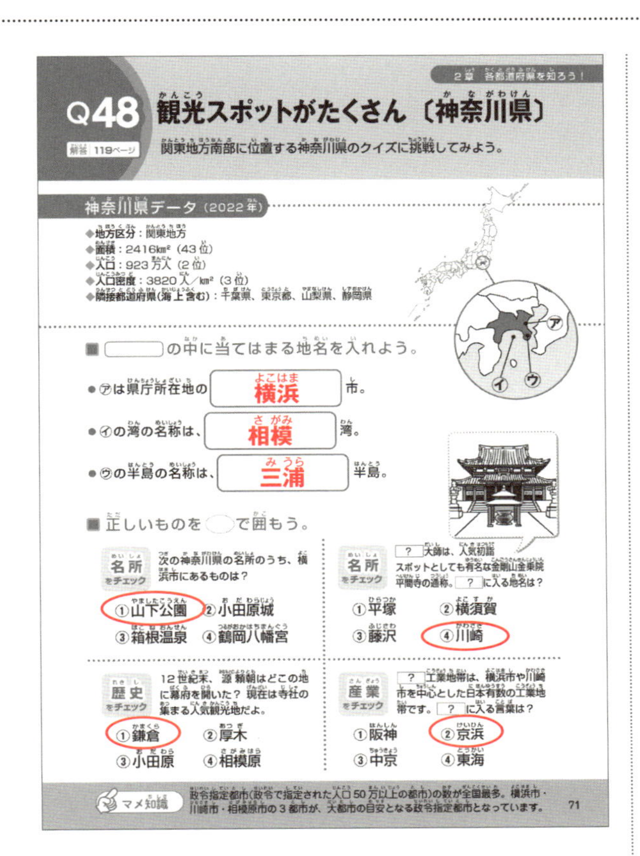

2章 各都道府県を知ろう！

Q48 観光スポットがたくさん〔神奈川県〕

解答 119ページ

関東地方南部に位置する神奈川県のクイズに挑戦してみよう。

神奈川県データ（2022年）

◆地方区分：関東地方
◆面積：2416km²（43位）
◆人口：923万人（2位）
◆人口密度：3820人/km²（3位）
◆隣接都道府県(海上含む)：千葉県、東京都、山梨県、静岡県

■ □の中に当てはまる地名を入れよう。

- ㋐は県庁所在地の **横浜** 市。
- ㋑の湾の名称は、**相模** 湾。
- ㋒の半島の名称は、**三浦** 半島。

■ 正しいものを○で囲もう。

名所をチェック　次の神奈川県の名所のうち、横浜市にあるものは？
①山下公園　②小田原城　③箱根温泉　④鶴岡八幡宮

名所をチェック　？大師は、人気初詣スポットとしても有名な金剛山金乗院平間寺の通称。？に入る地名は？
①平塚　②横須賀　③藤沢　**④川崎**

歴史をチェック　12世紀末、源頼朝はどこの地に幕府を開いた？　現在は寺社の集まる人気観光地だよ。
①鎌倉　②厚木　③小田原　④相模原

産業をチェック　？工業地帯は、横浜市や川崎市を中心とした日本有数の工業地帯です。？に入る言葉は？
①阪神　**②京浜**　③中京　④東海

マメ知識　政令指定都市(政令で指定された人口50万以上の都市)の数が全国最多。横浜市・川崎市・相模原市の3都市が、大都市の目安となる政令指定都市となっています。

71

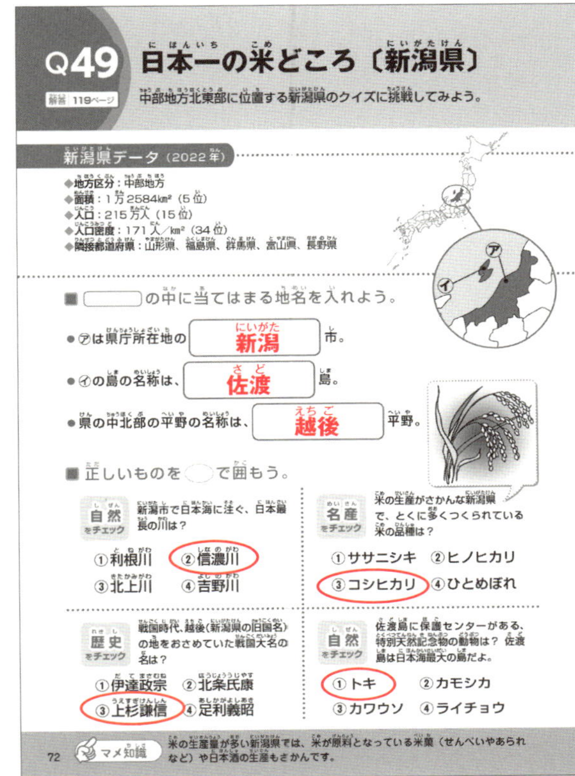

Q49 日本一の米どころ〔新潟県〕

解答 119ページ

中部地方北東部に位置する新潟県のクイズに挑戦してみよう。

新潟県データ（2022年）

◆地方区分：中部地方
◆面積：1万2584km²（5位）
◆人口：215万人（15位）
◆人口密度：171人/km²（34位）
◆隣接都道府県：山形県、福島県、群馬県、富山県、長野県

■ □の中に当てはまる地名を入れよう。

- ㋐は県庁所在地の **新潟** 市。
- ㋑の島の名称は、**佐渡** 島。
- 県の中北部の平野の名称は、**越後** 平野。

■ 正しいものを○で囲もう。

自然をチェック　新潟市で日本海に注ぐ、日本最長の川は？
①利根川　**②信濃川**　③北上川　④吉野川

名産をチェック　米の生産がさかんな新潟県で、とくに多くつくられている米の品種は？
①ササニシキ　②ヒノヒカリ　**③コシヒカリ**　④ひとめぼれ

歴史をチェック　戦国時代、越後(新潟県の旧国名)の地をおさめていた戦国大名の名は？
①伊達政宗　②北条氏康　**③上杉謙信**　④足利義昭

自然をチェック　佐渡島に保護センターがある、特別天然記念物の動物は？　佐渡島は日本海最大の島だよ。
①トキ　②カモシカ　③カワウソ　④ライチョウ

72

マメ知識　米の生産量が多い新潟県では、米が原料となっている米菓（せんべいやあられなど）や日本酒の生産もさかんです。

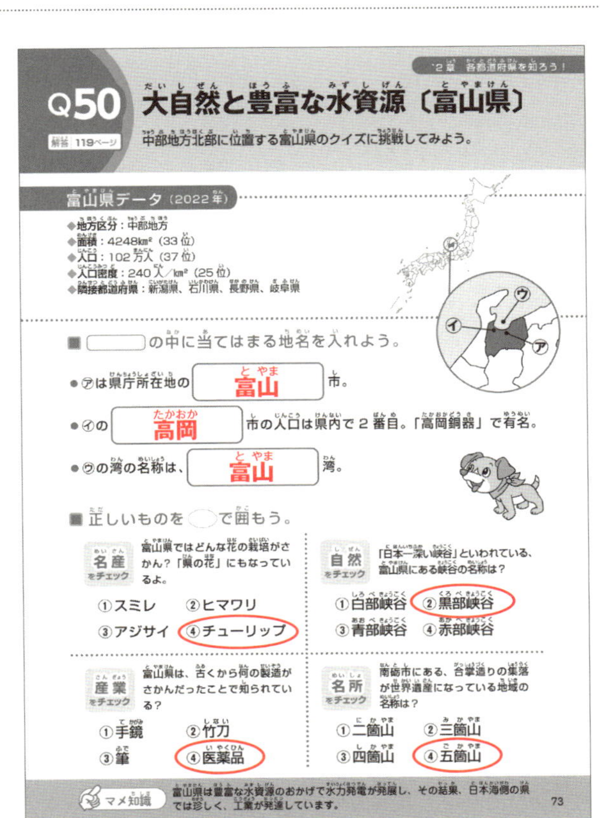

2章 各都道府県を知ろう！

Q50 大自然と豊富な水資源〔富山県〕

解答 119ページ

中部地方北部に位置する富山県のクイズに挑戦してみよう。

富山県データ（2022年）

◆地方区分：中部地方
◆面積：4248km²（33位）
◆人口：102万人（37位）
◆人口密度：240人/km²（25位）
◆隣接都道府県：新潟県、石川県、長野県、岐阜県

■ □の中に当てはまる地名を入れよう。

- ㋐は県庁所在地の **富山** 市。
- ㋑の **高岡** 市の人口は県内で2番目。「高岡銅器」で有名。
- ㋒の湾の名称は、**富山** 湾。

■ 正しいものを○で囲もう。

名産をチェック　富山県ではどんな花の栽培がさかん？「県の花」にもなっているよ。
①スミレ　②ヒマワリ　③アジサイ　**④チューリップ**

自然をチェック　「日本一深い峡谷」といわれている、富山県にある峡谷の名称は？
①白部峡谷　**②黒部峡谷**　③青部峡谷　④赤部峡谷

産業をチェック　富山県は、古くから何の製造がさかんだったことで知られている？
①手鏡　②竹刀　③筆　**④医薬品**

名所をチェック　南砺市にある、合掌造りの集落が世界遺産になっている地域の名称は？
①二箇山　②三箇山　③四箇山　**④五箇山**

マメ知識　富山県は豊富な水資源のおかげで水力発電が発展し、その結果、日本海側の県では珍しく、工業が発達しています。

73

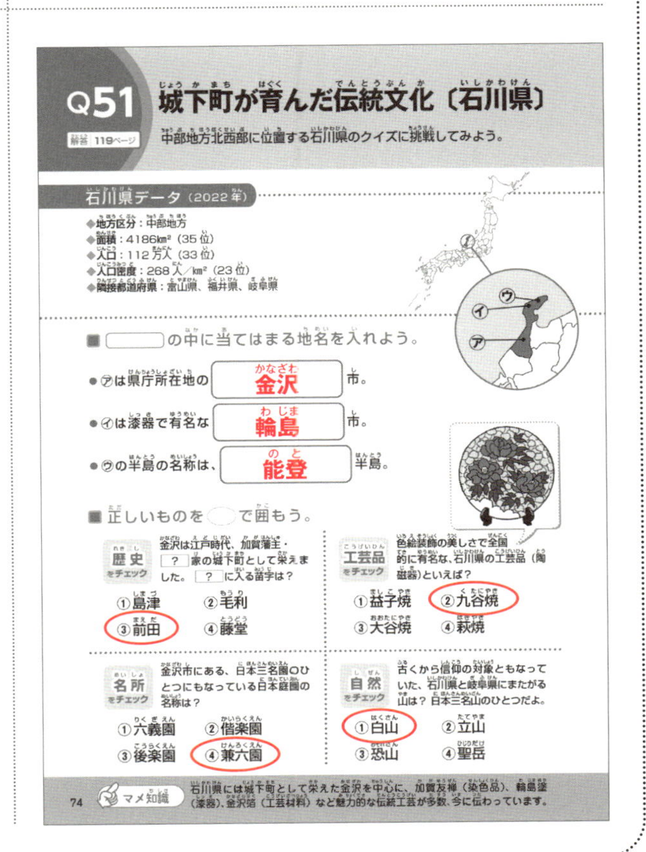

Q51 城下町が育んだ伝統文化〔石川県〕

解答 119ページ

中部地方北西部に位置する石川県のクイズに挑戦してみよう。

石川県データ（2022年）

◆地方区分：中部地方
◆面積：4186km²（35位）
◆人口：112万人（33位）
◆人口密度：268人/km²（23位）
◆隣接都道府県：富山県、福井県、岐阜県

■ □の中に当てはまる地名を入れよう。

- ㋐は県庁所在地の **金沢** 市。
- ㋑は漆器で有名な **輪島** 市。
- ㋒の半島の名称は、**能登** 半島。

■ 正しいものを○で囲もう。

歴史をチェック　金沢は江戸時代、加賀藩主・？家の城下町として栄えました。？に入る苗字は？
①島津　②毛利　**③前田**　④藤堂

工芸品をチェック　色絵装飾の美しさで全国的に有名な、石川県の工芸品（陶磁器）といえば？
①益子焼　**②九谷焼**　③大谷焼　④萩焼

名所をチェック　金沢市にある、日本三名園のひとつにもなっている日本庭園の名称は？
①六義園　②偕楽園　③後楽園　**④兼六園**

自然をチェック　古くから信仰の対象ともなっていた、石川県と岐阜県にまたがる山は？　日本三名山のひとつだよ。
①白山　②立山　③恐山　④聖岳

74

マメ知識　石川県には城下町として栄えた金沢を中心に、加賀友禅（染色品）、輪島塗（漆器）、金沢箔（工芸材料）など魅力的な伝統工芸が多数、今に伝わっています。

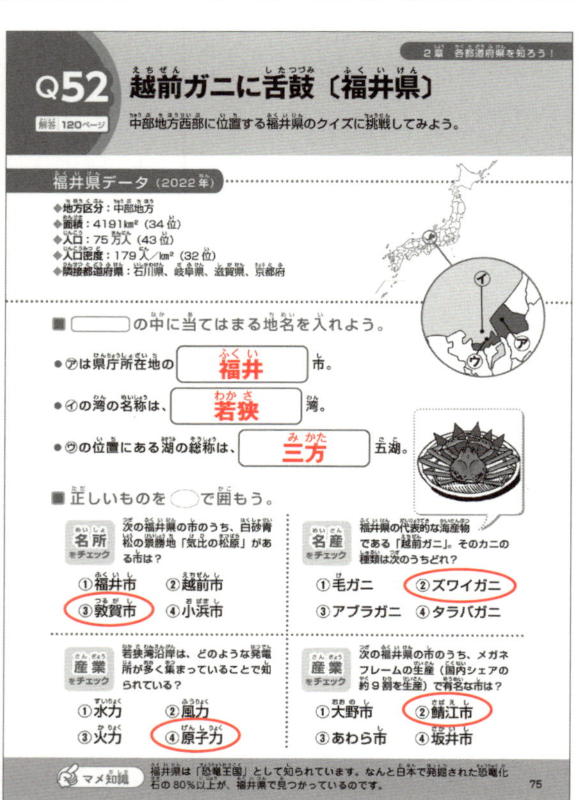

2章 各都道府県を知ろう！

Q52 越前ガニに舌鼓〔福井県〕

解答 120ページ

中部地方西部に位置する福井県のクイズに挑戦してみよう。

福井県データ（2022年）

◆地方区分：中部地方
◆面積：4191km²（34位）
◆人口：75万人（43位）
◆人口密度：179人／km²（32位）
◆隣接都道府県：石川県、岐阜県、滋賀県、京都府

■ □の中に当てはまる地名を入れよう。

- ㋐は県庁所在地の **福井** 市。
- ㋑の湾の名称は、**若狭** 湾。
- ㋒の位置にある湖の総称は、**三方** 五湖。

■ 正しいものを○で囲もう。

名所をチェック：次の福井県の市のうち、日本三大松原の景勝地「気比の松原」がある市は？
①福井市 ②越前市 **③敦賀市** ④小浜市

名産をチェック：福井県の代表的な海産物である「越前ガニ」。そのカニの種類は次のうちどれ？
①毛ガニ **②ズワイガニ** ③アブラガニ ④タラバガニ

産業をチェック：若狭湾沿岸は、どのような発電所が多く集まっていることで知られている？
①水力 ②風力 ③火力 **④原子力**

産業をチェック：次の福井県の市のうち、メガネフレームの生産（国内シェアの約9割を生産）で有名な市は？
①大野市 **②鯖江市** ③あわら市 ④坂井市

マメ知識 福井県は「恐竜王国」として知られています。なんと日本で発掘された恐竜化石の80%以上が、福井県で見つかっているのです。 75

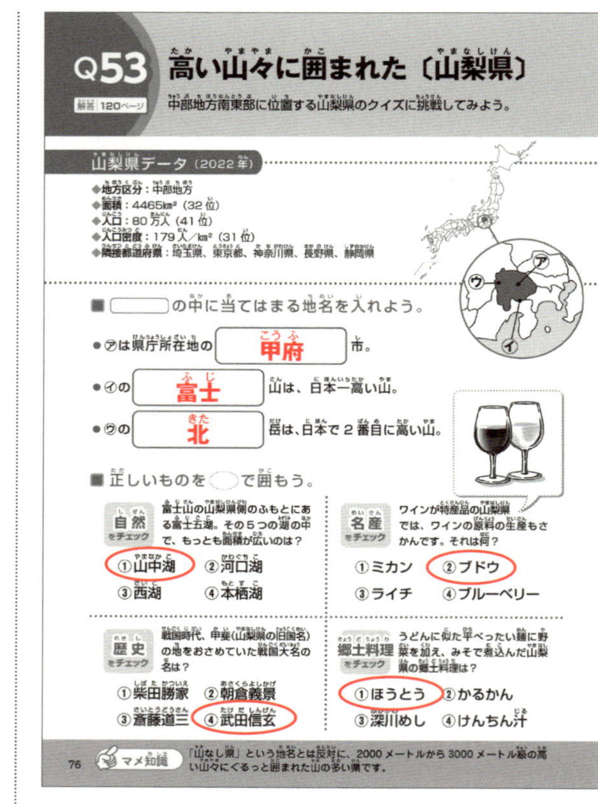

Q53 高い山々に囲まれた〔山梨県〕

解答 120ページ

中部地方南東部に位置する山梨県のクイズに挑戦してみよう。

山梨県データ（2022年）

◆地方区分：中部地方
◆面積：4465km²（32位）
◆人口：80万人（41位）
◆人口密度：179人／km²（31位）
◆隣接都道府県：埼玉県、東京都、神奈川県、長野県、静岡県

■ □の中に当てはまる地名を入れよう。

- ㋐は県庁所在地の **甲府** 市。
- ㋑の **富士** 山は、日本一高い山。
- ㋒の **北** 岳は、日本で2番目に高い山。

■ 正しいものを○で囲もう。

自然をチェック：富士山の山梨県側のふもとにある富士五湖。その5つの湖の中で、もっとも面積が広いのは？
①山中湖 ②河口湖 ③西湖 ④本栖湖

名産をチェック：ワインが特産品の山梨県では、ワインの原料の生産もさかんです。それは何？
①ミカン **②ブドウ** ③ライチ ④ブルーベリー

歴史をチェック：戦国時代、甲斐（山梨県の旧国名）の地をおさめていた戦国大名の名は？
①柴田勝家 ②朝倉義景 ③斎藤道三 **④武田信玄**

郷土料理をチェック：うどんに似た平べったい麺に野菜を加え、みそで煮込んだ山梨県の郷土料理は？
①ほうとう ②かるかん ③深川めし ④けんちん汁

76 マメ知識 「山なし県」という地名とは反対に、2000メートルから3000メートル級の高い山々にぐるっと囲まれた山の多い県です。

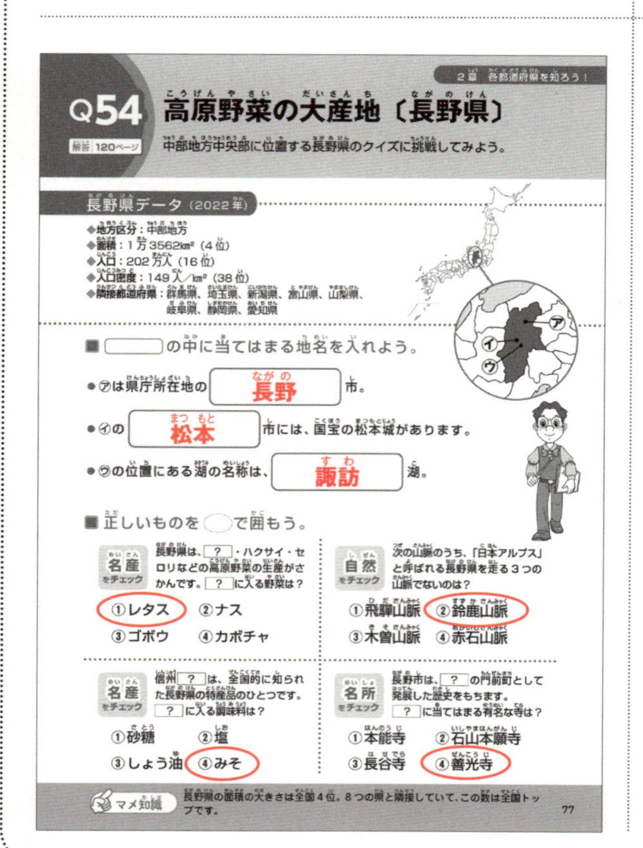

2章 各都道府県を知ろう！

Q54 高原野菜の大産地〔長野県〕

解答 120ページ

中部地方中央部に位置する長野県のクイズに挑戦してみよう。

長野県データ（2022年）

◆地方区分：中部地方
◆面積：1万3562km²（4位）
◆人口：202万人（16位）
◆人口密度：149人／km²（38位）
◆隣接都道府県：群馬県、埼玉県、新潟県、富山県、山梨県、岐阜県、静岡県、愛知県

■ □の中に当てはまる地名を入れよう。

- ㋐は県庁所在地の **長野** 市。
- ㋑の **松本** 市には、国宝の松本城があります。
- ㋒の位置にある湖の名称は、**諏訪** 湖。

■ 正しいものを○で囲もう。

名産をチェック：長野県は、［？］・ハクサイ・セロリなどの高原野菜の生産がさかんです。［？］に入る野菜は？
①レタス ②ナス ③ゴボウ ④カボチャ

自然をチェック：次の山脈のうち、「日本アルプス」と呼ばれる長野県を走る3つの山脈でないのは？
①飛騨山脈 **②鈴鹿山脈** ③木曽山脈 ④赤石山脈

名産をチェック：信州［？］は、全国的に知られた長野県の特産品のひとつです。［？］に入る調味料は？
①砂糖 ②塩 ③しょう油 **④みそ**

名所をチェック：長野市は、［？］の門前町として発展した歴史をもちます。［？］に当てはまる有名な寺は？
①本能寺 ②石山本願寺 ③長谷寺 **④善光寺**

マメ知識 長野県の面積の大きさは全国4位。8つの県と隣接していて、この数は全国トップです。 77

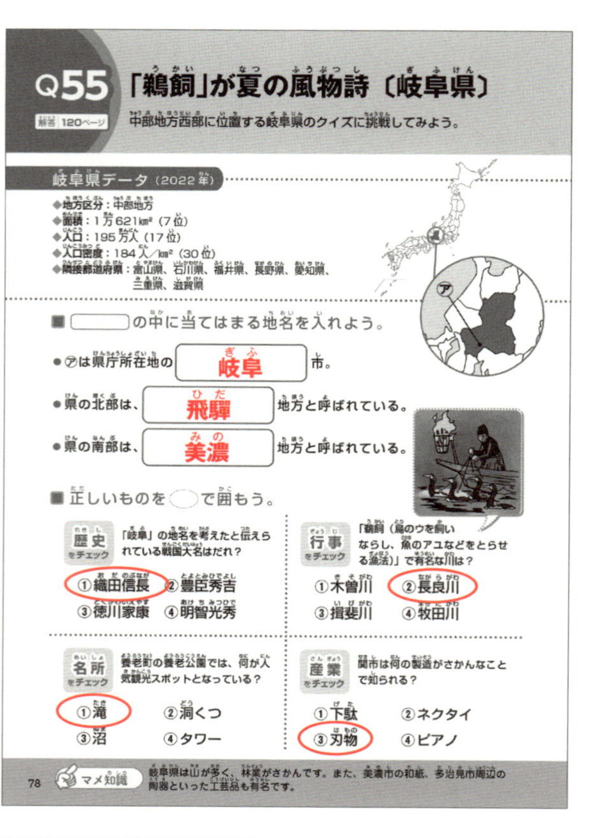

Q55 「鵜飼」が夏の風物詩〔岐阜県〕

解答 120ページ

中部地方西部に位置する岐阜県のクイズに挑戦してみよう。

岐阜県データ（2022年）

◆地方区分：中部地方
◆面積：1万621km²（7位）
◆人口：195万人（17位）
◆人口密度：184人／km²（30位）
◆隣接都道府県：富山県、石川県、福井県、長野県、愛知県、三重県、滋賀県

■ □の中に当てはまる地名を入れよう。

- ㋐は県庁所在地の **岐阜** 市。
- 県の北部は、**飛騨** 地方と呼ばれている。
- 県の南部は、**美濃** 地方と呼ばれている。

■ 正しいものを○で囲もう。

歴史をチェック：「岐阜」の地名を考えたと伝えられている戦国大名はだれ？
①織田信長 ②豊臣秀吉 ③徳川家康 ④明智光秀

行事をチェック：「鵜飼（鳥のウを飼いならし、魚のアユなどをとらせる漁法）」で有名な川は？
①木曽川 **②長良川** ③揖斐川 ④牧田川

名所をチェック：養老町の養老公園では、何が人気観光スポットとなっている？
①滝 ②洞くつ ③沼 ④タワー

産業をチェック：関市は何の製造がさかんなことで知られる？
①下駄 ②ネクタイ **③刃物** ④ピアノ

78 マメ知識 岐阜県は山が多く、林業がさかんです。また、美濃市の和紙、多治見市周辺の陶器といった工芸品も有名です。

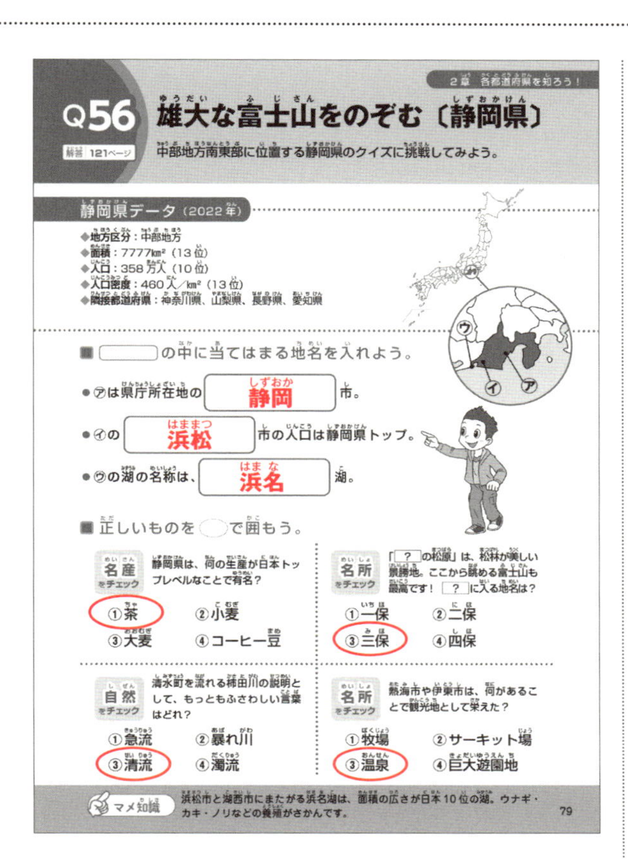

2章 各都道府県を知ろう！

Q56 雄大な富士山をのぞむ〔静岡県〕

解答 121ページ

中部地方南東部に位置する静岡県のクイズに挑戦してみよう。

静岡県データ（2022年）

- ◆地方区分：中部地方
- ◆面積：7777㎢（13位）
- ◆人口：358万人（10位）
- ◆人口密度：460人／㎢（13位）
- ◆隣接都道府県：神奈川県、山梨県、長野県、愛知県

■［　］の中に当てはまる地名を入れよう。

- ●㋐は県庁所在地の［**静岡**］市。
- ●㋑の［**浜松**］市の人口は静岡県トップ。
- ●㋒の湖の名称は、［**浜名**］湖。

■正しいものを○で囲もう。

名産をチェック　静岡県は、何の生産が日本トップレベルなことで有名？
①茶　②小麦　③大麦　④コーヒー豆

名所をチェック　「？の松原」は、松林が美しい景勝地。ここから眺める富士山も最高です！　？に入る地名は？
①一保　②二保　**③三保**　④四保

自然をチェック　清水町を流れる柿田川の説明として、もっともふさわしい言葉はどれ？
①急流　②暴れ川　**③清流**　④濁流

名所をチェック　熱海市や伊東市は、何があることで観光地として栄えた？
①牧場　②サーキット場　**③温泉**　④巨大遊園地

マメ知識　浜松市と湖西市にまたがる浜名湖は、面積の広さが日本10位の湖。ウナギ・カキ・ノリなどの養殖がさかんです。

79

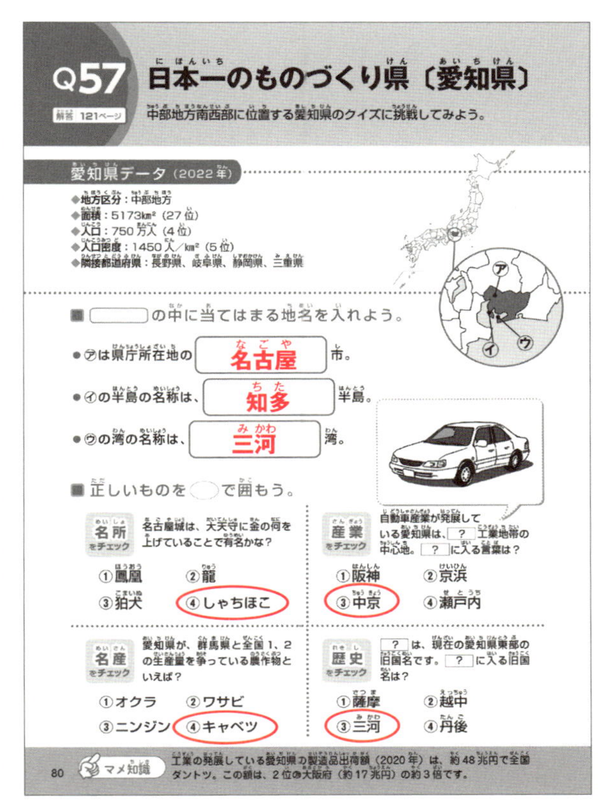

Q57 日本一のものづくり県〔愛知県〕

解答 121ページ

中部地方南西部に位置する愛知県のクイズに挑戦してみよう。

愛知県データ（2022年）

- ◆地方区分：中部地方
- ◆面積：5173㎢（27位）
- ◆人口：750万人（4位）
- ◆人口密度：1450人／㎢（5位）
- ◆隣接都道府県：長野県、岐阜県、静岡県、三重県

■［　］の中に当てはまる地名を入れよう。

- ●㋐は県庁所在地の［**名古屋**］市。
- ●㋑の半島の名称は、［**知多**］半島。
- ●㋒の湾の名称は、［**三河**］湾。

■正しいものを○で囲もう。

名所をチェック　名古屋城は、天守に金の何を上げていることで有名かな？
①鳳凰　②龍　③狛犬　**④しゃちほこ**

産業をチェック　自動車産業が発展している愛知県は、？工業地帯の中心地。？に入る言葉は？
①阪神　②京浜　**③中京**　④瀬戸内

名産をチェック　愛知県が、群馬県と全国1、2の生産量を争っている農作物といえば？
①オクラ　②ワサビ　③ニンジン　**④キャベツ**

歴史をチェック　？は、現在の愛知県東部の旧国名です。？に入る旧国名は？
①薩摩　②越中　**③三河**　④丹後

マメ知識　工業の発展している愛知県の製造品出荷額（2020年）は、約48兆円で全国ダントツ。この額は、2位の大阪府（約17兆円）の約3倍です。

80

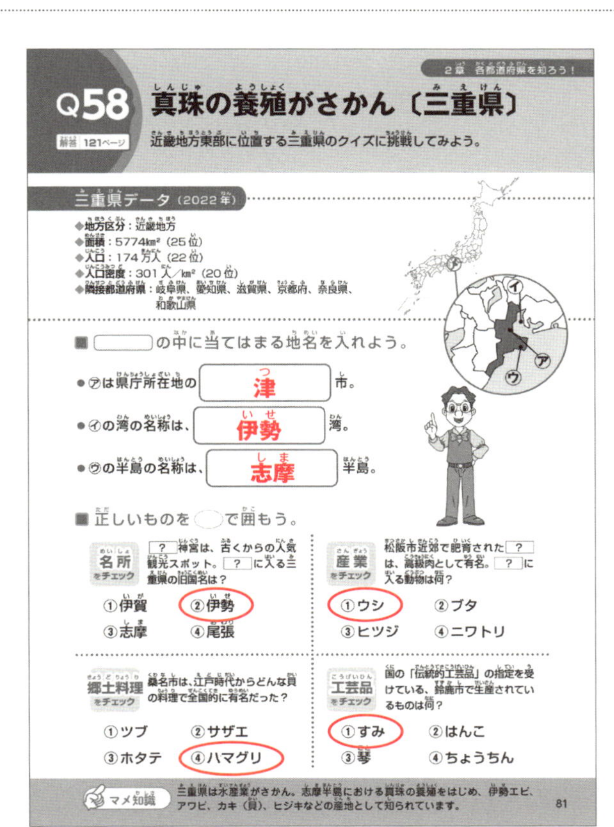

2章 各都道府県を知ろう！

Q58 真珠の養殖がさかん〔三重県〕

解答 121ページ

近畿地方東部に位置する三重県のクイズに挑戦してみよう。

三重県データ（2022年）

- ◆地方区分：近畿地方
- ◆面積：5774㎢（25位）
- ◆人口：174万人（22位）
- ◆人口密度：301人／㎢（20位）
- ◆隣接都道府県：岐阜県、愛知県、滋賀県、京都府、奈良県、和歌山県

■［　］の中に当てはまる地名を入れよう。

- ●㋐は県庁所在地の［**津**］市。
- ●㋑の湾の名称は、［**伊勢**］湾。
- ●㋒の半島の名称は、［**志摩**］半島。

■正しいものを○で囲もう。

名所をチェック　？神宮は、古くからの人気観光スポット。？に入る三重県の旧国名は？
①伊賀　**②伊勢**　③志摩　④尾張

産業をチェック　松阪市近郊で肥育された？は、高級肉として有名。？に入る動物は何？
①ウシ　②ブタ　③ヒツジ　④ニワトリ

郷土料理をチェック　桑名市は、江戸時代からどんな貝の料理で全国的に有名だった？
①ツブ　②サザエ　③ホタテ　**④ハマグリ**

工芸品をチェック　国の「伝統的工芸品」の指定を受けている、鈴鹿市で生産されているものは何？
①すみ　②はんこ　③琴　④ちょうちん

マメ知識　三重県は水産業がさかん。志摩半島における真珠の養殖をはじめ、伊勢エビ、アワビ、カキ（貝）、ヒジキなどの産地として知られています。

81

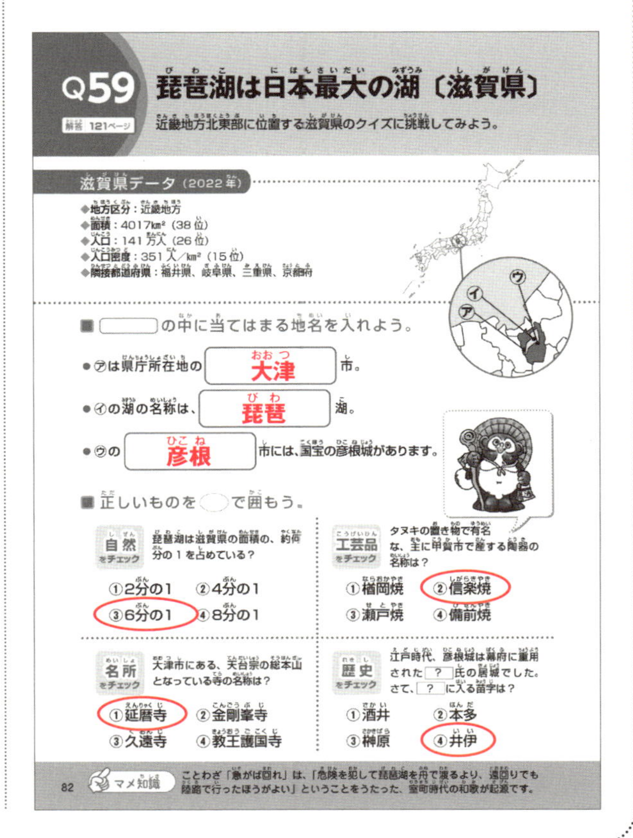

Q59 琵琶湖は日本最大の湖〔滋賀県〕

解答 121ページ

近畿地方北東部に位置する滋賀県のクイズに挑戦してみよう。

滋賀県データ（2022年）

- ◆地方区分：近畿地方
- ◆面積：4017㎢（38位）
- ◆人口：141万人（26位）
- ◆人口密度：351人／㎢（15位）
- ◆隣接都道府県：福井県、岐阜県、三重県、京都府

■［　］の中に当てはまる地名を入れよう。

- ●㋐は県庁所在地の［**大津**］市。
- ●㋑の湖の名称は、［**琵琶**］湖。
- ●㋒の［**彦根**］市には、国宝の彦根城があります。

■正しいものを○で囲もう。

自然をチェック　琵琶湖は滋賀県の面積の、約何分の1を占めている？
①2分の1　②4分の1　**③6分の1**　④8分の1

工芸品をチェック　タヌキの置き物で有名な、主に甲賀市で生産する陶器の名称は？
①楢岡焼　**②信楽焼**　③瀬戸焼　④備前焼

名所をチェック　大津市にある、天台宗の総本山となっている寺の名称は？
①延暦寺　②金剛峯寺　③久遠寺　④教王護国寺

歴史をチェック　江戸時代、彦根城は幕府に重用された？氏の居城でした。さて、？に入る苗字は？
①酒井　②本多　③榊原　**④井伊**

マメ知識　ことわざ「急がば回れ」は、「危険を犯して琵琶湖を舟で渡るより、遠回りでも陸路で行ったほうがよい」ということをうたった、室町時代の和歌が起源です。

82

2章 各都道府県を知ろう！

Q60 観光業のさかんな古都〔京都府〕

解答 122ページ

近畿地方中北部に位置する京都府のクイズに挑戦してみよう。

京都府データ（2022年）
◆地方区分：近畿地方
◆面積：4612km²（31位）
◆人口：255万人（13位）
◆人口密度：553人／km²（10位）
◆隣接都道府県：福井県、三重県、滋賀県、大阪府、兵庫県、奈良県

■ □の中に当てはまる地名を入れよう。
●㋐は府庁所在地の **京都** 市。
●㋑の半島の名称は、**丹後** 半島。
●府中央部の高地の名称は、**丹波** 高地。

■ 正しいものを○で囲もう。

歴史をチェック　延暦13年（794）から明治2年（1869）まで、現在の京都市中央部に位置した都の名称は？
①飛鳥京　②藤原京　③平城京　**④平安京**

名所をチェック　10円硬貨にも描かれている、宇治市にある寺は？
①金閣寺　②銀閣寺　③清水寺　**④平等院**

行事をチェック　次の京都市の祭りのうち、日本三大祭のひとつでもある八坂神社の祭礼はどれ？
①葵祭　**②祇園祭**　③時代祭　④やすらい祭

工芸品をチェック　京都の伝統工芸品として有名な、高級絹織物のことを何という？
①東陣織　**②西陣織**　③南陣織　④北陣織

マメ知識　清水寺、金閣寺、銀閣寺、平等院、上賀茂神社、下鴨神社などの有名寺社が、「古都京都の文化財」として、ユネスコの世界文化遺産に登録されています。　83

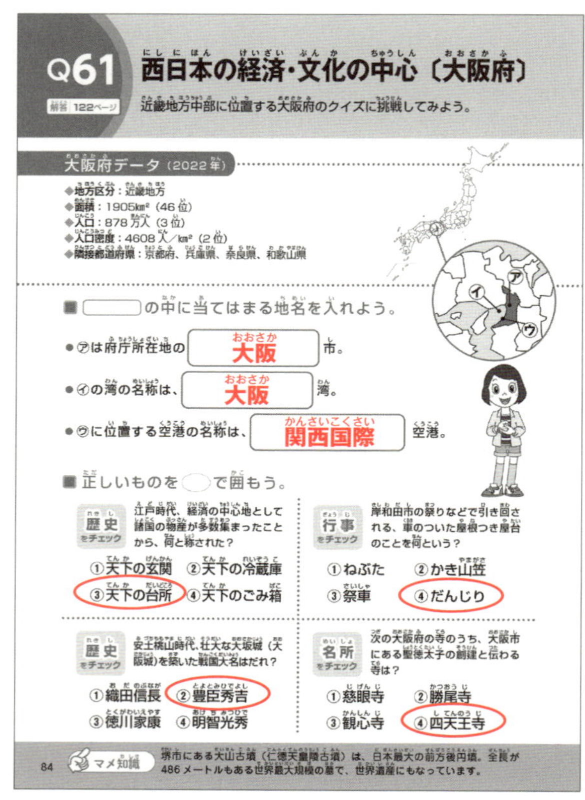
Q61 西日本の経済・文化の中心〔大阪府〕

解答 122ページ

近畿地方中部に位置する大阪府のクイズに挑戦してみよう。

大阪府データ（2022年）
◆地方区分：近畿地方
◆面積：1905km²（46位）
◆人口：878万人（3位）
◆人口密度：4608人／km²（2位）
◆隣接都道府県：京都府、兵庫県、奈良県、和歌山県

■ □の中に当てはまる地名を入れよう。
●㋐は府庁所在地の **大阪** 市。
●㋑の湾の名称は、**大阪** 湾。
●㋒に位置する空港の名称は、**関西国際** 空港。

■ 正しいものを○で囲もう。

歴史をチェック　江戸時代、経済の中心地として諸国の物産が多数集まったことから、何と称された？
①天下の玄関　②天下の冷蔵庫　**③天下の台所**　④天下のごみ箱

行事をチェック　岸和田市の祭りなどで引き回される、車のついた屋根つき屋台のことを何という？
①ねぶた　②かき山笠　③祭車　**④だんじり**

歴史をチェック　安土桃山時代、壮大な大坂城（大阪城）を築いた戦国大名はだれ？
①織田信長　**②豊臣秀吉**　③徳川家康　④明智光秀

名所をチェック　次の大阪府の寺のうち、大阪市にある聖徳太子の創建と伝わる寺は？
①慈眼寺　②勝尾寺　③観心寺　**④四天王寺**

84　マメ知識　堺市にある大山古墳（仁徳天皇陵古墳）は、日本最大の前方後円墳。全長が486メートルもある世界最大規模の墓で、世界遺産にもなっています。

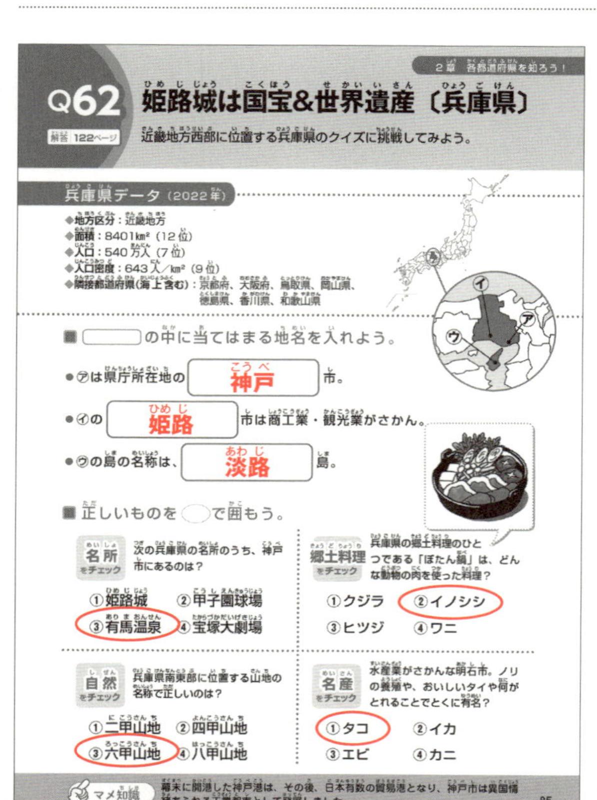
2章 各都道府県を知ろう！

Q62 姫路城は国宝&世界遺産〔兵庫県〕

解答 122ページ

近畿地方西部に位置する兵庫県のクイズに挑戦してみよう。

兵庫県データ（2022年）
◆地方区分：近畿地方
◆面積：8401km²（12位）
◆人口：540万人（7位）
◆人口密度：643人／km²（9位）
◆隣接都道府県（海上含む）：京都府、大阪府、鳥取県、岡山県、徳島県、香川県、和歌山県

■ □の中に当てはまる地名を入れよう。
●㋐は県庁所在地の **神戸** 市。
●㋑の **姫路** 市は商工業・観光業がさかん。
●㋒の島の名称は、**淡路** 島。

■ 正しいものを○で囲もう。

名所をチェック　次の兵庫県の名所のうち、神戸市にあるのは？
①姫路城　②甲子園球場　**③有馬温泉**　④宝塚大劇場

郷土料理をチェック　兵庫県の郷土料理のひとつである「ぼたん鍋」は、どんな動物の肉を使った料理？
①クジラ　**②イノシシ**　③ヒツジ　④ワニ

自然をチェック　兵庫県南東部に位置する山地の名称で正しいのは？
①二甲山地　②四甲山地　**③六甲山地**　④八甲山地

名産をチェック　水産業がさかんな明石市。ノリの養殖や、おいしいタイや何がとれることでとくに有名？
①タコ　②イカ　③エビ　④カニ

マメ知識　幕末に開港した神戸港は、その後、日本有数の貿易港となり、神戸市は異国情緒あふれる工業都市として発展しました。　85

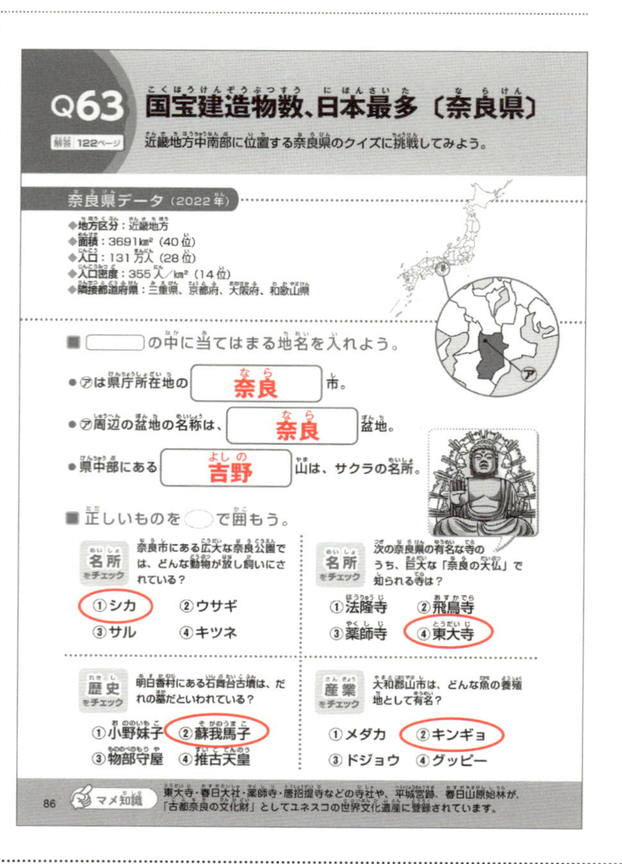
Q63 国宝建造物数、日本最多〔奈良県〕

解答 122ページ

近畿地方中南部に位置する奈良県のクイズに挑戦してみよう。

奈良県データ（2022年）
◆地方区分：近畿地方
◆面積：3691km²（40位）
◆人口：131万人（28位）
◆人口密度：355人／km²（14位）
◆隣接都道府県：三重県、京都府、大阪府、和歌山県

■ □の中に当てはまる地名を入れよう。
●㋐は県庁所在地の **奈良** 市。
●㋐周辺の盆地の名称は、**奈良** 盆地。
●県中部にある **吉野** 山は、サクラの名所。

■ 正しいものを○で囲もう。

名所をチェック　奈良市にある広大な奈良公園では、どんな動物が放し飼いにされている？
①シカ　②ウサギ　③サル　④キツネ

名所をチェック　次の奈良県の有名な寺のうち、巨大な「奈良の大仏」で知られる寺は？
①法隆寺　②飛鳥寺　③薬師寺　**④東大寺**

歴史をチェック　明日香村にある石舞台古墳は、だれの墓だといわれている？
①小野妹子　**②蘇我馬子**　③物部守屋　④推古天皇

産業をチェック　大和郡山市は、どんな魚の養殖地として有名？
①メダカ　**②キンギョ**　③ドジョウ　④グッピー

86　マメ知識　東大寺・春日大社・薬師寺・唐招提寺などの寺社や、平城宮跡、春日山原始林が、「古都奈良の文化財」としてユネスコの世界文化遺産に登録されています。

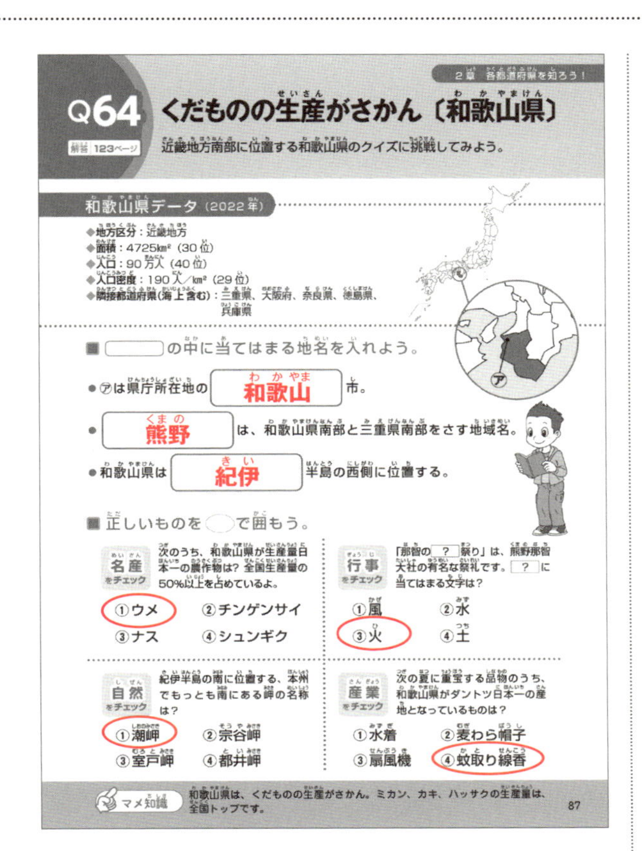

Q64 くだものの生産がさかん〔和歌山県〕

解答 123ページ 近畿地方南部に位置する和歌山県のクイズに挑戦してみよう。

和歌山県データ（2022年）

◆地方区分：近畿地方
◆面積：4725km²（30位）
◆人口：90万人（40位）
◆人口密度：190人／km²（29位）
◆隣接都道府県(海上含む)：三重県、大阪府、奈良県、徳島県、兵庫県

■ ［　］の中に当てはまる地名を入れよう。

- ㋐は県庁所在地の［和歌山］市。
- ［熊野］は、和歌山県南部と三重県南部をさす地域名。
- 和歌山県は［紀伊］半島の西側に位置する。

■ 正しいものを○で囲もう。

名産をチェック　次のうち、和歌山県が生産量日本一の農作物は？ 全国生産量の50％以上を占めているよ。
①ウメ（正解）　②チンゲンサイ　③ナス　④シュンギク

行事をチェック　「那智の［？］祭り」は、熊野那智大社の有名な祭礼です。［？］に当てはまる文字は？
①風　②水　③火（正解）　④土

自然をチェック　紀伊半島の南に位置する、本州でもっとも南にある岬の名称は？
①潮岬（正解）　②宗谷岬　③室戸岬　④都井岬

産業をチェック　次の夏に重宝する品物のうち、和歌山県がダントツ日本一の産地となっているものは？
①水着　②麦わら帽子　③扇風機　④蚊取り線香（正解）

マメ知識　和歌山県は、くだものの生産がさかん。ミカン、カキ、ハッサクの生産量は、全国トップです。

87

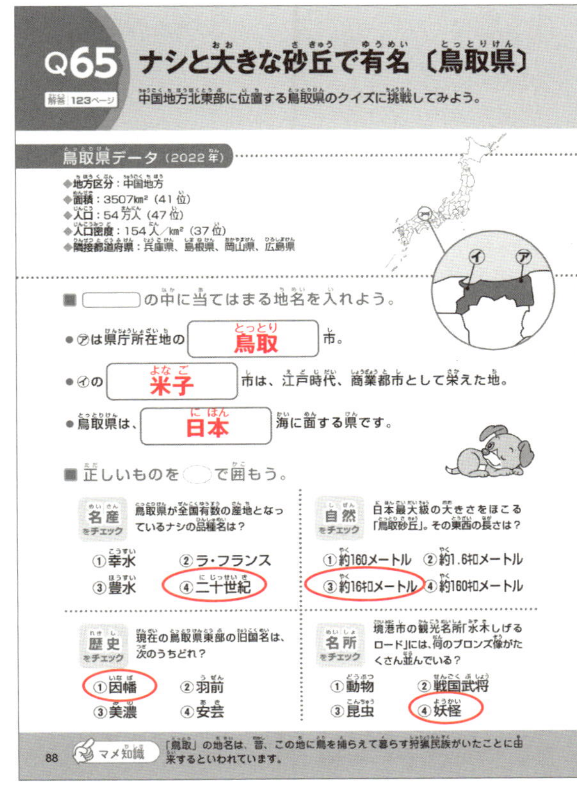
Q65 ナシと大きな砂丘で有名〔鳥取県〕

解答 123ページ 中国地方北東部に位置する鳥取県のクイズに挑戦してみよう。

鳥取県データ（2022年）

◆地方区分：中国地方
◆面積：3507km²（41位）
◆人口：54万人（47位）
◆人口密度：154人／km²（37位）
◆隣接都道府県：兵庫県、島根県、岡山県、広島県

■ ［　］の中に当てはまる地名を入れよう。

- ㋐は県庁所在地の［鳥取］市。
- ㋑の［米子］市は、江戸時代、商業都市として栄えた地。
- 鳥取県は、［日本］海に面する県です。

■ 正しいものを○で囲もう。

名産をチェック　鳥取県が全国有数の産地となっているナシの品種名は？
①幸水　②ラ・フランス　③豊水　④二十世紀（正解）

自然をチェック　日本最大級の大きさをほこる「鳥取砂丘」。その東西の長さは？
①約160メートル　②約1.6キロメートル　③約16キロメートル（正解）　④約160キロメートル

歴史をチェック　現在の鳥取県東部の旧国名は、次のうちどれ？
①因幡（正解）　②羽前　③美濃　④安芸

名所をチェック　境港市の観光名所「水木しげるロード」には、何のブロンズ像がたくさん並んでいる？
①動物　②戦国武将　③昆虫　④妖怪（正解）

88　マメ知識　「鳥取」の地名は、昔、この地に鳥を捕らえて暮らす狩猟民族がいたことに由来するといわれています。

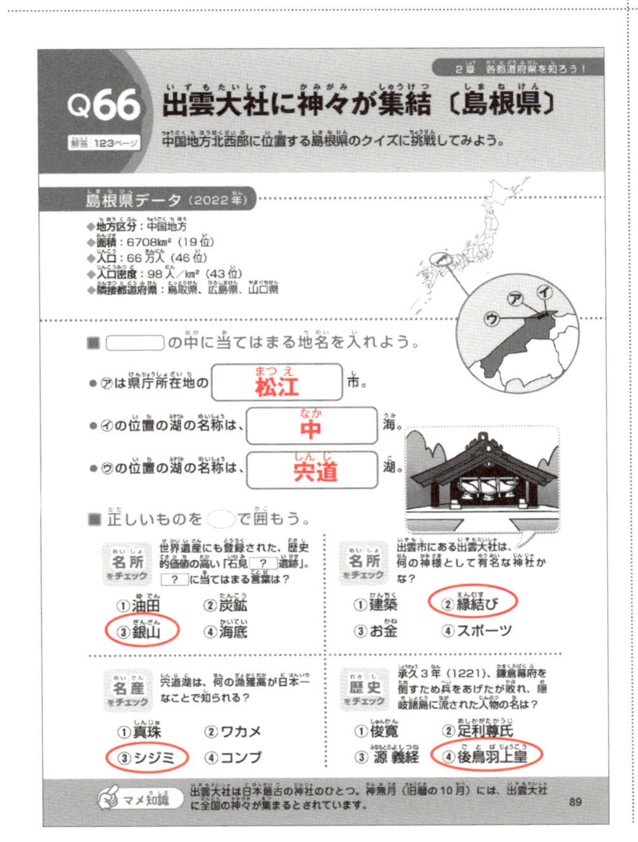

Q66 出雲大社に神々が集結〔島根県〕

解答 123ページ 中国地方北西部に位置する島根県のクイズに挑戦してみよう。

島根県データ（2022年）

◆地方区分：中国地方
◆面積：6708km²（19位）
◆人口：66万人（46位）
◆人口密度：98人／km²（43位）
◆隣接都道府県：鳥取県、広島県、山口県

■ ［　］の中に当てはまる地名を入れよう。

- ㋐は県庁所在地の［松江］市。
- ㋑の位置の湖の名称は、［中］海。
- ㋒の位置の湖の名称は、［宍道］湖。

■ 正しいものを○で囲もう。

名所をチェック　世界遺産にも登録された、歴史的価値の高い「石見［？］遺跡」。［？］に当てはまる言葉は？
①油田　②炭鉱　③銀山（正解）　④海底

名所をチェック　出雲市にある出雲大社は、何の神様として有名な神社かな？
①建築　②縁結び（正解）　③お金　④スポーツ

名産をチェック　宍道湖は、何の漁獲高が日本一なことで知られる？
①真珠　②ワカメ　③シジミ（正解）　④コンブ

歴史をチェック　承久3年（1221）、鎌倉幕府を倒すため兵をあげたが敗れ、隠岐諸島に流された人物の名は？
①俊寛　②足利尊氏　③源義経　④後鳥羽上皇（正解）

マメ知識　出雲大社は日本最古の神社のひとつ。神無月（旧暦の10月）には、出雲大社に全国の神々が集まるとされています。

89

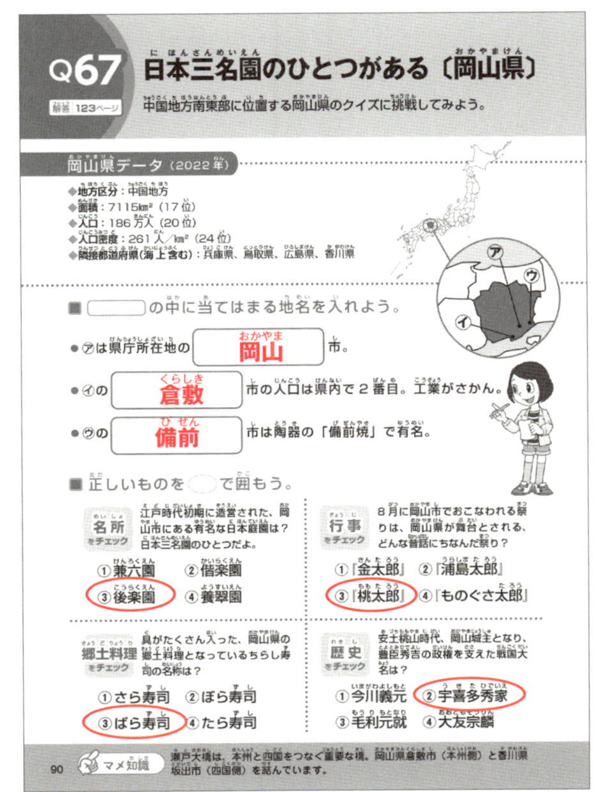
Q67 日本三名園のひとつがある〔岡山県〕

解答 123ページ 中国地方南東部に位置する岡山県のクイズに挑戦してみよう。

岡山県データ（2022年）

◆地方区分：中国地方
◆面積：7115km²（17位）
◆人口：186万人（20位）
◆人口密度：261人／km²（24位）
◆隣接都道府県(海上含む)：兵庫県、鳥取県、広島県、香川県

■ ［　］の中に当てはまる地名を入れよう。

- ㋐は県庁所在地の［岡山］市。
- ㋑の［倉敷］市の人口は県内で2番目。工業がさかん。
- ㋒の［備前］市は陶器の「備前焼」で有名。

■ 正しいものを○で囲もう。

名所をチェック　江戸時代初期に造営された、岡山市にある有名な日本庭園は？ 日本三名園のひとつだよ。
①兼六園　②偕楽園　③後楽園（正解）　④養翠園

行事をチェック　8月に岡山市でおこなわれる祭りは、岡山県が舞台とされる、どんな昔話にちなんだ祭り？
①「金太郎」　②「浦島太郎」　③「桃太郎」（正解）　④「ものぐさ太郎」

郷土料理をチェック　具がたくさん入った、岡山県の郷土料理となっているちらし寿司の名称は？
①さら寿司　②ぼら寿司　③ばら寿司（正解）　④たら寿司

歴史をチェック　安土桃山時代、岡山城主となり、豊臣秀吉の政権を支えた戦国大名は？
①今川義元　②宇喜多秀家（正解）　③毛利元就　④大友宗麟

90　マメ知識　瀬戸大橋は、本州と四国をつなぐ重要な橋。岡山県倉敷市（本州側）と香川県坂出市（四国側）を結んでいます。

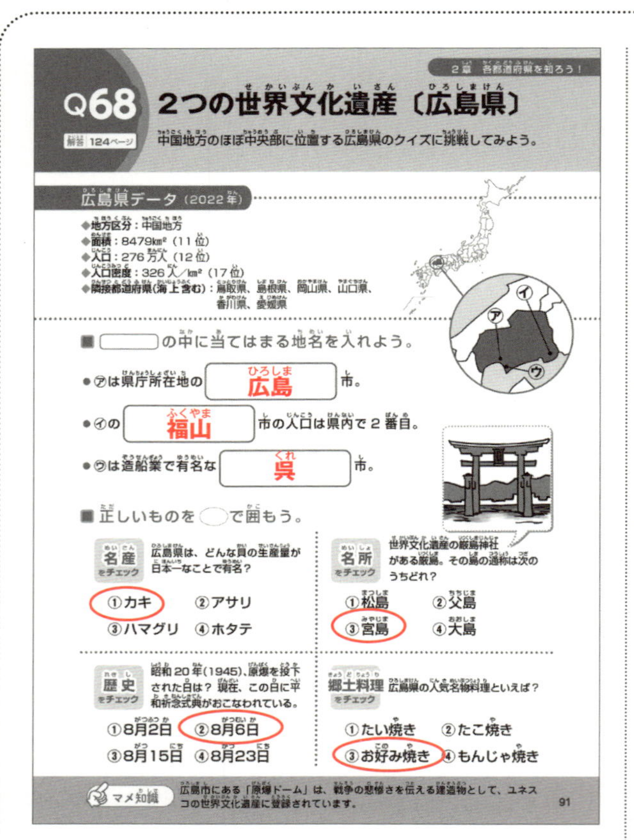

2章 各都道府県を知ろう！

Q68 2つの世界文化遺産〔広島県〕

解答 124ページ

中国地方のほぼ中央部に位置する広島県のクイズに挑戦してみよう。

広島県データ（2022年）

◆地方区分：中国地方
◆面積：8479km²（11位）
◆人口：276万人（12位）
◆人口密度：326人／km²（17位）
◆隣接都道府県(海上含む)：鳥取県、島根県、岡山県、山口県、香川県、愛媛県

■ の中に当てはまる地名を入れよう。

● ㋐は県庁所在地の **広島** 市。
● ㋑の **福山** 市の人口は県内で2番目。
● ㋒は造船業で有名な **呉** 市。

■ 正しいものを◯で囲もう。

名産をチェック 広島県は、どんな貝の生産量が日本一なことで有名？
①カキ ②アサリ ③ハマグリ ④ホタテ

名所をチェック 世界文化遺産の厳島神社がある厳島。その島の通称は次のうちどれ？
①松島 ②父島 **③宮島** ④大島

歴史をチェック 昭和20年(1945)、原爆を投下された日は？ 現在、この日に平和祈念式典がおこなわれている。
①8月2日 **②8月6日** ③8月15日 ④8月23日

郷土料理をチェック 広島県の人気名物料理といえば？
①たい焼き ②たこ焼き **③お好み焼き** ④もんじゃ焼き

マメ知識 広島市にある「原爆ドーム」は、戦争の悲惨さを伝える建造物として、ユネスコの世界文化遺産に登録されています。 91

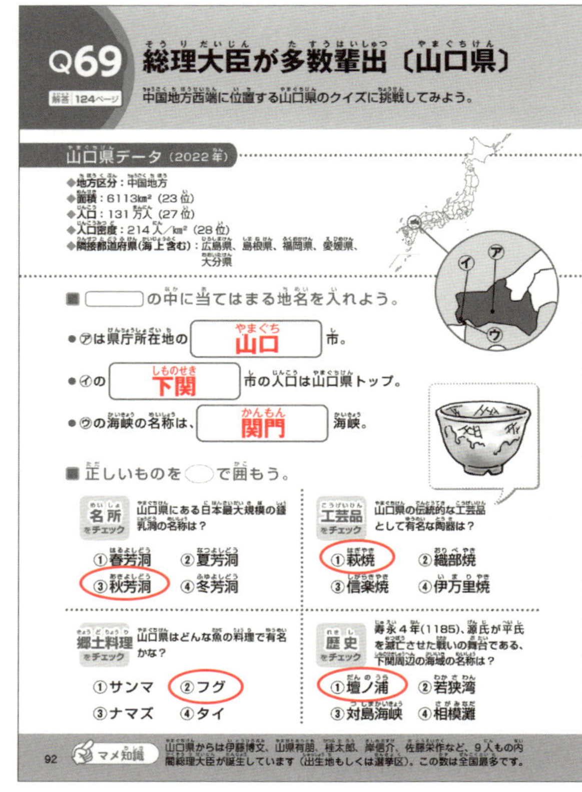

Q69 総理大臣が多数輩出〔山口県〕

解答 124ページ

中国地方西端に位置する山口県のクイズに挑戦してみよう。

山口県データ（2022年）

◆地方区分：中国地方
◆面積：6113km²（23位）
◆人口：131万人（27位）
◆人口密度：214人／km²（28位）
◆隣接都道府県(海上含む)：広島県、島根県、福岡県、愛媛県、大分県

■ の中に当てはまる地名を入れよう。

● ㋐は県庁所在地の **山口** 市。
● ㋑の **下関** 市の人口は山口県トップ。
● ㋒の海峡の名称は、 **関門** 海峡。

■ 正しいものを◯で囲もう。

名所をチェック 山口県にある日本最大規模の鍾乳洞の名称は？
①春芳洞 ②夏芳洞 **③秋芳洞** ④冬芳洞

工芸品をチェック 山口県の伝統的な工芸品として有名な陶器は？
①萩焼 ②織部焼 ③信楽焼 ④伊万里焼

郷土料理をチェック 山口県はどんな魚の料理で有名かな？
①サンマ **②フグ** ③ナマズ ④タイ

歴史をチェック 寿永4年(1185)、源氏が平氏を滅亡させた戦いの舞台である、下関周辺の海域の名称は？
①壇ノ浦 ②若狭湾 ③対島海峡 ④相模灘

92 マメ知識 山口県からは伊藤博文、山県有朋、桂太郎、岸信介、佐藤栄作など、9人もの内閣総理大臣が誕生しています（出生地もしくは選挙区）。この数は全国最多です。

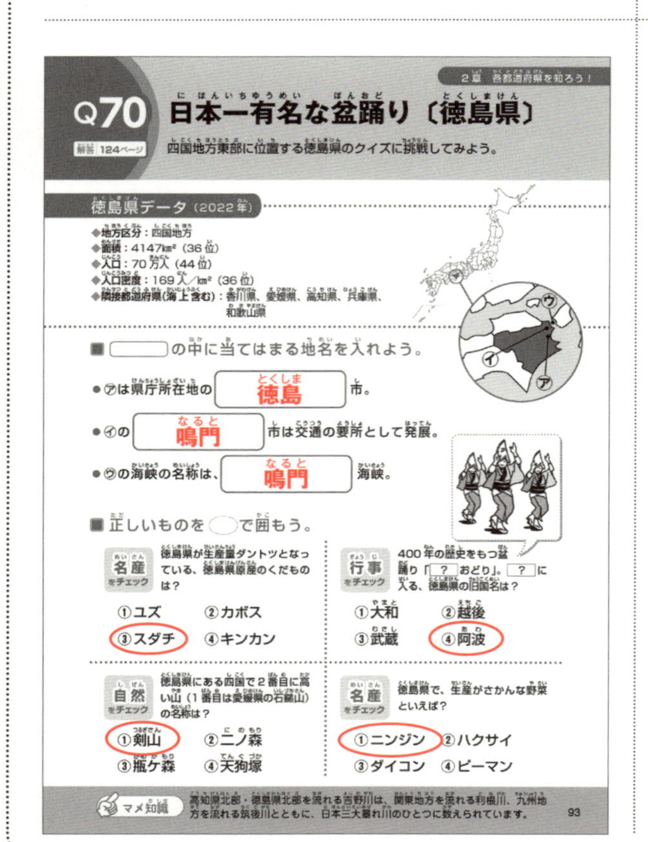

2章 各都道府県を知ろう！

Q70 日本一有名な盆踊り〔徳島県〕

解答 124ページ

四国地方東部に位置する徳島県のクイズに挑戦してみよう。

徳島県データ（2022年）

◆地方区分：四国地方
◆面積：4147km²（36位）
◆人口：70万人（44位）
◆人口密度：169人／km²（36位）
◆隣接都道府県(海上含む)：香川県、愛媛県、高知県、兵庫県、和歌山県

■ の中に当てはまる地名を入れよう。

● ㋐は県庁所在地の **徳島** 市。
● ㋑の **鳴門** 市は交通の要所として発展。
● ㋒の海峡の名称は、 **鳴門** 海峡。

■ 正しいものを◯で囲もう。

名産をチェック 徳島県が生産量ダントツとなっている、徳島県原産のくだものは？
①ユズ ②カボス **③スダチ** ④キンカン

行事をチェック 400年の歴史をもつ盆踊り「[?]おどり」。[?]に入る、徳島県の旧国名は？
①大和 ②越後 ③武蔵 **④阿波**

自然をチェック 徳島県にある四国で2番目に高い山（1番目は愛媛県の石鎚山）の名称は？
①剣山 ②二ノ森 ③瓶ケ森 ④天狗塚

名産をチェック 徳島県で、生産がさかんな野菜といえば？
①ニンジン ②ハクサイ ③ダイコン ④ピーマン

マメ知識 高知県北部・徳島県北部を流れる吉野川は、関東地方を流れる利根川、九州地方を流れる筑後川とともに、日本三大暴れ川のひとつに数えられています。 93

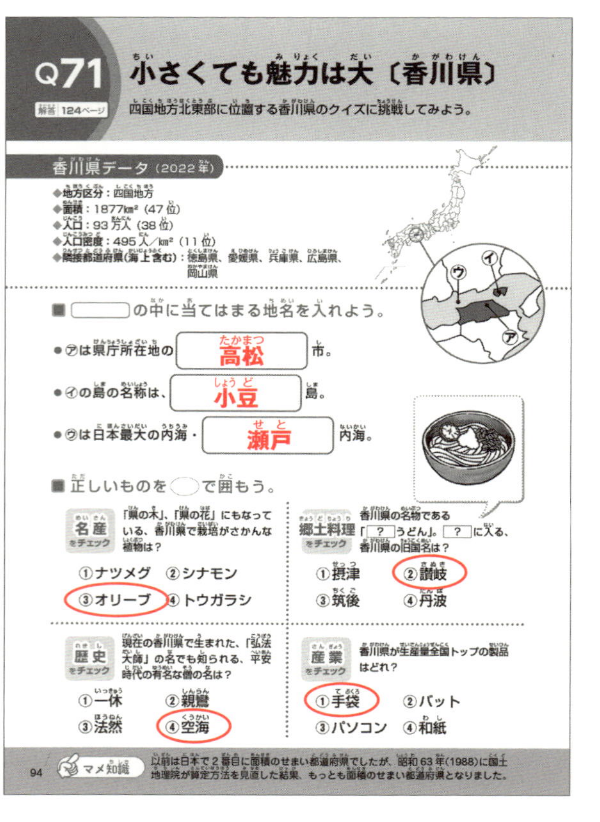

Q71 小さくても魅力は大〔香川県〕

解答 124ページ

四国地方北東部に位置する香川県のクイズに挑戦してみよう。

香川県データ（2022年）

◆地方区分：四国地方
◆面積：1877km²（47位）
◆人口：93万人（38位）
◆人口密度：495人／km²（11位）
◆隣接都道府県(海上含む)：徳島県、愛媛県、兵庫県、広島県、岡山県

■ の中に当てはまる地名を入れよう。

● ㋐は県庁所在地の **高松** 市。
● ㋑の島の名称は、 **小豆** 島。
● ㋒は日本最大の内海・ **瀬戸** 内海。

■ 正しいものを◯で囲もう。

名産をチェック 「県の木」、「県の花」にもなっている、香川県で栽培がさかんな植物は？
①ナツメグ ②シナモン **③オリーブ** ④トウガラシ

郷土料理をチェック 香川県の名物である「[?]うどん」。[?]に入る、香川県の旧国名は？
①摂津 **②讃岐** ③筑後 ④丹波

歴史をチェック 現在の香川県で生まれた、「弘法大師」の名でも知られる、平安時代の有名な僧の名は？
①一休 ②親鸞 ③法然 **④空海**

産業をチェック 香川県が生産量全国トップの製品はどれ？
①手袋 ②バット ③パソコン ④和紙

94 マメ知識 以前は日本で2番目に面積のせまい都道府県でしたが、昭和63年(1988)に国土地理院が算定方法を見直した結果、もっとも面積のせまい都道府県となりました。

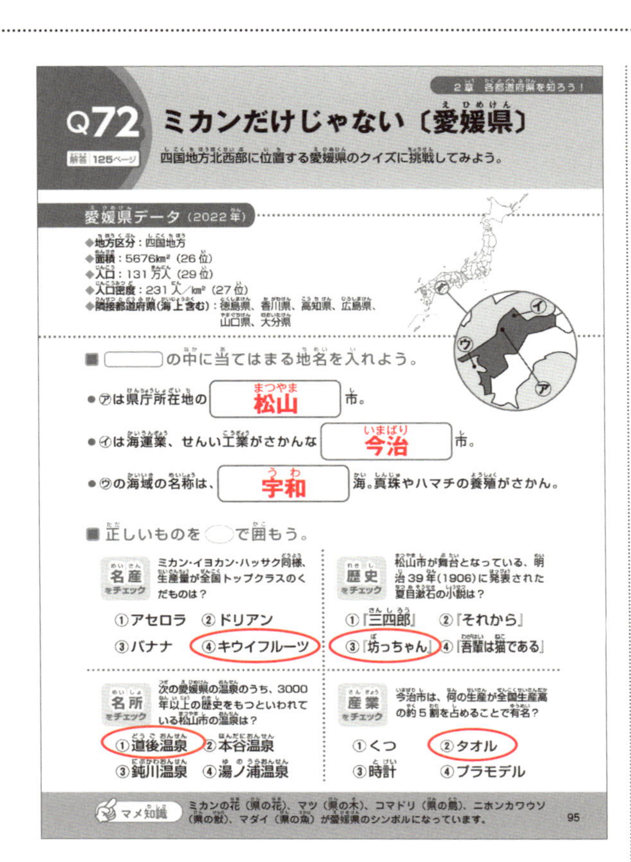

2章 各都道府県を知ろう！

Q72 ミカンだけじゃない〔愛媛県〕

解答 125ページ

四国地方北西部に位置する愛媛県のクイズに挑戦してみよう。

愛媛県データ（2022年）

- 地方区分：四国地方
- 面積：5676km²（26位）
- 人口：131万人（29位）
- 人口密度：231人／km²（27位）
- 隣接都道府県（海上含む）：徳島県、香川県、高知県、広島県、山口県、大分県

■ ［　］の中に当てはまる地名を入れよう。

- ㋐は県庁所在地の［松山］市。
- ㋑は海運業、せんい工業がさかんな［今治］市。
- ㋒の海域の名称は、［宇和］海。真珠やハマチの養殖がさかん。

■ 正しいものを○で囲もう。

名産をチェック ミカン・イヨカン・ハッサク同様、生産量が全国トップクラスのくだものは？
①アセロラ ②ドリアン ③バナナ ④キウイフルーツ（正解：④）

歴史をチェック 松山市が舞台となっている、明治39年(1906)に発表された夏目漱石の小説は？
①『三四郎』 ②『それから』 ③『坊っちゃん』 ④『吾輩は猫である』（正解：③）

名所をチェック 次の愛媛県の温泉のうち、3000年以上の歴史をもつといわれている松山市の温泉は？
①道後温泉 ②本谷温泉 ③鈍川温泉 ④湯ノ浦温泉（正解：①）

産業をチェック 今治市は、何の生産が全国生産高の約5割を占めることで有名？
①くつ ②タオル ③時計 ④プラモデル（正解：②）

マメ知識 ミカンの花（県の花）、マツ（県の木）、コマドリ（県の鳥）、ニホンカワウソ（県の獣）、マダイ（県の魚）が愛媛県のシンボルになっています。

95

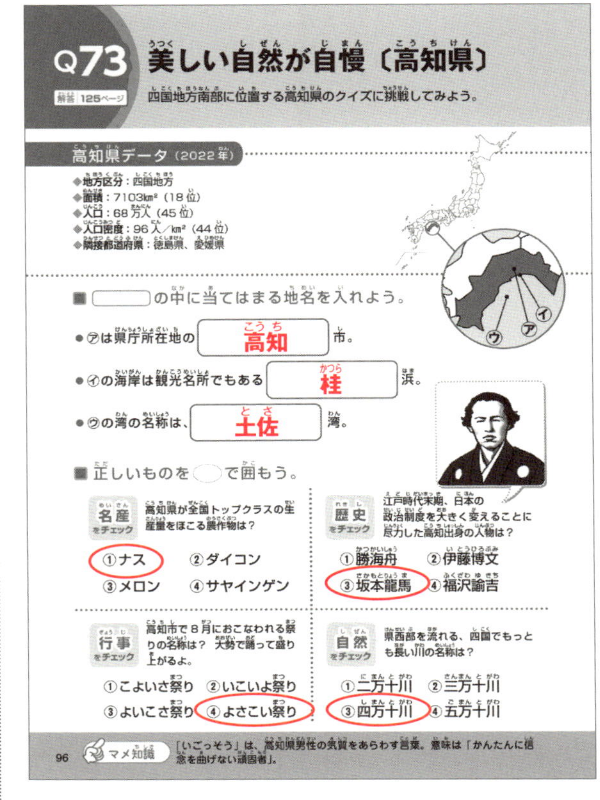

Q73 美しい自然が自慢〔高知県〕

解答 125ページ

四国地方南部に位置する高知県のクイズに挑戦してみよう。

高知県データ（2022年）

- 地方区分：四国地方
- 面積：7103km²（18位）
- 人口：68万人（45位）
- 人口密度：96人／km²（44位）
- 隣接都道府県：徳島県、愛媛県

■ ［　］の中に当てはまる地名を入れよう。

- ㋐は県庁所在地の［高知］市。
- ㋑の海岸は観光名所でもある［桂］浜。
- ㋒の湾の名称は、［土佐］湾。

■ 正しいものを○で囲もう。

名産をチェック 高知県が全国トップクラスの生産量をほこる農作物は？
①ナス ②ダイコン ③メロン ④サヤインゲン（正解：①）

歴史をチェック 江戸時代末期、日本の政治制度を大きく変えることに尽力した高知出身の人物は？
①勝海舟 ②伊藤博文 ③坂本龍馬 ④福沢諭吉（正解：③）

行事をチェック 高知市で8月におこなわれる祭りの名称は？ 大勢で踊って盛り上がるよ。
①こよいさ祭り ②いこいよ祭り ③よいこさ祭り ④よさこい祭り（正解：④）

自然をチェック 県西部を流れる、四国でもっとも長い川の名称は？
①二万十川 ②三万十川 ③四万十川 ④五万十川（正解：③）

96 マメ知識 「いごっそう」は、高知県男性の気質をあらわす言葉。意味は「かんたんに信念を曲げない頑固者」。

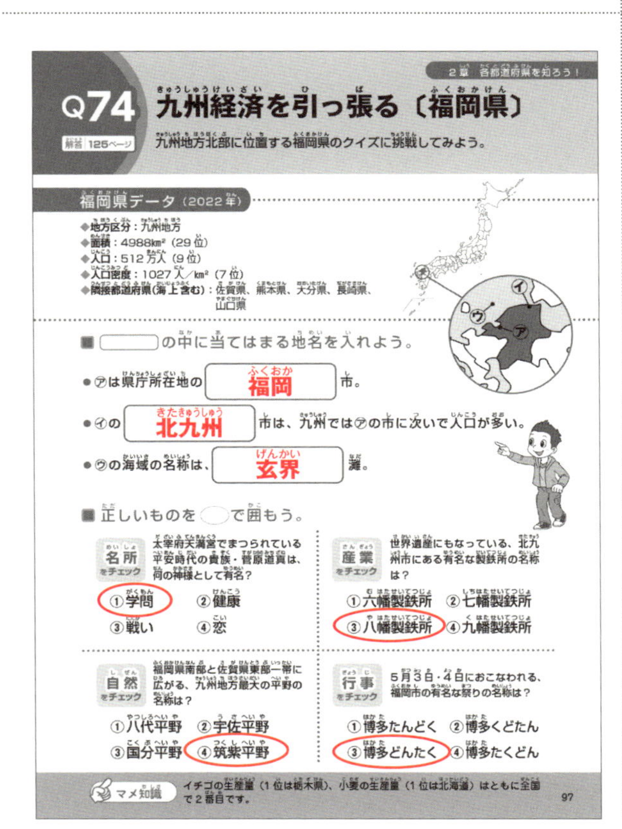

2章 各都道府県を知ろう！

Q74 九州経済を引っ張る〔福岡県〕

解答 125ページ

九州地方北部に位置する福岡県のクイズに挑戦してみよう。

福岡県データ（2022年）

- 地方区分：九州地方
- 面積：4988km²（29位）
- 人口：512万人（9位）
- 人口密度：1027人／km²（7位）
- 隣接都道府県（海上含む）：佐賀県、熊本県、大分県、長崎県、山口県

■ ［　］の中に当てはまる地名を入れよう。

- ㋐は県庁所在地の［福岡］市。
- ㋑の［北九州］市は、九州では㋐の市に次いで人口が多い。
- ㋒の海域の名称は、［玄界］灘。

■ 正しいものを○で囲もう。

名所をチェック 太宰府天満宮でまつられている平安時代の貴族・菅原道真は、何の神様として有名？
①学問 ②健康 ③戦い ④恋（正解：①）

産業をチェック 世界遺産にもなっている、北九州市にある有名な製鉄所の名称は？
①六幡製鉄所 ②七幡製鉄所 ③八幡製鉄所 ④九幡製鉄所（正解：③）

自然をチェック 福岡県南部と佐賀県東部一帯に広がる、九州地方最大の平野の名称は？
①八代平野 ②宇佐平野 ③国分平野 ④筑紫平野（正解：④）

行事をチェック 5月3日・4日におこなわれる、福岡市の有名な祭りの名称は？
①博多たんどく ②博多くどたん ③博多どんたく ④博多たくどん（正解：③）

マメ知識 イチゴの生産量（1位は栃木県）、小麦の生産量（1位は北海道）はともに全国で2番目です。

97

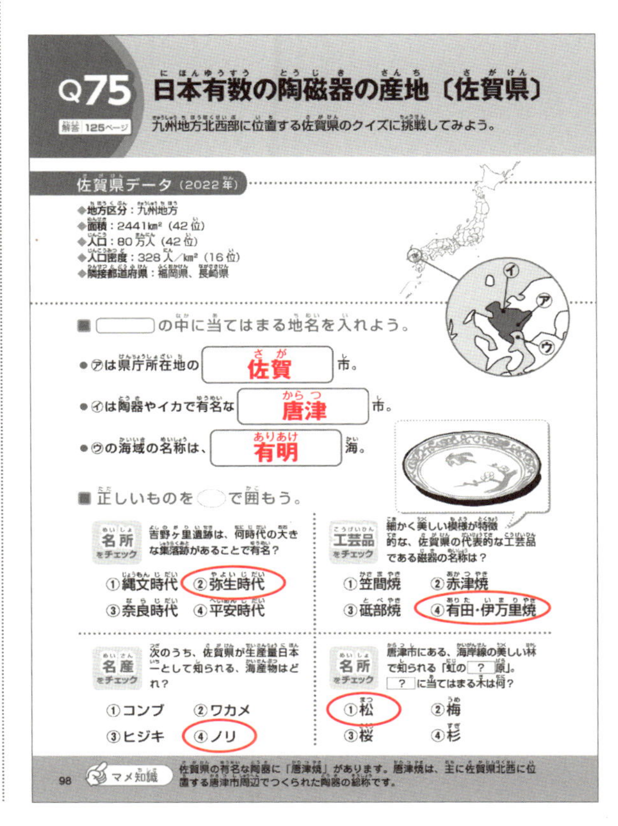

Q75 日本有数の陶磁器の産地〔佐賀県〕

解答 125ページ

九州地方北西部に位置する佐賀県のクイズに挑戦してみよう。

佐賀県データ（2022年）

- 地方区分：九州地方
- 面積：2441km²（42位）
- 人口：80万人（42位）
- 人口密度：328人／km²（16位）
- 隣接都道府県：福岡県、長崎県

■ ［　］の中に当てはまる地名を入れよう。

- ㋐は県庁所在地の［佐賀］市。
- ㋑は陶器やイカで有名な［唐津］市。
- ㋒の海域の名称は、［有明］海。

■ 正しいものを○で囲もう。

名所をチェック 吉野ヶ里遺跡は、何時代の大きな集落跡があることで有名？
①縄文時代 ②弥生時代 ③奈良時代 ④平安時代（正解：②）

工芸品をチェック 細かく美しい模様が特徴的な、佐賀県の代表的な工芸品である磁器の名称は？
①笠間焼 ②赤津焼 ③砥部焼 ④有田・伊万里焼（正解：④）

名産をチェック 次のうち、佐賀県が生産量日本一として知られる、海産物はどれ？
①コンブ ②ワカメ ③ヒジキ ④ノリ（正解：④）

名所をチェック 唐津市にある、海岸線の美しい林で知られる「虹の［？］原」。［？］に当てはまる木は何？
①松 ②梅 ③桜 ④杉（正解：①）

98 マメ知識 佐賀県の有名な陶器に「唐津焼」があります。唐津焼は、主に佐賀県北西に位置する唐津市周辺でつくられた陶器の総称です。

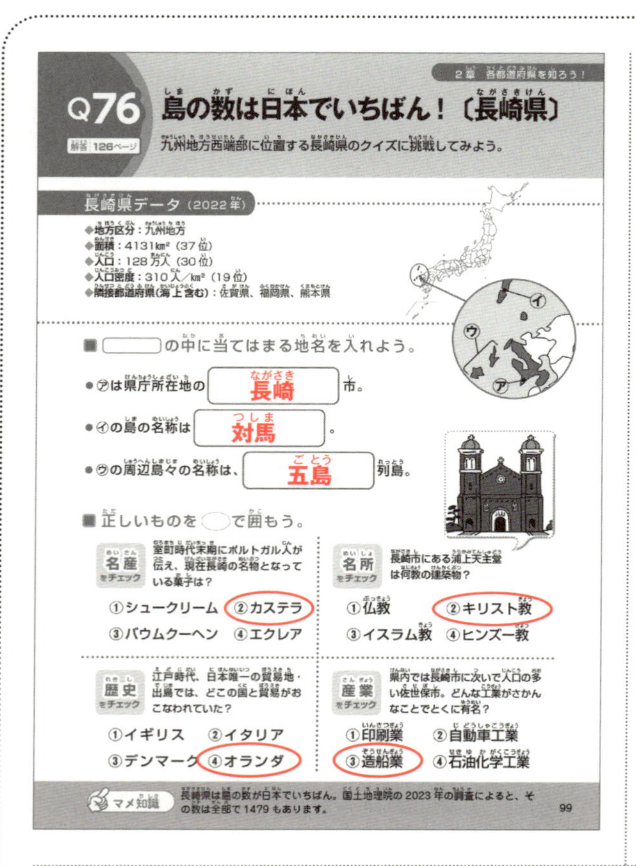

2章 各都道府県を知ろう！

Q76 島の数は日本でいちばん！〔長崎県〕

解答 126ページ

九州地方西端部に位置する長崎県のクイズに挑戦してみよう。

長崎県データ（2022年）

- 地方区分：九州地方
- 面積：4131km²（37位）
- 人口：128万人（30位）
- 人口密度：310人／km²（19位）
- 隣接都道府県(海上含む)：佐賀県、福岡県、熊本県

■ ［　　］の中に当てはまる地名を入れよう。

- ㋐は県庁所在地の［**長崎**］市。
- ㋑の島の名称は［**対馬**］。
- ㋒の周辺島々の名称は、［**五島**］列島。

■ 正しいものを○で囲もう。

名産をチェック 室町時代末期にポルトガル人が伝え、現在長崎の名物となっている菓子は？
①シュークリーム　**②カステラ**　③バウムクーヘン　④エクレア

名所をチェック 長崎市にある浦上天主堂は何教の建築物？
①仏教　**②キリスト教**　③イスラム教　④ヒンズー教

歴史をチェック 江戸時代、日本唯一の貿易地・出島では、どこの国と貿易がおこなわれていた？
①イギリス　②イタリア　③デンマーク　**④オランダ**

産業をチェック 県内では長崎市に次いで人口の多い佐世保市。どんな工業がさかんなことでとくに有名？
①印刷業　②自動車工業　**③造船業**　④石油化学工業

マメ知識　長崎県は島の数が日本でいちばん。国土地理院の2023年の調査によると、その数は全部で1479もあります。

99

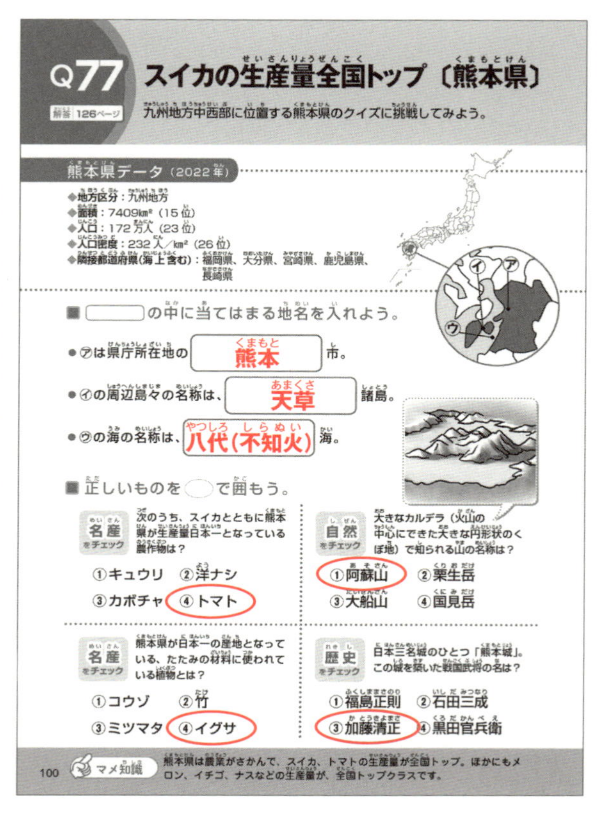

Q77 スイカの生産量全国トップ〔熊本県〕

解答 126ページ

九州地方中西部に位置する熊本県のクイズに挑戦してみよう。

熊本県データ（2022年）

- 地方区分：九州地方
- 面積：7409km²（15位）
- 人口：172万人（23位）
- 人口密度：232人／km²（26位）
- 隣接都道府県(海上含む)：福岡県、大分県、宮崎県、鹿児島県、長崎県

■ ［　　］の中に当てはまる地名を入れよう。

- ㋐は県庁所在地の［**熊本**］市。
- ㋑の周辺島々の名称は、［**天草**］諸島。
- ㋒の海の名称は、［**八代(不知火)**］海。

■ 正しいものを○で囲もう。

名産をチェック 次のうち、スイカとともに熊本県が生産量日本一となっている農作物は？
①キュウリ　②洋ナシ　③カボチャ　**④トマト**

自然をチェック 大きなカルデラ（火山の中心にできた大きな円形状のくぼ地）で知られる山の名称は？
①阿蘇山　②栗生岳　③大船山　④国見岳

名産をチェック 熊本県が日本一の産地となっている、たたみの材料に使われている植物とは？
①コウゾ　②竹　③ミツマタ　**④イグサ**

歴史をチェック 日本三名城のひとつ「熊本城」。この城を築いた戦国武将の名は？
①福島正則　②石田三成　**③加藤清正**　④黒田官兵衛

100

マメ知識　熊本県は農業がさかんで、スイカ、トマトの生産量が全国トップ。ほかにもメロン、イチゴ、ナスなどの生産量が、全国トップクラスです。

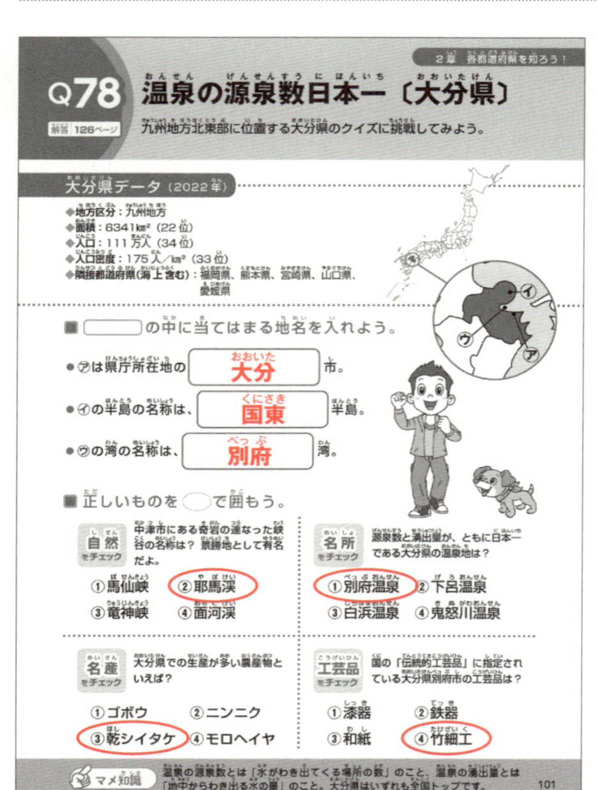

2章 各都道府県を知ろう！

Q78 温泉の源泉数日本一〔大分県〕

解答 126ページ

九州地方北東部に位置する大分県のクイズに挑戦してみよう。

大分県データ（2022年）

- 地方区分：九州地方
- 面積：6341km²（22位）
- 人口：111万人（34位）
- 人口密度：175人／km²（33位）
- 隣接都道府県(海上含む)：福岡県、熊本県、宮崎県、山口県、愛媛県

■ ［　　］の中に当てはまる地名を入れよう。

- ㋐は県庁所在地の［**大分**］市。
- ㋑の半島の名称は、［**国東**］半島。
- ㋒の湾の名称は、［**別府**］湾。

■ 正しいものを○で囲もう。

自然をチェック 中津市にある奇岩の連なった峡谷の名称は？景勝地として有名だよ。
①馬仙峡　**②耶馬渓**　③竜神峡　④面河渓

名所をチェック 源泉数と湧出量が、ともに日本一である大分県の温泉地は？
①別府温泉　②下呂温泉　③白浜温泉　④鬼怒川温泉

名産をチェック 大分県での生産が多い農産物といえば？
①ゴボウ　②ニンニク　**③乾シイタケ**　④モロヘイヤ

工芸品をチェック 国の「伝統的工芸品」に指定されている大分県別府市の工芸品は？
①漆器　②鉄器　③和紙　**④竹細工**

マメ知識　温泉の源泉数とは「水がわき出てくる場所の数」のこと、温泉の湧出量とは「地中からわき出る水の量」のこと。大分県はいずれも全国トップです。

101

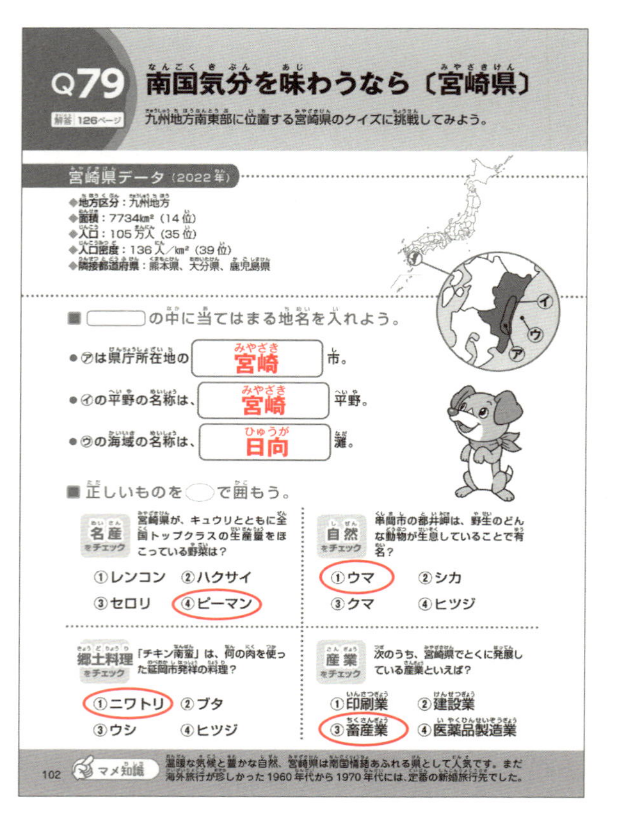

Q79 南国気分を味わうなら〔宮崎県〕

解答 126ページ

九州地方南東部に位置する宮崎県のクイズに挑戦してみよう。

宮崎県データ（2022年）

- 地方区分：九州地方
- 面積：7734km²（14位）
- 人口：105万人（35位）
- 人口密度：136人／km²（39位）
- 隣接都道府県：熊本県、大分県、鹿児島県

■ ［　　］の中に当てはまる地名を入れよう。

- ㋐は県庁所在地の［**宮崎**］市。
- ㋑の平野の名称は、［**宮崎**］平野。
- ㋒の海域の名称は、［**日向**］灘。

■ 正しいものを○で囲もう。

名産をチェック 宮崎県が、キュウリとともに全国トップクラスの生産量をほこっている野菜は？
①レンコン　②ハクサイ　③セロリ　**④ピーマン**

自然をチェック 串間市の都井岬は、野生のどんな動物が生息していることで有名？
①ウマ　②シカ　③クマ　④ヒツジ

郷土料理をチェック 「チキン南蛮」は、何の肉を使った延岡市発祥の料理？
①ニワトリ　②ブタ　③ウシ　④ヒツジ

産業をチェック 次のうち、宮崎県でとくに発展している産業といえば？
①印刷業　②建設業　**③畜産業**　④医薬品製造業

102

マメ知識　温暖な気候と豊かな自然、宮崎県は南国情緒あふれる県として人気です。まだ海外旅行が珍しかった1960年代から1970年代には、定番の新婚旅行先でした。

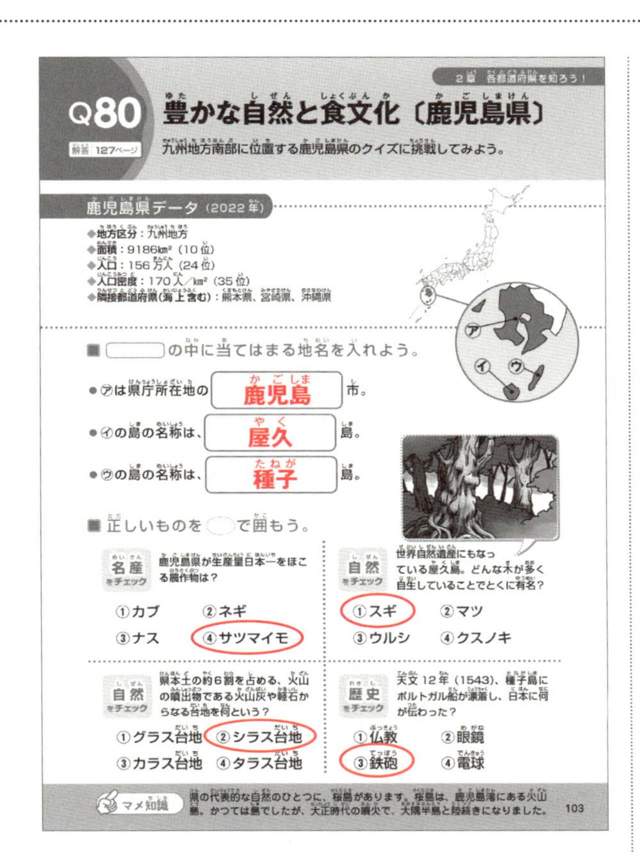

2章 各都道府県を知ろう！

Q80 豊かな自然と食文化〔鹿児島県〕

解答 127ページ

九州地方南部に位置する鹿児島県のクイズに挑戦してみよう。

鹿児島県データ（2022年）

- ◆地方区分：九州地方
- ◆面積：9186㎢（10位）
- ◆人口：156万人（24位）
- ◆人口密度：170人／㎢（35位）
- ◆隣接都道府県(海上含む)：熊本県、宮崎県、沖縄県

■ ［　］の中に当てはまる地名を入れよう。

- ●㋐は県庁所在地の［鹿児島］市。
- ●㋑の島の名称は、［屋久］島。
- ●㋒の島の名称は、［種子］島。

■ 正しいものを〇で囲もう。

名産をチェック 鹿児島県が生産量日本一をほこる農作物は？

①カブ　②ネギ　③ナス　④サツマイモ（正解）

自然をチェック 世界自然遺産にもなっている屋久島。どんな木が多く自生していることでとくに有名？

①スギ（正解）　②マツ　③ウルシ　④クスノキ

自然をチェック 県本土の約6割を占める、火山の噴出物である火山灰や軽石からなる台地を何という？

①グラス台地　②シラス台地（正解）　③カラス台地　④タラス台地

歴史をチェック 天文12年（1543）、種子島にポルトガル船が漂着し、日本に何が伝わった？

①仏教　②眼鏡　③鉄砲（正解）　④電球

マメ知識 県の代表的な自然のひとつに、桜島があります。桜島は、鹿児島湾にある火山島。かつては島でしたが、大正時代の噴火で、大隅半島と陸続きになりました。

103

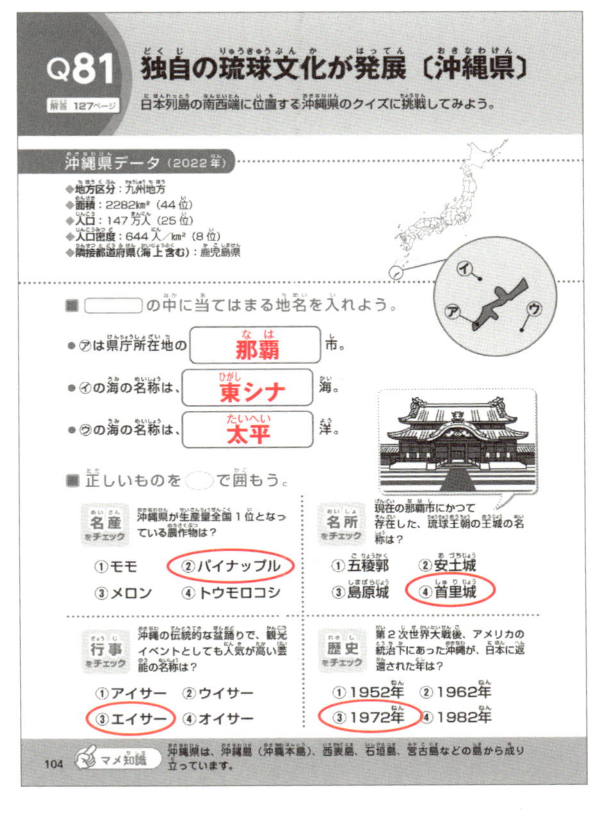

Q81 独自の琉球文化が発展〔沖縄県〕

解答 127ページ

日本列島の南西端に位置する沖縄県のクイズに挑戦してみよう。

沖縄県データ（2022年）

- ◆地方区分：九州地方
- ◆面積：2282㎢（44位）
- ◆人口：147万人（25位）
- ◆人口密度：644人／㎢（8位）
- ◆隣接都道府県(海上含む)：鹿児島県

■ ［　］の中に当てはまる地名を入れよう。

- ●㋐は県庁所在地の［那覇］市。
- ●㋑の海の名称は、［東シナ］海。
- ●㋒の海の名称は、［太平］洋。

■ 正しいものを〇で囲もう。

名産をチェック 沖縄県が生産量全国1位となっている農作物は？

①モモ　②パイナップル（正解）　③メロン　④トウモロコシ

名所をチェック 現在の那覇市にかつて存在した、琉球王朝の王城の名称は？

①五稜郭　②安土城　③島原城　④首里城（正解）

行事をチェック 沖縄の伝統的な盆踊りで、観光イベントとしても人気が高い芸能の名称は？

①アイサー　②ウイサー　③エイサー（正解）　④オイサー

歴史をチェック 第2次世界大戦後、アメリカの統治下にあった沖縄が、日本に返還された年は？

①1952年　②1962年　③1972年（正解）　④1982年

104

マメ知識 沖縄県は、沖縄島（沖縄本島）、西表島、石垣島、宮古島などの島から成り立っています。

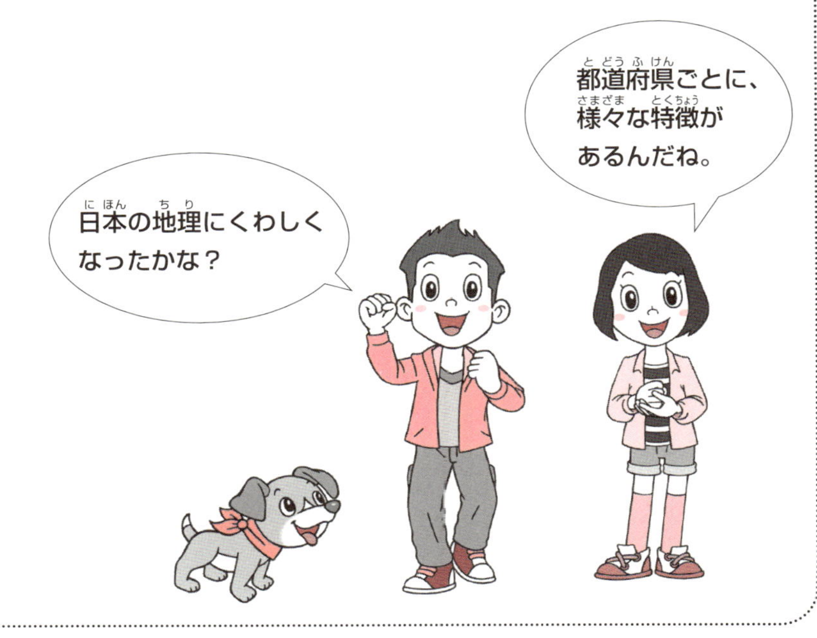

著／学習社会科ドリル研究会

本文デザイン・DTP／鳥羽編集事務所、ねころのーむ

本文イラスト／しまだいさお、川島健太郎

地図協力（p2〜16）／東京カートグラフィック株式会社

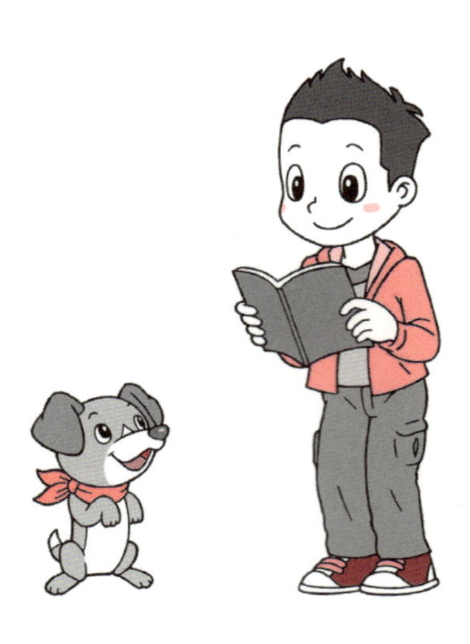

小学生の日本地図ドリル
楽しく学ぶ 基礎からわかる 47都道府県

2023年6月30日　第1版・第1刷発行

著　者　学習社会科ドリル研究会（がくしゅうしゃかいかどりるけんきゅうかい）
発行者　株式会社メイツユニバーサルコンテンツ
　　　　代表者　大羽 孝志
　　　　〒102-0093 東京都千代田区平河町一丁目1-8
印　刷　株式会社厚徳社

ご意見・ご感想はホームページから承っております
ウェブサイト　https://www.mates-publishing.co.jp/

編集長：堀明研斗　企画担当：折居かおる／清岡香奈

※本書は2019年発行の『小学生のおもしろ日本地図ドリル 基礎からわかる47都道府県 改訂版』を元に情報更新と内容の見直しを行い、書名を変更して新たに発行したものです。